Anne de Vries

Die Bibel unserer Kinder

Die Worte der Heiligen Schrift von
Anne de Vries
für die Kinder erzählt.
Abbildungen von Herm. F. Schäfer.

Diese Lizenzausgabe erscheint im
Gemeinschaftsverlag für Österreich:
Verlag Katholisches Bibelwerk GmbH, Stuttgart
Veritas, Linz – Wien

DIE BIBEL UNSERER KINDER

DAS ALTE TESTAMENT

DAS NEUE TESTAMENT

VON GOTT KOMMT ALLES HER

Höre einmal gut zu.
Dann will ich dir erzählen, wer alles erschaffen hat.
Weißt du wohl, woher das Butterbrot kommt, das du heute morgen gegessen hast?
Die Mutter streicht es dir, das Brot kauft sie beim Bäcker. Der bäckt es aus Mehl.
Das Mehl kommt vom Müller. Der mahlt das Korn in der Mühle.
Das Korn bekommt er vom Bauern. Der erntet das Korn auf seinem Feld.
Wer aber hat das Korn wachsen lassen?
Gott, der Herr.
Und wenn Gott das nicht getan hätte, dann hätte der Bauer kein Korn. Dann hätte der Müller kein Mehl. Dann könnte der Bäcker kein Brot backen.
Dann könnte die Mutter dir kein Brot geben.
Dein Brot kommt also eigentlich von Gott und alles andere Essen auch.
Darum sprechen wir jeden Tag andächtig: „Herr, hab Dank für Speis und Trank. Amen."

Auch alles andere kommt von Gott:
Er läßt die Bäume wachsen, damit wir Holz haben für Stuhl, Tisch und Bett.
Er läßt Berge werden und Quellen sprudeln.
Er läßt uns Steine finden. Aus Steinen bauen wir unsere Häuser, Straßen und Brücken.
So ist es mit allen Dingen: Von Gott kommt alles her.

Gott hat alles erschaffen: den Himmel und die Erde, auf der wir wohnen – alles, so weit du sehen kannst und noch viel weiter.
Ja, Gott hat auch die Menschen erschaffen – auch dich.
Noch ehe du geboren warst, hat er dich im Leib deiner Mutter wachsen lassen. Er hat dir Vater und Mutter gegeben.
Die brauchtest du auch. Denn als du zur Welt kamst, konntest du nur strampeln und schreien.
Dann hat Gott auch dafür gesorgt, daß du größer wurdest. Und nun bist du schon ziemlich groß. Du kannst schon so viel. Du hast auch allerhand gelernt. Aber du wirst weiterwachsen und noch viel mehr lernen. Und auch dafür wird Gott sorgen.
Du hast ein Dach über dem Kopf und jeden Tag zu essen und Kleider und noch vieles andere mehr.
Das alles verdankst du Gott.

DAS ALTE TESTAMENT

DIE ERSCHAFFUNG DER WELT UND DES MENSCHEN

Vor langer, langer Zeit schuf Gott Himmel und Erde. Auf der Erde wohnte noch niemand. Dort war es kalt und still und stockdunkel. Und die ganze Erde war noch mit Wasser bedeckt.
Da dachte Gott: Ich will die Erde schön machen!
Und er sprach: „Es werde Licht!"
Und da wurde es hell, weil Gott es gesagt hatte. Denn was Gott sagt, das geschieht.
Aber als es Abend wurde, lag die Erde wieder im Dunkeln.
So ist es, abends wird es immer wieder dunkel.
Wenn es hell ist, dann ist Tag, und wenn es dunkel ist, dann ist Nacht.
Da war der erste Tag vorüber.

Am zweiten Tag setzte Gott sein Werk fort.
Er sprach: „Über der Erde soll ein blauer Himmel leuchten!"
Und schon war es so. Weiße Wolken schwebten am blauen Himmel dahin.
Das war sehr schön.
Dann wurde es wieder Abend. Da war der zweite Tag vorüber.

Die ganze Erde war noch immer mit Wasser bedeckt. Dann aber, am dritten Tag, wurde das anders. Da machte Gott ein großes Stück der Erde trocken. Von dort trieb er alles Wasser fort. Und Gott sprach: „Das Trockene ist das Land, und das Wasser ist das Meer."
Dann ließ Gott auf dem Trockenen von allem wachsen: Gras und Blumen und Bäume.
Und wie die Blumen rochen und wie sie blühten! Und die Bäume rauschten sacht, wenn der Wind darüber wehte.
Es wurde sehr schön auf der Erde.

Am vierten Tag wurde alles noch viel schöner. Denn jetzt schuf Gott die Sonne. Die ging am Morgen auf, stieg hoch und höher und schien warm auf die Erde. Die Blumen drehten ihre Köpfe zum warmen Licht und blühten auf in ihrer Schönheit. Doch als es Abend wurde, sank die Sonne tiefer, immer tiefer, und schließlich war sie untergegangen.
Doch wurde es nicht mehr so ganz dunkel, denn jetzt stand der Mond am Himmel.
Den hatte Gott auch erschaffen und dazu die leuchtenden Sterne.
Und Gott sprach: „Die Sonne soll am Tage scheinen und der Mond in der Nacht."
So geschah es auch.

Dann kam der fünfte Tag.
Weißt du, was Gott da erschaffen hat?
Die Fische und die Vögel.
Die Fische spielten im Wasser, und die Vögel sangen in den Bäumen. Es war, als wollten sie Gott zeigen, wie sehr sie sich freuten.
Gott lehrte die Vögel ihre Nester bauen, ihre Eier legen und sie ausbrüten. Er wollte, daß immer mehr junge Vögel ausschlüpften.
Dann war der fünfte Tag vorüber.
Am sechsten Tag hat Gott das Schönste von allem erschaffen.

Zuerst alle übrigen Tiere: Die Pferde und die Kühe, die Schafe und die Kaninchen, den großen, großen Elefanten und die winzig kleine Maus. Sie alle hat Gott erschaffen.

Und dann sprach Gott: „Jetzt will ich den Menschen schaffen, und der Mensch soll mir gleichen."
Und Gott schuf den Menschen und nannte ihn *Adam.*
Und Gott sprach: „Adam, ich mache dich zum Herrn über alles, was ich geschaffen habe, über die Fische und Vögel und über alle übrigen Tiere. Sie alle sollen dir gehorchen, du aber sollst mir gehorchen."
Das verstand Adam gut.
Dann war der sechste Tag vorüber.

Am siebten Tag ruhte Gott von seinem Werk, denn jetzt war die Erde vollendet. Gott segnete diesen Tag.
Und von nun an sollten alle Menschen am siebten Tag ausruhen von ihrer Arbeit.

So gibt es also nichts auf der Welt, was Gott nicht geschaffen hat.

ADAM UND EVA

Adam ging in einem wunderschönen Garten spazieren. Blumen blühten im Gras, die Vögel sangen in den Bäumen. Herrliche Früchte hingen über seinem Kopf: Trauben, Äpfel und noch viele andere. Es gab dort auch vielerlei Tiere. Vor keinem brauchte sich der Mensch zu fürchten. Sie waren folgsam und gehorchten ihm. Keins tat dem andern weh.
Wie herrlich war es doch in dem schönen Garten!
Weißt du, wie der Garten hieß?
Garten Eden.
Wir nennen ihn auch das Paradies.
Und weißt du, wer auch dort war?
Gott, der Herr.
Er hatte den Garten gemacht und ihn Adam gegeben, damit er darin wohne. Gott sorgte sehr gut für Adam, wie ein Vater für sein Kind. Adam war froh und glücklich.

Der ganze schöne Garten war Adam anvertraut. Er durfte ihn pflegen und von all den guten Früchten essen, soviel er nur wollte.
Nur von einem einzigen Baum durfte Adam nicht essen. Dieser Baum stand mitten im Garten und hieß: Der Baum der Erkenntnis von Gut und Böse.
Gott hatte gesagt: „Von allen Bäumen darfst du essen, nur von diesem einen nicht. Wenn du davon ißt, mußt du sterben."
Adam hörte auf das Wort des Herrn.
Er ging immer an dem Baum vorbei.

Eines Tages sollte Adam allen Tieren Namen geben. Das wollte Gott. So wie Adam sie nennen würde, so sollten sie auch heißen.
Wie viele Tiere gab es in Feld und Wald!
Da waren ganz kleine, die man fast übersehen konnte.
Andere waren größer als Adam, und die Vögel konnten sogar hoch über seinem Kopf herumfliegen.

Doch Adam war ihr Herr. Er durfte ihnen einen Namen geben.
Aber unter allen Tieren gab es keines, das zu Adam paßte. Jedes Tier hatte seinen Gespielen. Jedes Männchen hatte seine Gefährtin. Adam aber hatte niemand. Er war richtig einsam.
Gott aber wußte, was Adam dachte. Er hatte über ihn gewacht, und so brauchte Adam seinen Wunsch gar nicht erst auszusprechen.
Gott sagte: „Es ist nicht gut, daß der Mensch allein sei. Ich will ihm jemand geben, der zu ihm paßt."
Dann ließ er Adam in einen tiefen Schlaf fallen. Und als Adam wieder aufwachte, war eine Frau bei ihm. Die hatte Gott ihm gegeben. Sie hieß *Eva.*
Wie froh war Adam da! Nun war er nicht mehr allein. Er führte Eva in dem schönen Garten herum und zeigte ihr alles. Er machte sie aber auch auf den einen Baum aufmerksam, von dem sie nicht essen durften.
Sie waren sehr froh und glücklich. Sie lebten nun beide ganz nahe bei Gott, wie seine Kinder. Aber eines Tages wurde alles ganz anders. Adam und Eva sind selbst schuld daran.
Eva geht allein im Garten umher. Da kommt sie in die Nähe des Baumes, von dem sie nicht essen darf. Dort hört sie plötzlich jemand sprechen. Wer ist das? Adam ist es nicht und Gott auch nicht.
Eva bleibt neugierig stehen. Da sieht sie eine Schlange. Die guckt Eva mit ihren glitzernden Augen an und spricht: „Sag mal, ist es wahr, daß ihr von keinem einzigen Baum essen dürft? Hat Gott das wirklich gesagt?"
Eva antwortet: „Aber nein, wir dürfen von allen Bäumen essen, nur von diesem Baum nicht. Denn dann müssen wir sterben. Das hat Gott gesagt."
Da blickt die Schlange ganz listig drein und flüstert: „Aber nein, ihr werdet nicht sterben! Gott sagt das zwar, aber es ist nicht wahr. Im Gegenteil, ihr werdet genauso sein wie Gott, so weise und so mächtig."
Eva schaut die Früchte an. Sie glänzen so schön in der Sonne. Sicher würden sie sehr gut schmecken!
Und dann tut sie es. Sie pflückt von dem Baum und ißt davon. Dann gibt sie Adam von der Frucht, und auch Adam ißt davon.

Urplötzlich wissen Adam und Eva, daß die Schlange gelogen hat. Sie *fühlen* es. Jetzt können sie sich nicht mehr freuen. Sie haben Angst und schämen sich, denn jetzt erst sehen sie, daß sie nackt sind. Deshalb pflücken sie große Blätter und machen sich Schürzen daraus.
Plötzlich hören sie die Stimme Gottes. Sonst hat sie das immer gefreut. Aber jetzt fürchten sie sich. Sie laufen schnell fort. Sie verstecken sich vor Gott zwischen den Sträuchern. Und sie hoffen, daß er sie nicht findet.
Aber Gott findet sie *doch.*
Er ruft: „Adam, wo bist du?"
Zitternd kommen Adam und Eva zum Vorschein. Sie wagen nicht, Gott anzuschauen. Gott fragt: „Habt ihr von dem Baum gegessen?"
Adam antwortet: „Ja, Herr, aber die Frau, die du mir gegeben hast, die ist daran schuld." Und Eva flüstert: „Nicht ich, die

Schlange ist schuld. Sie hat gesagt, daß ich davon essen darf."

Da sagt Gott zur Schlange: „Weil du das getan hast, sollst du verflucht sein. Die übrigen Tiere werden dich fürchten, und auch die Menschen werden deine Feinde sein."

Zu Eva sagt Gott: „Du wirst Schmerzen haben, wenn du Mutter wirst."

Und zu Adam sagt er: „Du mußt schwer arbeiten, damit du und deine Familie satt werden. Denn auf deinem Acker werden auch Dornen und Disteln wachsen."

Aber Gott hatte seine Menschenkinder doch noch lieb. Er sorgte auch weiterhin für sie. Er machte Adam und Eva Röcke aus Tierfellen und zog sie ihnen selber an. Doch Adam und Eva durften nicht im Paradies bleiben. Gott schickte sie weg. Engel mit loderndem Flammenschwert bewachten den Weg zum Paradies.

Nun mußte Adam selber Äcker anlegen und Bäume pflanzen.

Aber sterben mußten Adam und Eva nicht sofort.

KAIN UND ABEL

Nun durften Adam und Eva nicht mehr in dem schönen Paradies wohnen.

Zuerst war ihr Leben froh und glücklich gewesen. Nun war es traurig und mühselig. Das war die Strafe dafür, daß sie ungehorsam gewesen waren.

Eines Tages aber geschah etwas sehr Schönes. Da schenkte Gott ihnen ein Kind, einen kleinen Jungen.

Wie froh waren sie darüber! Nun war Eva Mutter geworden. Und sie nannte ihr Kind *Kain.*

Eine Weile später wurde ihnen noch ein Kind geboren, wieder ein Junge. Der wurde *Abel* genannt. Nun hatten Adam und Eva bereits zwei Kinder.

Eva hatte keine Wiege, um ihre Kinder hineinzulegen. Sie hatte auch keine Decken, um sie vor Kälte zu schützen.

Doch sie sorgte für Kain und Abel, so gut sie nur konnte. Sie machte ihnen ein Bettchen aus Heu und Stroh und deckte sie mit einem Tierfell zu. Das war schön warm.

Die beiden Jungen wuchsen rasch heran. Sie lernten laufen und sprechen und wurden tüchtige Burschen. Sie mußten nun arbeiten, genauso wie ihr Vater.
Kain wurde ein Bauer. Er arbeitete auf dem Acker und säte das Korn. Und wenn das Korn reif war, schnitt er es, mahlte die Körner und buk Brot daraus.
Abel wurde Schafhirte. Er ging mit seinen Schafen aufs Feld und suchte schönes Gras für sie aus. Die Milch der Schafe schmeckte sehr gut. Manchmal schlachtete er ein Schaf. Dann hatte er gutes Fleisch.
Kain säte mehr und mehr Korn. Und Abel bekam mehr und mehr Schafe, denn in jedem Jahr wurden Lämmer geboren.
Wer aber ließ das Korn für Kain wachsen? Und wer gab Abel all die Schafe?
Gott, der Herr.
Alles kommt von Gott. Das wußten Kain und Abel gut. Das hatte Adam ihnen oft gesagt.
Und darum wollten sie Gott auch für alles danken und ihm etwas dafür wiedergeben.
Sie brachten Gott ein Opfer dar.
Weißt du, wie sie das machten?
Wenn Abel dem Herrn ein Opfer darbringen wollte, dann suchte er das schönste Schaf aus, das er hatte. Dann sprach er: „Das ist ein Schaf für Gott."
Nun suchte er trockene Zweige, die gut brannten. Die legte er auf einen Haufen Steine. Dann schlachtete er das Schaf und legte es auf die Zweige. Jetzt war das Opfer zubereitet.
Nun mußte das Opfer brennen, darum legte Abel glühende Kohlen unter die

Zweige. Der Wind fachte das Feuer an, die Zweige verbrannten, und das Fleisch des Schafes verbrannte auch. Und der Rauch stieg zum Himmel empor.
Dann kniete Abel nieder und sprach voll Ehrfurcht: „Lieber Gott, du sorgst so gut für mich. Darum will ich gerne dieses Schaf geben, um dir zu zeigen, wie dankbar ich bin."
Das hörte Gott alles und sah, daß Abel ihn liebhatte. Gott hatte Abel auch lieb.

Er nahm das Opfer gern an, und das machte Abel froh.
Auch Kain brachte dem Herrn Opfer. Auch er suchte öfters einen Haufen Steine zusammen und baute Zweige darauf. Und auf die Zweige legte er ein wenig Korn, das Gott auf seinem Acker hatte wachsen lassen. Das verbrannte er.

Dann begann auch Kain zu beten, aber richtig dankbar war er nicht. Er dachte: Warum muß ich dem Herrn eigentlich danken? Ich habe das Korn doch selbst gesät, ich habe doch mühsam dafür gearbeitet!
Aber Gott sah wohl, was Kain dachte. Er sah, daß Kain ihn nicht liebhatte. Und darum wollte er Kains Opfer nicht annehmen.
Das merkte Kain sehr wohl. Er ärgerte sich über Gott und auch über Abel, aber über Abel am meisten.
Er war neidisch. Er dachte: Gott zieht Abel immer vor. Er macht ihn froh und mich nicht.
Daran mußte er oft denken. Dann wurde er immer böser und zorniger und war oft häßlich zu Abel.
Der Herr warnte ihn und sprach: „Kain, warum bist du so zornig und neidisch? Es ist doch allein deine Schuld. Du mußt mich liebhaben, dann wirst du auch froh werden. Denk daran, Kain, du darfst nicht neidisch sein."
Aber Kain hörte nicht. Er tat, was ihm gefiel.
Eines Tages sagte er zu Abel: „Laß uns aufs Feld gehen." Und als er mit Abel allein war, begann er Streit mit ihm. Er schlug ihn, ganz fest und hart. Kain

schlug seinen Bruder Abel tot! Da lag Abel nun, und sein Blut floß ins Gras.
Wie sehr erschrak da Kain! Er lief schnell fort, er hatte große Angst vor der Strafe. Er hoffte, daß Gott es nicht gesehen hatte. Aber Gott hatte es sehr wohl gesehen. Gott sieht alles, was hier auf Erden geschieht. Er fragte Kain: „Wo ist dein Bruder Abel?"
Da begann Kain auch noch zu lügen und sagte frech: „Ich weiß nicht, wo Abel ist.

Ich muß doch nicht meines Bruders Aufpasser sein!"
Gott sprach: „Weil du das getan hast, werde ich nichts mehr für dich wachsen lassen. Du darfst auch nicht hierbleiben. Geh fort von hier! Wie weit du aber auch fortgehst, du wirst nirgends in der Welt Ruhe finden."
Und so geschah es. Kain zog fort, ganz weit fort, immer weiter. Aber überall mußte er an seinen Bruder Abel denken, den er totgeschlagen hatte. Sein ganzes Leben lang war er von Angst gejagt.

So hatten Adam und Eva an einem Tag beide Söhne verloren. Keiner von ihnen kam abends nach Hause zurück.
Da gingen sie, ihre Kinder zu suchen. Sie fanden Abel. Es schien, als ob er schliefe. Aber er wachte nicht mehr auf, er war ja tot. Da begruben Adam und Eva seinen Leichnam in der Erde.
Aber der Herr ließ sie nicht allein. Er schenkte ihnen wieder Kinder, Mädchen und Jungen. Einer der Jungen war genau wie Abel und hatte auch den Herrn lieb. Er hieß *Set.*

NOACH

Poch, poch, poch! machte es.
Klopf, klopf, klopf!
Es waren Menschen am Hämmern, ein alter Mann und drei junge Männer.
Der alte Mann hieß *Noach.*
Die drei jungen Männer waren seine Söhne, sie hießen *Sem, Ham* und *Jafet.*
Sie halfen ihrem Vater bei der Arbeit.
Sie fällten dicke Baumstämme, aus denen sie Pfosten und Bretter sägten. Damit bauten sie etwas. Ein Haus?
Ja, es glich fast einem Haus, so hoch war es, aber es war eine *Arche*, ein ganz großes Schiff, wohl mehr als hundert Meter lang.
Daran hatten die Männer schon seit langem gearbeitet. Nun war das Riesenschiff beinahe fertig.
Wer aber sollte damit wegfahren?
Die vier Männer und ihre Frauen.
Zusammen acht Menschen.
Das war nicht viel für ein Schiff, das Platz genug für an die tausend Menschen hatte. Es hätten ruhig noch mehr mitfahren können, aber die andern *wollten* nicht. Sie kamen wohl einmal vorbei, um sich das große Schiff anzusehen, aber wenn sie es sahen, fingen sie an zu lachen. Sie lachten den alten Noach aus.
„Mit dem Schiff kannst du doch nicht fahren", riefen sie. „Es steht ja mitten auf dem Land. Wie willst du denn dein großes Schiff ans Wasser bringen?"
„Das Wasser wird *hierher* kommen!" sagte Noach. „Überallhin wird das Wasser kommen, über die ganze Erde. Das hat Gott gesagt. Weil die Menschen so schlecht geworden sind und nicht mehr auf ihn hören wollen. Und jeder, der dann nicht in der Arche ist, wird ertrinken."
Aber da lachten sie nur noch mehr.
„Lacht doch nicht!" rief Noach. „Hört lieber zu und betet, daß Gott euch euren Ungehorsam vergeben möge! Dann dürft ihr auch in die Arche."
Aber sie riefen: „Nein, wir wollen nicht beten! Laß die Strafe nur kommen, wir haben keine Angst davor. Wir wollen gar nicht in deine Arche."

So schlecht waren sie geworden, die Menschen, die jetzt auf der Erde lebten. Noch schlechter als Kain, denn der hatte wenigstens noch Angst vor der Strafe, als er die große Übeltat begangen hatte. Aber die Menschen hatten keine Angst mehr.

Sie taten so, als gäbe es überhaupt keinen Gott, als könnten sie tun, was sie wollten. Gott hatte sie oft gewarnt, aber sie kümmerten sich nicht darum. Sie lachten sogar über Gott.
Aber Gott läßt sich nicht auslachen.
Er hatte lange Geduld gehabt mit den schlechten Menschen, aber da sie nicht auf ihn hören wollten, sollten sie bestraft werden.

Darum hatte Gott zu Noach gesagt, daß er die Arche bauen solle. Denn *Noach* hatte den Herrn lieb. Er sollte nicht bestraft werden, und seine Frau und seine Kinder auch nicht.
Gott gab genau an, wie die Arche gebaut werden sollte.
Es kam eine Tür in die Arche und ein Fenster. Und innen waren viele Zimmer eingerichtet worden.
Auch ein Dach kam auf die Arche. Und alle Fugen wurden mit Teer und Pech verschmiert, damit kein Tröpfchen Wasser eindringen konnte.
Die Hämmer klopften alle Tage.
Poch, poch, poch!
Klopf, klopf, klopf!
Das hörten die Menschen abends, wenn sie schlafen gingen.
Das hörten die Menschen morgens, wenn sie aufwachten.
Poch, poch, poch!
Klopf, klopf, klopf!
Horcht doch! Hört doch!
Aber sie hörten nicht.
Dann waren die Hämmer still.
Das große Schiff war fertig.
Nun kamen aber doch noch viele, die in die Arche wollten.
Aber das waren keine Menschen, das waren Tiere.
Sie kamen zu zweien, je ein Männchen und ein Weibchen. Gott hatte sie geschickt. Sie gingen alle zusammen in die Arche, groß und klein, und Noach wies ihnen den Raum zu, einen Stall, wo sie sich aufhalten konnten. Dort lag ihr Futter schon bereit.

Die schlechten Menschen sahen es.
Aber sie wollten immer noch nicht hören.
Doch dann war es zu spät.
Acht Menschen gingen in die Arche. Und Gott schloß selbst die Tür hinter ihnen zu. Noch eine Woche lang stand die Arche still und wartete. Dann aber geschah es.

Schwere Wolken trieben heran und machten den ganzen Himmel schwarz. Die Sonne verkroch sich. Es wurde so finster wie die Nacht.
Dann begann es zu regnen, so stark, wie es noch nie geregnet hatte. Es strömte, es prasselte, es klatschte auf den Boden und hörte nicht mehr auf.
In der Dunkelheit stand das große Schiff ganz ruhig da. Das Wasser klatschte auf das hölzerne Dach, es lief an den Wänden entlang, es umspülte die Arche von allen Seiten.

Die Arche stand schon im Wasser. Das Wasser wurde tiefer und tiefer. Und plötzlich stand die Arche nicht mehr still. Sie begann auf dem Wasser zu schaukeln. Der Wind trieb sie vor sich her.
Wohin?
Noach wußte es nicht.
Und die übrigen Menschen, die in der Arche waren, wußten es auch nicht.
Aber Gott wußte es. Er sandte das Schiff über das große Wasser. Und so wie er es steuerte, so war es gut.
Doch immer noch regnete es weiter, ununterbrochen, und immer höher stieg das Wasser auf der Erde.
Zuerst standen die *Häuser* unter Wasser.
Dann standen alle *Bäume* unter Wasser.
Schließlich standen auch alle hohen *Berge* unter Wasser.
Erst jetzt trieb Gott die schwarzen Wolken hinweg. Es hörte endlich auf zu regnen. Die Sonne ließ sich wieder blicken.
Aber jetzt war keine Erde mehr da. Es gab nur noch ein großes, tiefes Meer.
Es gab auch keine schlechten Menschen mehr. Die waren alle ertrunken.
Auf dem großen Meer aber trieb die Arche. Und *in* der Arche waren acht glückliche Menschen und eine große Menge Tiere, die einmal wieder auf der Erde wohnen sollten. Die brauchten nicht ängstlich zu sein, denn Gott sorgte für sie.

Lange trieb die Arche auf dem großen Wasser umher.
Doch eines Tages – da machte es krach! Da war die Arche auf etwas aufgefahren. Nun konnte das große Schiff nicht mehr weiter. Es saß fest auf dem Rücken eines Berges. Dort mußte es warten, bis die Erde wieder trocken war. Das Wasser begann zu sinken. Noach sah schon einzelne Berge zum Vorschein kommen.

Aber es dauerte noch sehr lange, bis an Aussteigen zu denken war. Noach konnte es vor Ungeduld kaum mehr aushalten.

Darum ging er eines Tages in den Stall, in dem die Vögel saßen, und ergriff einen Raben, einen großen schwarzen Vogel. Den ließ er durch das Fenster nach draußen fliegen.
Der Rabe war froh, er flog weit weg und kam nicht mehr zurück. Er war ein starker Vogel, der schon wieder auf der Erde leben konnte. Er hatte sicher etwas zum Fressen gefunden, das im Wasser herumtrieb.
Dann ließ Noach eine Taube aus der Arche. Die flog hin und her, den ganzen Tag über, und suchte nach etwas Futter, aber sie konnte nirgends etwas finden. Und als es Abend wurde, kam die Taube wieder zurück, müde und traurig, weil sie noch nicht auf der Erde leben konnte. Da streckte Noach seine Hand aus dem Fenster und holte die Taube wieder herein.
Er wartete noch eine Woche, dann ließ er die Taube zum zweitenmal fliegen. Auch diesmal kam sie am Abend zurück, aber was hatte sie im Schnabel? Ein Blatt, das sie von einem Baum abgerissen hatte.
Es war so, als ob sie sagen wollte: „Es dauert nicht mehr lange, Noach. Die Bäume ragen schon aus dem Wasser heraus." Das war eine gute Nachricht.

Als Noach nach einer Woche die Taube wieder fliegen ließ, kehrte sie nicht mehr zurück. Sie hatte Nahrung gefunden.
Da brach Noach das Dach von der Arche und wartete, bis Gott sprechen würde.
Und dann sprach Gott: „Geh jetzt aus der Arche, Noach, mit deiner Frau und deinen Kindern und mit allen Tieren."

Wie waren sie froh, daß sie nun nach draußen durften! Das Gras grünte schon wieder, und die Blumen begannen zu blühen. Die Erde war wieder so schön!
Die Vögel bauten sofort an ihren Nestern und sangen ihre schönsten Lieder.
Die Tiere sprangen lustig durch den Wald und verschwanden nach allen Seiten, um sich einen guten Platz zu suchen, an dem sie sich aufhalten konnten.
Noach brachte dem Herrn ein Opfer dar. Und als der Rauch zum Himmel emporstieg, knieten die acht Menschen nieder und dankten Gott, daß er so gut für sie gesorgt hatte.
Gott sah das Opfer. Er sah auch, wie froh und dankbar die Menschen waren. Und er versprach, daß er niemals wieder eine solch schlimme Wasserflut über die Erde bringen würde, eine solch große *Sintflut.*

Er sprach: „Wenn es künftig regnet, braucht ihr keine Angst zu haben. Wenn ihr dann zum Himmel emporschaut, werdet ihr manchmal meinen Bogen in den Wolken sehen. Den sehe ich auch, er ist ein Zeichen, daß die ganze Welt nie wieder ertrinken soll."
Hast du den schönen, farbigen Bogen schon einmal gesehen?
Das ist der *Regenbogen.*

ABRAHAM

Einst mußte ein Mann eine große Reise unternehmen. Er hieß Abraham, und er war sehr reich. Er besaß viele Schafe, Kühe und Esel. Und Kamele hatte er auch. Das sind große Tiere, noch größer als ein Pferd. Darauf kann man gut reiten. Und nun sollte Abraham auf Reisen gehen. Alle Kühe, Schafe und Esel sollten mit, ebenso eine große Schar Knechte, um all die Tiere zu hüten.
Abrahams Frau ging auch mit. Sie hieß *Sara.*
Abraham *mußte* fort. Das hatte Gott ihm befohlen. Er hatte gesagt: „Abraham, du sollst in ein anderes Land ziehen, das ich dir zeigen werde. Geh nur getrost, ich werde mit dir sein. Und in dem Land sollen auch deine Kinder wohnen."
Abraham sagte: „Ja, Herr, ich werde gehen."
Denn Abraham hatte Gott lieb und tat gehorsam, was er ihm sagte.
Es war eine lange, mühselige Reise.
Abraham ritt voraus auf einem großen Kamel. Und sein Neffe Lot ritt neben ihm. Der wollte auch gern mit in das ferne Land.
Hinter den beiden Männern ritten ihre Frauen, Sara und Lots Frau. Und dann kamen all die Schafe mit ihren Lämmern und die Kühe mit ihren Kälbern und all die andern Tiere mit ihren Jungen. Dazu die Knechte, die die Tiere hüten und pflegen mußten. Es war ein sehr langer Zug.
Er kam nur langsam vorwärts, denn die kleinen Lämmer konnten nicht so schnell laufen.
Sie kamen an hohen Bergen vorbei und zogen durch große Wälder. Auch ging es durch Wüsten, wo nichts war als Sand, Sand und nochmals Sand. Sie kamen durch viele fremde Länder, in denen Abraham noch nie gewesen war.
Wenn es Abend wurde, hielten sie an. Dann schlugen sie ein paar Zelte auf, in denen sich die Menschen niederlegten. Die Tiere mußten draußen bleiben. Sie drängten sich dicht aneinander und schliefen auch.
Doch nicht alle Knechte schliefen. Einige mußten wach bleiben, um die Schafe zu hüten. Sie zündeten ein Feuer an in der dunklen Nacht. So wagte sich kein Raubtier heran, um ein Schaf zu stehlen. Weißt du, wer auch nicht schlief? Gott, der Herr.
Er schaute vom Himmel hernieder und behütete die Menschen und Tiere.
Wenn es dann Morgen wurde, zogen sie wieder weiter.
Gott sprach: „Dorthin, Abraham, wo gestern abend die Sonne untergegangen ist!"
Abraham zog weiter und hatte keine Angst während der langen Reise, denn er konnte sich ja nicht verirren. Gott selbst zeigte ihm den Weg.

Eines Tages kam Abraham an einen großen Fluß. Den mußten sie überqueren.
Es war keine Brücke da und auch kein Boot. Doch Abraham suchte sich eine Stelle aus, wo das Wasser nicht so tief war, und ritt quer hindurch. Und alle Menschen und Tiere liefen hinter ihm her durch das Wasser. Nur die Lämmer

waren zu klein. Sie wurden von den Knechten getragen.
Als sie aber das andere Ufer erreicht hatten, waren sie in dem Land, das ihnen Gott versprochen hatte. Es war ein wunderschönes Land. Da blühten überall Blumen, und es wuchs saftiges Gras für die Schafe. Dieses Land hieß Kanaan.
Gott sprach: „Abraham, dieses Land werde ich deinen Kindern geben."
Deinen Kindern?
Abraham hatte keine Kinder! Er und Sara waren schon alt, aber Gott hatte ihnen noch nie ein Kind geschenkt.
Doch Abraham sagte nichts dagegen.
Er dachte: Gott hat es gesagt, dann ist es auch wahr. Wie es geschehen wird, weiß ich nicht, aber Gott weiß es sicher. Was er sagt, das geschieht immer. Das *glaube* ich.
Er brachte dem Herrn ein Opfer, um ihm zu zeigen, wie froh und dankbar er war. Und er wartete geduldig, bis der Herr ihm und Sara ein Kind schenken würde.
Abraham und Lot wohnten in Frieden in dem neuen Land. Nur eins war schade, sie konnten nicht beieinander wohnen bleiben, denn Abraham hatte große Herden und Lot auch: Schafe und Kühe und Esel und Kamele.
Die Herden wurden immer größer und größer, denn jährlich wurden neue Lämmer geboren und Kälber und andere junge Tiere.
Im Laufe der Jahre gab es so viele Tiere, daß nicht mehr genug Gras da war.

Da bekamen Lots Knechte Streit mit Abrahams Knechten.
„Geht fort", riefen sie, „das Gras ist für *unsere* Schafe."
„Nein, nicht wir", antworteten die andern, „geht ihr doch weg! *Wir* bleiben!"
Es wurde immer schlimmer. Jeden Tag gab es neuen Streit.
Abraham dachte: „Das kann so nicht weitergehen. Er nahm seinen Neffen Lot mit auf einen Berg.
Wer dort oben stand, konnte über das ganze Land sehen. Abraham sagte: „Lot, es ist nicht gut, daß unsere Knechte dauernd streiten, wir können so nicht beieinander bleiben. Wähl du dir einen Platz aus, wo du wohnen willst. Wenn *du* zur Rechten gehst, so will *ich* zur Linken gehen, und wenn *du* zur Linken willst, so gehe *ich* zur Rechten."
Da schaute Lot in die Runde und sah auf ein wunderschönes Fleckchen Erde.
Seine Augen glänzten, als er dieses schöne Land entdeckte. Dort wuchs so viel saftiges Gras; dort konnte er noch viel mehr Tiere halten, dort konnte er reich werden, noch viel reicher, als er schon war!
Dort lagen auch zwei große Städte, die hießen *Sodom* und *Gomorra.* In diesen Städten wohnten schlechte und gottlose Menschen. Aber das störte Lot nicht, wenn er nur reich werden konnte.
So wählte Lot diesen schönen Flecken, den besten im ganzen Land, und zog in die Stadt Sodom.
Doch Gott sprach zu Abraham: „Sei nicht traurig, Abraham, denn später werde ich doch deinen Kindern das ganze Land geben. Weißt du, wieviel Kinder du haben

wirst, wie groß das Volk sein soll, das hier später wohnen wird? So viele Sandkörner es auf Erden gibt, so groß und zahlreich soll dein Volk sein."

Als Gott das sagte, wurde Abraham sehr froh, denn er glaubte dem Herrn.

So vergingen viele, viele Jahre, und immer noch hatten Abraham und Sara kein Kind. Wie lange sollten sie eigentlich noch warten?

Sara sagte: „Es wird wohl nichts daraus, wir werden viel zu alt."

Doch Abraham sprach: „Ich bin sicher, daß Gott sein Wort halten wird, er hat es doch gesagt!"

Abraham machte sich jedoch zuweilen auch seine Gedanken, weil es so lange dauerte. Manchmal konnte er deswegen nicht schlafen.

Doch eines Nachts kam Gott, um mit Abraham zu reden. Er sprach: „Mach dir keine Sorgen, ich bin mit dir."

„Ach Herr", antwortete Abraham, „wir haben immer noch kein Kind."

Da führte Gott Abraham nach draußen und sprach: „Schau einmal nach oben! Siehst du die Sterne? Zähl sie mal, wenn du kannst."

Aber das konnte Abraham nicht. Es waren viel zu viele!

Gott sprach: „Sieh her, Abraham, soviel Sterne, wie dort oben am Himmel sind, soviel Kinder will ich dir geben. So groß und zahlreich wird das Volk sein, das hier wohnen soll. Ich werde für dieses Volk sorgen, es soll das Volk Gottes sein."

Da wurde Abraham wieder froh, denn er glaubte dem Herrn.

Nun konnte er wieder warten.

ABRAHAM UND LOT

Abraham und Lot wohnten nun nicht mehr beieinander.

Abraham wohnte in einem Zelt im Land Kanaan. Lot wohnte in einem Haus in der Stadt Sodom.

Eines Tages erhielten beide eine Nachricht von Gott. Für Abraham war es eine gute Nachricht, für Lot eine sehr schlechte.

Es war ein heißer Tag. Die Sonne brannte auf die Erde herab. Doch Abrahams Zelt stand unter den Bäumen. Dort war es schön kühl.

Da kamen drei Männer des Weges in herrlichen weißen Gewändern. Abraham kannte sie nicht, trotzdem stand er sofort auf und ging ihnen entgegen. Freundlich sagte er zu ihnen: „Kommt doch ein Weilchen zu mir herein, ruht euch aus und eßt und trinkt."

Er nahm sie mit und wies ihnen einen schönen, schattigen Platz an. Er holte Wasser herbei, dazu Kuchen und ein leckeres Stück Fleisch. So sorgte er für seine Gäste, wenn er auch noch nicht wußte, wer sie waren. Er meinte, es sei ein vornehmer Herr, der mit seinen beiden Knechten unterwegs war.

Auf einmal sagte der Herr: „Wo ist Sara, deine Frau?"

Abraham antwortete: „Dort im Zelt."

„Gut", sprach der Herr, „über ein Jahr werde ich wiederkommen, und dann wird Sara einen Sohn haben."

Da freute sich Abraham sehr, denn *jetzt* wußte er, wer da vor ihm saß: Gott, der

Herr. Wie schön, daß Gott selber zu ihm gekommen war mit zwei seiner Engel, um ihm die frohe Nachricht zu bringen. Aber Sara wußte noch nicht, daß Gott es war, den sie da reden hörte. Sie hatte ihn gut verstanden, denn sie stand hinter ihm im Zelt und lauschte. Sie glaubte aber schon lange nicht mehr daran, daß sie ein Kind haben sollte. Sie war doch schon so alt! Darum lachte sie.

Doch plötzlich erschrak sie, denn sie hörte, wie Gott sagte: „Warum lacht Sara? Sollte für mich etwas zu wunderbar sein?"

Da log die alte Sara, denn sie hatte Angst. Sie sagte: „Ich habe nicht gelacht."

Doch Gott weiß alles und irrt sich nie. Er sprach: „Lüge nicht, Sara, du hast gelacht. Trotzdem soll geschehen, was ich gesagt habe."

Dann standen die drei Männer auf, um weiterzugehen. Abraham ging ein Stück mit ihnen.

Sie kamen auf eine Anhöhe. Von dort sahen sie in der Ferne die Stadt *Sodom* und die Stadt *Gomorra* liegen.

Gott sprach: „Abraham, ich will dir sagen, was ich tun werde, denn du bist mein Freund. Ich gehe nach Sodom und Gomorra, um zu sehen, ob die Menschen dort noch so schlecht und gottlos sind. Wenn es nicht besser damit geworden ist, werde ich sie bestrafen. Dann werde ich die beiden Städte vernichten."

Da erschrak Abraham sehr. Wollte Gott die Städte zerstören, ganz und gar zerstören? Sie hatten es sicher verdient, doch Lot wohnte auch in Sodom, und Lot hatte es nicht verdient. Lot hatte Gott lieb, und vielleicht waren da noch mehr solcher Menschen.

Abraham fiel auf die Knie und sagte voller Ehrfurcht: „Ach Herr, vielleicht wohnen noch Menschen in Sodom, die dich liebhaben, vielleicht noch *fünfzig*, Herr."

Gott, der Herr, antwortete: „Wenn ich auch nur fünfzig Menschen finde, die mich liebhaben, werde ich der Stadt vergeben."

Aber fünfzig waren schon viel! Wenn es nun doch weniger waren?

Da fragte Abraham: „Wenn es aber nur *fünfundvierzig* sind, Herr?"

„Dann werde ich die Stadt auch nicht zerstören", antwortete Gott.

„Vielleicht sind aber nur *vierzig* dort", sagte Abraham.

„Auch dann werde ich die Stadt nicht bestrafen."

„Und wenn es nur noch *dreißig* sind, Herr?"

„Auch dann nicht", sprach die Stimme Gottes.

„O Herr", sagte Abraham, „sei mir nicht böse, vielleicht sind dort nur *zwanzig* Menschen, die dich liebhaben."

Und Gott sprach: „Ich werde die Stadt nicht bestrafen, wenn ich dort nur noch zwanzig solcher Menschen finden sollte."

Nun wagte Abraham kaum noch weiterzufragen. Aber er wußte, wie gut Gott war. Darum wagte er es noch einmal. Er flüsterte ehrerbietig: „Herr, wenn nun dort nur noch *zehn* Menschen wohnen, die dich liebhaben?"

Da hörte er Gott sagen: „Wenn ich in Sodom auch nur *zehn* Menschen finde, die mich liebhaben, dann werde ich die Stadt nicht bestrafen, weil *sie* darin wohnen."

Als Abraham aufblickte, war er allein. In der Ferne aber liefen die beiden Engel direkt auf Sodom zu.

Da ging Abraham still und bedrückt nach Hause. Er mußte immerzu an Sodom denken.

Als er nach Hause kam und seine Frau sah, wurde er wieder froh. Sie wußten beide, daß nun das langersehnte Kind kommen würde. Sie wollten *miteinander* darauf warten.

Doch Lot erhielt eine schlechte Nachricht. Sie wurde ihm durch die Engel überbracht, die auch bei Abraham gewesen waren.

Es war bereits Abend, als die Engel in Sodom ankamen.

Die Stadt war rundherum von einer Mauer umgeben. In der Mauer war ein Tor. Dadurch mußte man gehen, wenn man in die Stadt kommen wollte.

Am Tor saßen Menschen, unter ihnen auch Lot.

Er sah die beiden Männer herankommen und wußte nicht, wer sie waren, aber er dachte: Ich muß mich um sie kümmern, sonst könnten die Menschen von Sodom ihnen etwas antun.

Darum nahm er die beiden Männer mit in sein Haus. Er gab ihnen zu essen und zu trinken und sagte: „Ihr könnt heute bei mir übernachten."

Aber o weh, was gab es da draußen? Da war auf einmal großer Lärm und lautes Geschrei! Es wurde an die Tür gehämmert, und eine harte Stimme schrie: „Lot, wo sind die fremden Männer? Öffne die Tür, wir wollen sie holen. Wir werden ihnen schon helfen, diesen Fremden!"

Es waren die Männer von Sodom, die so riefen. Sie hatten das Haus umstellt, so daß niemand heraus konnte. Sie waren so schlecht, daß sie jedem Fremden, der in die Stadt kam, etwas antun wollten.
Aber Lot hatte keine Angst. Er ging nach draußen, stellte sich direkt vor die drohenden Menschen und sagte: „Tut den Männern nichts Übles an, sie haben euch doch nichts getan."
Aber das half nichts, sie wurden noch zorniger und schrien: „Willst du den Herrn über uns spielen? Komm doch mal her, wenn du es wagst. Wir werden es dir schon zeigen."
Es hätte nicht viel gefehlt, so hätten sie Lot gepackt. Aber die Engel zogen ihn schnell ins Haus und schlossen die Tür ab. Und dann geschah ein Wunder.
Die Männer von Sodom wollten die Tür einschlagen, aber sie suchten und suchten und sahen die Tür nicht mehr. Es war, als ob sie blind wären. Sie irrten überall umher, aber nirgends fanden sie die Tür zu Lots Haus. Gott sorgte dafür, daß sie die Tür nicht finden konnten.
Schließlich gingen sie, müde vom Suchen, alle fort.

Da erzählten die Engel Lot, warum sie gekommen waren: Um all die Menschen zu strafen, weil sie so schlecht waren. Um ihre Stadt zu zerstören, so daß sie alle sterben müßten.
Das war eine schreckliche Nachricht!
„Doch *du* brauchst nicht zu sterben, Lot", sprachen die Engel. „Nur mußt du bald weggehen, mit deiner Frau und deinen beiden Töchtern."
Lot konnte das einfach nicht glauben. Weggehen sollte er? Und sein Haus? Sollte das auch zerstört werden? Und seine Schafe und Kühe und seine andern Tiere? Sollte er die alle zurücklassen? Er hatte so schwer dafür gearbeitet. Er wollte doch so gern *reich* sein. Und nun sollte er das alles verlieren? Nun sollte er plötzlich *arm* werden?
Lot war völlig verstört. Er ging noch nicht fort. Er liebte sein Haus viel zu sehr und alles andere, das er besaß.
Doch draußen begann es schon hell zu werden. Die Nacht war vorbei, der Tag der Strafe war angebrochen.
„Komm", sprachen die Engel, „beeil dich, sonst mußt du auch sterben!"
Aber Lot blieb noch sitzen. Er tat so, als habe er nichts gehört.
Da faßten die Engel ihn bei der Hand und zogen ihn hinter sich her, ebenso seine Frau und seine beiden Töchter. Sie gingen durch die Tür, über die Straßen, dann durch das Stadttor ins Freie.
„Lauft", sprachen die Engel, „bleibt nicht stehen und seht euch nicht um, denn sonst müßt ihr sterben!"
Da liefen die vier Menschen schnell fort. Schon begann hinter ihnen der Boden zu erdröhnen. Sodom wurde zerstört. Es regnete Feuer vom Himmel. Die Häuser gingen in Flammen auf. Und die brennende Stadt wurde total durcheinandergeworfen, so wie eine Schachtel voll Bauklötze durcheinandergeworfen wird. Der Boden klaffte auseinander, und die Stadt sank in die Tiefe. An ihrer Stelle entstand ein großes, salziges Gewässer, ein Salzmeer.
Jetzt waren all die schlechten Menschen tot. Gott hatte sie bestraft.

Lot aber wurde durch Gott gerettet.
Und seine Töchter auch.
Doch seine Frau . . .
Gott wollte auch sie retten, aber sie dachte *nur* an ihr Haus und an ihr Geld. Sie konnte sich nicht davon trennen, sie blieb stehen und sah sich um.

Da wurde sie furchtbar bestraft. Lots ungehorsame Frau war auf der Stelle tot.

An jenem Morgen stand Abraham früh auf und stieg die Anhöhe hinauf, um nach Sodom zu schauen.
Es lag aber eine dicke Rauchwolke über dem Land, man konnte Sodom nicht mehr sehen.
Jetzt wußte Abraham, daß noch nicht einmal zehn Menschen in der Stadt gewesen waren, die Gott liebgehabt hatten.

Irgendwo in den Bergen fand Lot mit seinen beiden Töchtern eine Wohnung. In einer dunklen Höhle, als ein armer Mann.
Er hatte so gerne reich werden wollen. Er hatte sein Geld so liebgehabt und sein Haus und seine Tiere. Nun hatte er alles verloren.
Doch er hatte auch Gott liebgehabt, und den hatte er nicht verloren.
Gott war noch da und wollte auch weiterhin Lots Freund sein.
Wenn aber Gott dein Freund ist, dann bist du nicht arm.

HAGAR UND ISMAEL

Ein Jahr ging vorüber, da wurde das Kind geboren, auf das Abraham und Sara so lange gewartet hatten. Es war ein Junge. Sie nannten ihn *Isaak.* Wie dankbar waren die beiden alten Menschen! Dies war nun das Kind, das Gott ihnen versprochen hatte und das später zu einem großen Volk werden sollte.
Manchmal weinte das Kind, es hatte Hunger. Dann kam Sara und gab ihm zu trinken. Manchmal jauchzte es vor Freude, dann war Abraham bei ihm und spielte mit ihm.
Der kleine Isaak wuchs gesund heran. Als erstes lernte er, im Zelt herumzukriechen. Später lernte er laufen und sprechen. Er bekam auch Zähnchen und lernte es, Brot und Fleisch zu essen, genauso wie die Erwachsenen. Jetzt brauchte er nicht mehr bei seiner Mutter zu trinken.
Jetzt gab es ein Fest, weil Isaak ein so großer Junge geworden war.
Auf diesem Fest geschah etwas Schlimmes. Daran war aber nicht Isaak schuld, sondern ein anderer Junge; der hieß *Ismael.*
Ismael wohnte auch bei Abraham, seine Mutter ebenso. Die hieß *Hagar.* Sie arbeitete als Dienstmagd bei Abraham und Sara.
Ismael war viel größer als Isaak, aber er war nicht lieb zu dem kleinen Jungen. Er war eifersüchtig auf ihn und dachte: Ich wollte, Isaak wäre nie geboren. Denn er wird hier später der Herr sein. *Er* bekommt fast alles, und *ich* bekomme fast nichts, denn er ist das von Gott verheißene Kind!
Jetzt auf dem Fest trieb der große Ismael seinen Mutwillen mit dem kleinen Jungen. Er lachte ihn aus und verspottete ihn.
Sara sah dies und sagte zu Abraham: „Du mußt den Jungen wegschicken, und auch seine Mutter. Der Junge kann nicht bei Isaak bleiben, er will immer nur den Überlegenen spielen und ist sehr häßlich zu ihm."
Aber das wollte Abraham nicht, denn er hatte auch Ismael und Hagar sehr gern.
So sagte er: „Wegschicken? Das werde ich nie tun."
Doch Gott sprach: „Du mußt es tun, Abraham, Sara hat recht, Ismael kann nicht hierbleiben. Schicke ihn getrost fort. Ich werde für ihn sorgen."
Ja, jetzt blieb Abraham nichts anderes übrig, er mußte es tun, wenn es ihm auch noch so leid tat. Gott hatte gesprochen.
Jetzt mußten Hagar und Ismael fortgehen. Sie bekamen Brot mit und einen Krug Wasser für den Durst.

So zogen sie zusammen in die weite Welt, Mutter und Sohn.
Abraham stand an seinem Zelt und sah ihnen schweren Herzens nach.
Hagar und Ismael mußten sehr lange wandern. Denn weit, weit fort lag das Land, in dem Hagar früher gewohnt hatte, bevor sie zu Abraham gekommen war. Dahin wollten sie zurück.
Doch Hagar achtete nicht so genau auf den Weg, hatte sie doch über so vieles nachzudenken und war sehr bekümmert. So verirrte sie sich und kam in eine Wüste. Hier gab es nichts als Sand, Sand und nochmals Sand. Die Sonne brannte heiß auf ihrem Kopf, und auch der Boden unter ihren Füßen war ganz heiß. Nirgends ein Baum, der ein wenig Schatten spendete.
So irrten die beiden umher. Manchmal hielten sie einen Augenblick an und tranken aus ihrem Krug, dann liefen sie wieder weiter.
Sie hatten nun kein Haus mehr und kein Bett, um darin zu schlafen. Sie hatten auch niemand mehr, der für sie sorgte.
Niemand?
Und Gott, der Herr?
Aber daran dachten sie nicht.
„Mutter, ich habe solchen Durst!"
Da bekam Ismael wieder einen kleinen Schluck Wasser, aber sie hatten nicht mehr viel in ihrem Krug, er war fast leer. Sie hatten schon so oft getrunken.
Ismael war ganz müde und matt von der Hitze. Er konnte kaum noch laufen.
„Mutter, ich habe solchen Durst!"
Hagar reichte ihm den Krug, und Ismael setzte ihn an den Mund und wollte trinken, aber der Krug war leer.
„Mutter, es ist kein Wasser mehr drin."
Da erschrak Hagar. Und sie sah umher, ob sie nicht irgendwo Wasser finden konnte, aber da war nirgends Wasser, kein Graben, kein Tümpel oder Brunnen. Und es gab niemand, den sie um Wasser bitten konnte. Da war nur Sand, trockener, glühender Sand.
Ismael war krank vor Durst und Müdigkeit. Er schleppte seine Füße durch den Sand, bis er plötzlich zusammenbrach. Er konnte nicht mehr laufen. Er lag am Boden und stöhnte.
Hagar konnte ihrem Jungen nicht helfen. Sie hob ihn auf und trug ihn ein Stück weiter bis zu einem kleinen Strauch, der noch ein wenig Schatten gab. Dort legte sie ihn nieder. Mehr konnte sie nicht für ihn tun.
Hagar wagte es kaum noch, Ismael anzusehen. Sie konnte es nicht mehr länger ertragen, wie ihr Kind dort im Sterben lag. Sie lief ein Stück fort, setzte sich in den Sand und weinte.
„O mein Junge!" schrie sie. „Du stirbst vor Durst, und deine Mutter kann dir nicht helfen!" Sie weinte und schluchzte, und die Tränen rollten ihr über die Wangen.
Doch auf einmal blickte Hagar auf. Sie meinte, etwas zu hören, doch sie sah niemand. Und doch war da eine Stimme, die sprach: „Hagar, was fehlt dir? Du brauchst keine Angst zu haben, denn ich habe deinen Jungen gehört. Steh auf und geh zu ihm, *ich* werde für ihn sorgen."
Die Stimme kannte Hagar doch! Es war die Stimme Gottes! Nun würde alles gut werden. Sie wischte sich die Tränen ab und lief eilig zu ihrem Kind. Da sah sie plötzlich Wasser, einen Brunnen, ein

tiefes Loch im Boden, mit schönem, klarem Wasser. Sie eilte mit ihrem Krug herbei und ließ ihn von dem herrlichen, kühlen Wasser ganz vollaufen. Dann lief sie schnell wieder zu ihrem Jungen zurück, hob ihn hoch und setzte ihm den Krug an seinen Mund.
Ja, wie Ismael trank! Er schlug die Augen auf, und seine blassen Backen bekamen Farbe. Nach kurzer Zeit konnte er wieder aufstehen und laufen. Und mit einem vollen Krug gingen sie weiter.
Nun waren sie nicht mehr betrübt, gab es doch jemand, der für sie sorgte.
Vater Abraham war nicht mehr da, aber der Vater im Himmel war noch da und blieb immer bei ihnen. Er zeigte Hagar auch den Weg in das ferne Land.
Dort blieben sie wohnen, und Ismael wuchs dort zu einem starken Mann heran.

ISAAK

Isaak war ein großer Junge geworden. Doch je älter er wurde, um so mehr liebte Abraham ihn.
Gott hatte ihm dies Kind geschenkt. Abraham liebte Gott auch.
Aber wen liebte Abraham mehr, Gott oder sein Kind?
Abraham brachte Gott oft ein Opfer dar. Dann schenkte er ihm etwas. Er wollte ihm gern *alles* geben, was er hatte.
Alles? Und sein Kind?

Ob er Gott auch sein Kind geben würde? Da dachte Gott: Ich will doch einmal sehen, wen Abraham mehr liebt, *mich* oder *sein Kind*? Ob er mich wohl über alles liebt?
In der Nacht rief Gott: „Abraham!" Abraham wurde sofort wach und sagte: „Hier bin ich."
Da hörte er, wie Gott sagte: „Abraham, du mußt *mir* dein Kind geben. Du mußt es opfern auf dem Berg *Morija*."
Oh, wie erschrak Abraham da! Sein einziges Kind, das er so liebhatte, das Gott ihm selbst geschenkt hatte, durfte er es nicht behalten? Mußte er es wieder hergeben? Dabei hatte Gott doch gesagt, Isaak sollte in diesem Land wohnen und der Vater eines großen Volkes werden. Wie reimte sich das zusammen?
Abraham konnte es nicht begreifen. Er konnte es einfach nicht glauben. Aber Gott hatte es ausdrücklich gesagt, und da *mußte* er gehorchen. Doch Abraham fand es schrecklich, er hätte vergehen mögen vor Schmerz.
Er konnte nicht mehr schlafen und mußte immerzu daran denken, es ging ihm nicht mehr aus dem Sinn. Sollte er es tun oder nicht? Abraham war unendlich traurig. Wenn er es tun würde, dann hätte er kein Kind mehr, wenn aber nicht, dann wäre Gott nicht mehr sein Freund.
Wozu sollte er sich entscheiden?
Abraham wußte es nicht.
Wußte er es wirklich nicht?
Wenn Gott etwas sagt, dann ist es *immer* gut. Dann muß man gehorchen, auch wenn man nichts davon begreift und deswegen auch noch so großen Kummer hat.
Das *glaubte* Abraham. Und der Glaube machte ihn gehorsam.
Er dachte: *Ich* weiß nicht, warum Gott das verlangt, aber ich tue es. Gott hat es gesagt, und er kann auch dafür sorgen, daß alles wieder gut wird.

So stand Abraham in der Frühe des folgenden Morgens auf, zäumte einen Esel und weckte zwei seiner Hirten. Dann ging er in das Zelt, in dem Isaak schlief.
„Wach auf, mein Junge, wir wollen eine Reise machen!"
Nun, das war etwas für Isaak. Und es wurde eine schöne, lange Reise.
Es dauerte drei Tage, bis sie am Ziel waren. Es war die herrlichste Reise, die Isaak bisher gemacht hatte.
Endlich kamen sie an den Berg Morija. Da sagte Abraham zu den Hirten: „Ihr müßt nun mit dem Esel hierbleiben. Isaak und ich gehen nach oben. Und wenn wir dort das Opfer gebracht haben, kommen wir zurück!"
„Wir kommen zurück!"
Ja, so sagte Abraham.
So meinte er auch. Er *glaubte* fest, Gott würde alles gut machen.
Isaak durfte das Holz tragen, und Abraham nahm den Topf mit Feuer. So machten sich die beiden gemeinsam auf den Weg.
Plötzlich aber blieb Isaak stehen.
„Vater", sagte er.
Und Abraham erwiderte: „Was ist, mein Sohn?"
„Vater", sagte Isaak, „*du* hast das Feuer, und *ich* trage das Holz, aber wo ist das *Lamm*, das wir opfern wollen?"

Abraham antwortete: „Für ein Lamm wird Gott sorgen, mein Sohn."
So gingen die beiden weiter und kamen oben auf dem Berg an. Dort errichtete Abraham einen Altar aus Steinen und legte Holz darauf.
Ja, jetzt *mußte* Abraham es wohl sagen, und er erzählte Isaak, daß *er* das Lamm sein müsse.
So legte er Isaak auf das Holz.

Doch da rief Gott: „Abraham, Abraham!"
Jetzt war es genug. Gott hatte gesehen, daß Abraham ihm *alles* geben wollte.
Voll Freude rief Abraham: „Hier bin ich, Herr."
Und Gott sprach: „Halt an, Abraham, und tue dem Jungen nichts! Denn jetzt weiß ich, daß du mich über alles liebhast und daß du mir sogar dein Kind geben willst."

Wie froh und erleichtert war Abraham jetzt! Schnell band er Isaak los und nahm ihn fest in seine Arme.
Da hörte er plötzlich etwas rascheln, hinter seinem Rücken. Und als er sich umsah, erblickte er einen Widder, der in den Sträuchern festsaß. Dafür hatte Gott gesorgt.
Abraham legte das Tier auf das Holz und brachte dem Herrn ein Opfer. Noch nie in seinem Leben war er so froh und dankbar gewesen.

Dann gingen sie wieder zu den Hirten zurück und traten gemeinsam den langen Heimweg an.
Gott hatte alles gut gemacht. Abraham hatte noch sein Kind, und Isaak würde nun doch der Vater eines großen Volkes werden.

JAKOB UND ESAU

Abraham war gestorben und Sara auch. Sie waren sehr alt geworden. Und nun waren sie beide bei Gott.
Isaak war inzwischen erwachsen geworden. Er wohnte in dem Zelt seines Vaters Abraham und war der Herr über alles.
Doch er wohnte dort nicht allein.
Er hatte eine Frau, die hieß *Rebekka.*
Sie hatten zwei Kinder, die hießen *Jakob* und *Esau.*
Jakob und Esau waren an einem Tage geboren. Sie waren fast gleich alt. Esau war nur ein klein wenig älter.
Sie waren Zwillinge, aber sie glichen einander nicht.
Esaus Haut war mit Haaren bewachsen, so dicht, als trüge er ein Kleid aus Haaren. Jakobs Haut aber war weiß und glatt.
Esau war ein lauter, wilder Junge, der es zu Hause nicht aushalten konnte. Er lief weit hinaus aufs Feld und in die Wälder, und dort jagte er Hirsche und andere Tiere.
Jakob war viel ruhiger und sanfter. Er blieb bei seiner Mutter im Zelt oder versorgte die Schafe. Oft saß er still da und dachte nach.
Er dachte auch viel an Gott. Jakob hatte ihn lieb und wollte gern sein Kind sein.
Esau jedoch dachte wenig an Gott.
Dennoch hatte Isaak Esau lieber, denn er brachte leckeres Fleisch nach Hause, und das briet er dann für seinen Vater.
Doch Rebekka hatte Jakob lieber, denn er war gern bei ihr im Zelt und konnte so verständig reden.
Jakob war Mutters Liebling.
Und Esau war Vaters Liebling.
Wer aber würde später einmal in Isaaks Zelt wohnen und Herr sein über alles?
Wer würde den Segen bekommen und der Erbe werden, Jakob oder Esau?
Isaak und Rebekka wußten es. Gott hatte gesagt, daß Jakob es sein solle. Darüber war Rebekka froh, sie fand es gut so.
Isaak gefiel das aber gar nicht, er war der Meinung: Esau ist der Ältere, und der Ältere muß hier später der Herr sein. *Der* muß meinen Segen haben.

Isaak wollte klüger sein als Gott, er wollte seinen eigenen Kopf durchsetzen.
Rebekka war darüber oft unruhig. Sie dachte: Gott hat versprochen, daß Jakob der Erbe sein soll.
Auch Jakob war oft unruhig und grübelte:

Wie schade, daß Esau der Ältere ist! Wäre *ich* doch der Ältere!

Eines Tages saß Jakob vor dem Zelt. Er hatte etwas auf dem Feuer gekocht, einen Topf voll *Linsensuppe.* Die roch sehr gut. Da kam Esau gerade vorbei. Er war weit im Feld umhergelaufen, nun war er müde und hatte schrecklichen Hunger.
Da roch er die Linsensuppe. Seine Augen glänzten.
„Oh", rief er, „gib *mir* sie! Laß mich doch davon essen!"
Aber Jakob war schlau.
Er sagte: „Ich will dir gern davon geben, aber dann muß *ich* der Ältere sein, dann muß *ich* später den väterlichen Segen bekommen."
Esau lachte und rief: „Den kannst du gern haben, was kümmert mich der Segen?"
Da bekam Esau die Linsensuppe. Er bekam auch noch Brot dazu. Jakob war jetzt sehr gut und lieb zu seinem Bruder.

Jahre gingen vorüber.
Vater Isaak wurde alt und konnte nicht mehr gut sehen. Seine Augen wurden immer schlechter, bis er eines Tages

überhaupt nichts mehr sehen konnte. Er war blind geworden.
Er war auch sehr schwach. Jeden Tag lag er auf seinem Bett im Zelt und dachte: Ich werde nun wohl bald sterben! Wer soll dann in meinem Zelt wohnen und der Herr sein über alles? Esau! Ja, Esau muß es sein, nicht Jakob!
Eines Tages sagte Isaak zu Esau: „Mein Sohn, geh aufs Feld und erlege mir ein Tier. Schlachte es und brate es, so wie ich es gern habe. Wenn ich es dann gegessen habe, werde ich dir meinen Segen geben."
Esau hätte jetzt sagen müssen: „Nein, Vater, *Jakob* muß den Segen haben, das habe ich ihm versprochen."
Esau aber dachte: Was kümmert mich, was ich versprochen habe. Ich will jetzt den Segen haben und der Erbe sein. So ging er aufs Feld, um ein Tier zu erlegen.
Doch Mutter Rebekka hatte alles gehört und ging schnell zu Jakob. Oh, wie unruhig sie war!
„Wir müssen jetzt jede List aufbieten, die uns weiterhilft", sagte sie, „sonst bekommst du den Segen nicht. Wir müssen deinen Vater betrügen. Schnell, geh zur Herde und hol mir zwei Böckchen. Die werde ich braten, wie er es gern hat, und dann mußt du sie deinem Vater bringen. Und dann mußt du so tun, als wärest *du* Esau. Dein Vater ist doch blind, er merkt es bestimmt nicht."
Doch Jakob wollte nicht so recht.
„Vater kann doch fühlen, daß ich es bin", sagte er, „denn Esau hat so viele Haare auf den Händen, meine Hände sind aber ganz glatt."
Aber auch dafür wußte seine Mutter Rat. „Geh nur", sagte sie, „tu, was ich sage." Da ging Jakob zur Herde. Er schlachtete zwei Böckchen, und seine Mutter briet sie. Dann zog sie ihm Esaus Kleider an, die so gut nach Wald und Feld rochen, und die Häute der Böckchen mit den vielen Haaren darauf streifte sie über Jakobs Hände und um seinen glatten Hals. So kam Jakob zu seinem Vater ins Zelt.
„Mein Vater", sagte er.
Isaak fragte: „Wer bist du, mein Sohn?"
Da log Jakob: „Ich bin Esau, dein ältester Junge. Ich bin schon vom Feld zurück. Setz dich nur auf und iß mit Wohlbehagen von dem Fleisch, und dann gib mir deinen Segen."
Aber Isaak merkte doch etwas und sagte: „Bist du auch wirklich Esau? Du hast solch eine fremde Stimme! Komm doch mal zu mir und laß mich fühlen, ob du tatsächlich Esau bist."
Da trat Jakob an das Bett seines Vaters. Und der Vater betastete seine Hände. Ja, die waren voller Haare. Aber was war mit der Stimme?
„Die Stimme ist Jakobs Stimme, aber die Hände sind Esaus Hände", sagte der alte Mann. Dann fragte er nochmals: „Bist du auch wirklich Esau?"
„Ja", log Jakob abermals, „ich bin es."
Das Fleisch stand am Bett, es roch so gut. Isaak aß davon. Jakob holte auch Wein für den Vater, und Isaak trank davon.
Dann sagte er: „Gib mir einen Kuß, mein Sohn."
Jakob tat so. Als aber Isaak die Kleider Esaus roch, war er ganz sicher, daß es Esau sei, der da vor seinem Bett kniete.

Er streckte seine Hände aus und legte sie auf das Haupt seines Sohnes. Dann segnete er ihn und versprach ihm, daß *er* später der Herr sein solle über alles und daß *er* auch der Freund Gottes sein solle. Jakob wagte nicht aufzublicken. Er fühlte, wie schlecht, wie gemein er war. Er hatte seinen alten Vater betrogen und dennoch den Segen bekommen. Gott hatte es versprochen.

Kurz darauf kam Esau zurück. Er hatte ein Tier erlegt und schlachtete und briet es. Dann brachte er es in das Zelt seines Vaters.
„Mein Vater, hier bin ich", rief er.
Isaak erschrak. Plötzlich wußte er, daß er betrogen worden war.
Als Esau das hörte, schrie er auf vor Zorn, und zu den Leuten seiner Umgebung sagte er: „Ich werde Jakob schon noch erwischen! Wartet nur, wenn mein Vater nicht mehr da ist, dann werde ich ihn totschlagen, diesen Betrüger!"

Kaum hatte Rebekka das gehört, rief sie Jakob zu sich und sagte: „Schnell, du mußt weggehen, mein Junge, weit weg, in ein fremdes Land. Dort wohnt ein Onkel von dir, zu dem mußt du gehen, sofort. Nach einiger Zeit, wenn Esau nicht mehr so böse auf dich ist, kannst du wieder zurückkommen. Dann werde ich dich rufen!"

Jakob zog ganz weit fort, in die weite Welt hinaus, wo Esau ihn nicht finden konnte. Nun war er ein armer Flüchtling. Das hatte er nun von seinem Betrug!
Und Rebekka hatte ihren Jungen verloren, den sie so liebhatte. Das hatte sie von ihrem schlechten Rat!
Und Isaak lag traurig auf dem Bett.
Und Esau lief mit seinem bösen Herzen umher.
Sie hätten so froh und glücklich sein können, die vier Menschen. Nun waren sie überhaupt nicht mehr glücklich.
Weil sie alle vier Böses getan hatten.

IN DIE WEITE WELT

Wie gern wäre Jakob daheimgeblieben. Er fand es schrecklich, so weit von zu Hause fort zu sein. Aber er *mußte.* Wenn er daheimgeblieben wäre, hätte ihn sein Bruder Esau totgeschlagen.
Das hatte er nun von seiner List und von seinem Betrug. Er hätte so schön bei seiner Mutter bleiben können. Nun mußte er ganz allein unterwegs sein.
Es war eine lange Reise in das ferne Land, wo Jakobs Onkel wohnte. Jakob fühlte sich so verlassen. Er war traurig und bereute sehr, daß er seinen alten, blinden Vater betrogen hatte.
Er dachte: Nun ist niemand mehr da, der für mich sorgt. Ich habe etwas sehr Schlechtes getan.
Doch am schlimmsten von allem war, daß auch Gott erbost über ihn war und vielleicht nie wieder sein Freund werden wollte.

Endlich wurde es Abend. Die Sonne ging unter, es begann, dunkel zu werden, aber nirgends war ein Haus, in dem Jakob schlafen konnte. Es blieb ihm nichts anderes übrig, als draußen unter freiem

Himmel zu schlafen. So legte er sich auf den Boden, mit dem Kopf auf einem Stein.
Da lag er nun in dem dunklen Land.
Er schaute nach den Sternen, aber der Himmel war ganz finster. Und Gott war so weit fort.
Jakob dachte: Wäre Gott mir nur wieder gut! Ich möchte so gern wieder sein Freund sein.
Dann fielen ihm die Augen zu.
Er schlief und hatte einen schönen Traum.
Er sah eine Leiter, die war so hoch, daß ihre Spitze den Himmel berührte. Engel stiegen vom Himmel die Leiter herunter und wieder hinauf. Und ganz oben an der Leiter stand Gott selber. Der schaute freundlich auf Jakob herab und sprach: „Ich bin der Herr, der Gott Abrahams und deines Vaters Isaak. Ziehe nur ruhig in die weite Welt hinaus. Ich gehe mit dir und werde dich gesund wieder zurückbringen. Du darfst trotz allem mein Freund sein. In dem Land, in dem du nun liegst und schläfst, sollen einst deine Kinder wohnen."
Dann wachte Jakob auf. Es war Morgen, er hatte geträumt.
Und doch war, was er im Traum gesehen, wirklich geschehen. Der Herr hatte gesagt, daß er für Jakob sorgen wolle.
Jakob sagte: „Diesen Ort werde ich nie mehr vergessen."
Er stellte den Stein, auf dem er mit seinem Kopf gelegen hatte, aufrecht und wollte Gott ein Opfer bringen, ihm etwas geben, um ihm zu zeigen, wie froh und dankbar er war. Aber er hatte nichts bei sich, nichts außer einem Krug voll Öl.

Er leerte den Krug über den Stein aus. Das war sein Opfer, und er sagte: „Lieber Herr, ich danke dir, daß du so gut zu mir bist. Ich will dich immer liebhaben, und wenn ich wieder zurückkomme, werde ich dir hier ein neues Opfer bringen."
Dann zog er weiter.
Aber jetzt war er nicht mehr bedrückt und ängstlich.
Jetzt war er nicht mehr allein.
Der Herr ging mit ihm und sorgte für ihn. Gott brachte Jakob sicher und gesund zu seinem Onkel.

JAKOB KOMMT ZURÜCK

Jakob wohnte nun in dem fernen, fremden Land. Er wurde Landarbeiter bei seinem Onkel und hütete die Schafe und die Kühe.
Jakob blieb lange dort. Er arbeitete tüchtig und erwarb sich auch eigene Schafe und Kühe und andere Tiere. So wurde er allmählich ein reicher Mann.
Dort heiratete er auch eine Tochter seines Onkels, die hieß *Lea.* Und später heiratete er – was damals möglich war – noch eine andere Tochter seines Onkels, die hieß *Rahel.* Und Gott schenkte ihm viele Kinder.
Aber mußte er nun immer in dem fremden Land bleiben?
Seine Mutter hatte doch gesagt: „Ich werde dir Nachricht geben, wenn du zurückkommen kannst. Wenn Esau nicht mehr böse auf dich ist."
Doch die Nachricht von seiner Mutter kam nicht.
Eines Tages aber sprach Gott: „Jakob, jetzt mußt du zurückkehren in dein Land. Geh nur getrost, ich werde mit dir ziehen und werde auch weiterhin für dich sorgen."

Da machte sich Jakob auf den Weg, mit seinen Frauen und seinen Kindern, seinen Knechten und seinen Mägden, seinen Schafen und seinen Kühen, seinen Kamelen und allem anderen, was er hatte. Es war ein gewaltiger Treck. So wie Abraham einst nach Kanaan gegangen war, so zog jetzt Jakob auch dorthin zurück. Als armer Flüchtling war er ganz allein fortgegangen. Als reicher Mann kehrte er zurück, mit einem großen Gefolge von Menschen und Tieren, die alle ihm gehörten.
So gut hatte der Herr für ihn gesorgt. Sein Onkel war zunächst gar nicht einverstanden, daß Jakob fortging. Er wollte ihn zurückhalten. Aber Gott sprach: „Wehe, wenn du Jakob nicht gehen läßt!"
Da wagte der Onkel es nicht länger, ihn zurückzuhalten.

Es war eine sehr lange und sehr mühsame Reise. Doch endlich kam Jakob nahe an das Land, wo er früher mit seinem Vater und seiner Mutter gewohnt hatte. Doch jetzt bekam er es mit der Angst zu tun. Er mußte daran denken, was früher geschehen war und wie böse sein Bruder Esau auf ihn gewesen war. Er hatte ihn sogar töten wollen. Deswegen war Jakob ja damals geflüchtet.
Ob Esau noch daran dachte, ob er noch böse auf ihn war?
Jakob hoffte sehr, Esau würde es

vergessen haben. Denn Esau war so stark und ungestüm! Wenn Jakob gegen ihn kämpfen müßte, würde er sicher verlieren.
Jakob dachte: Ich muß etwas unternehmen. Ich werde eine Botschaft zu Esau schicken, daß ich wieder gut Freund mit ihm sein möchte.
Und so geschah es. Er schickte Esau auch ein schönes Geschenk: Schafe, Ziegen, Kamele und noch viele andere Tiere, eine ganze große Herde. Ein paar Hirtenjungen mußten all die Tiere zu Esau bringen.
Als aber die Hirtenjungen zurückkamen, sagten sie: „Herr, gib acht, Esau kommt schon heran. Er hat viele starke Männer bei sich, an die vierhundert. Die haben alle Schwerter, mit denen sie zuschlagen können, und Speere, mit denen sie stechen können."
Jakob erschrak sehr. Er hatte solche Angst, daß er nicht schlafen konnte. Als alle anderen schon schliefen, stand *er* noch draußen in der Dunkelheit und dachte: Nun kommt Esau, um mich zu strafen. Nun schlägt er uns vielleicht alle tot.
Aber dann dachte er an Gott. Gott hatte ja versprochen, daß *er* für Jakob sorgen wolle.
Jakob sagte: „O lieber Herr, hilf mir doch! Du hast es ja versprochen. Ich habe solche Angst vor Esau."
Als er sein Gebet beendet hatte, war da auf einmal ein Engel bei Jakob. Der blieb die ganze Nacht bei ihm. Als es Morgen wurde, hatte Jakob keine Angst mehr.
Er wußte, daß Esau ihm nichts Böses tun konnte, weil Gott bei ihm war.
Am selben Tag kam Esau.
Der Boden dröhnte, als er mit all seinen Knechten heranritt. Wolken von Staub flogen auf. Die großen Schwerter blitzten in der Sonne. Es sah sehr gefährlich aus, aber Jakob hatte keine Angst mehr.
Ruhig ging er Esau entgegen.
Und dann . . .
Dann kam Esau auf ihn zu, legte seine starken Arme um Jakob und – gab ihm einen Kuß! Er war überhaupt nicht mehr böse, er war froh, daß sein Bruder zurückgekehrt war.
Wie herrlich war das!
Gott hatte die Bosheit aus Esaus Herz genommen.
Sie saßen dann nebeneinander im Zelt, die beiden Brüder. Sie hatten sich soviel zu erzählen. Die Kinder durften auch kommen und Onkel Esau einen Kuß geben. Es war ein schöner Tag.
Noch bevor es Abend wurde, zog Esau wieder weiter. Und Jakob kehrte zurück in das Land Kanaan. So kam er endlich wieder nach Hause.
Mutter Rebekka war inzwischen gestorben, aber Vater Isaak lebte noch. Wie freute er sich, daß sein Sohn zurückgekehrt war.
Später, als Isaak auch gestorben war, wohnte Jakob in Isaaks Zelt. Nun war *er* der Freund Gottes.

JOSEF

Weißt du, wer Josef war?
Josef war ein Sohn Jakobs.
Er hatte sehr viele Brüder. Zehn *große* Brüder und einen *kleinen* Bruder. Der

hieß *Benjamin.* Den mochte Jakob gern, aber Josef hatte er am liebsten.
Er liebte ihn mehr als seine andern Söhne. Er verwöhnte ihn zuweilen sogar ein wenig und gab ihm ein schönes Kleid mit vielen Farben, ein Prinzenkleid.
Der kleine Benjamin blieb fast immer zu Hause bei seinem Vater. Auch Josef war oft daheim. Aber all die andern, die zehn großen Brüder, waren den ganzen Tag über auf dem Feld, um die Schafe und Kühe zu hüten.
Manchmal half ihnen Josef dabei. Aber er fühlte sich nie so richtig wohl bei den Brüdern, denn sie waren immer böse auf ihn. Weißt du, warum?
Weil *er* ein so schönes Kleid bekommen hatte und *sie* nicht.
Aber auch, weil sie manchmal etwas Schlechtes taten und Josef dann alles dem Vater erzählte, vor allem aber, weil Josef manchmal solch seltsame Träume hatte.

Einmal träumte Josef, er sei mit seinen Brüdern auf dem Kornfeld. Das Korn war schon gemäht. Nun mußte es zu Garben zusammengebunden werden. Josef band eine Garbe und legte sie auf das Feld. Doch plötzlich stellte sich die Garbe aufrecht. Und die Garben der Brüder stellten sich im Kreis um sie auf und verbeugten sich tief vor Josefs Garbe.
Diesen Traum konnte Josef nicht vergessen. Er erzählte ihn seinen Brüdern. Doch sie wurden sehr böse darüber und sagten: „Ja, das möchtest du wohl, daß wir uns vor dir verbeugen, damit du den Herrn über uns spielen kannst, du eingebildeter Träumer!"

Ein anderes Mal träumte Josef etwas noch Seltsameres. Da kamen die Sonne, der Mond und elf Sterne vom Himmel herab und verbeugten sich vor ihm.
Als er diesen Traum erzählte, ärgerte sich auch sein Vater über ihn und sagte: „Junge, was ist das nur für eine Träumerei! Glaubst du denn wirklich, daß wir uns alle einmal vor dir verbeugen werden, ich und deine Mutter und deine Brüder? Das ist doch wohl nicht gut möglich!"

Nun, Josef glaubte das auch selbst nicht recht, aber er hatte es doch wirklich so geträumt!
Vater Jakob aber konnte die Träume nicht mehr vergessen. Er mußte immer wieder daran denken.
Doch die Brüder waren sehr böse auf Josef. Sie hätten ihn am liebsten geschlagen oder gar getötet, so böse waren sie auf ihn.
Aber das wagten sie nicht.
Denn Vater Jakob war noch da.

Eines Tages waren die Brüder mit den Schafen ganz weit fortgegangen, so daß sie abends nicht nach Hause kamen.
Da sagte Vater Jakob zu Josef: „Du sollst mal zu deinen Brüdern gehen und nachsehen, wie es ihnen geht. Und dann mußt du schnell wieder zurückkommen und mir alles erzählen, denn ich bin ihretwegen ein wenig in Unruhe."
Josef machte sich auf den Weg, um seine Brüder zu suchen. Er irrte lange auf den weiten Feldern umher und suchte überall, aber er konnte sie nirgends finden, bis er schließlich einem Mann

begegnete, der ihm den Weg zeigte. Und dann fand er die Brüder.
Sie hatten ihn jedoch schon von weitem kommen sehen, die bösen Brüder.
„Seht", sagten sie zueinander, „da kommt der Träumer! Endlich haben wir ihn! Jetzt ist der Vater weit fort. Wißt ihr, was wir tun? . . . Wir schlagen ihn tot, und dann werfen wir ihn in den Brunnen und sagen dem Vater, ein wildes Tier hätte ihn gefressen. Dann wollen wir mal sehen, was bei seinen schönen Träumen herauskommt."
Aber der älteste Bruder sagte: „Nein, niemals! Ihr dürft ihn nicht töten, werft ihn lebendig in den Brunnen."
Der älteste Bruder hieß *Ruben*. Er war nicht so schlecht wie die anderen, aber er fürchtete sich vor ihnen, darum wollte er besonders schlau sein. Er dachte: Heute abend, wenn es dunkel ist, werde ich Josef heimlich wieder herausholen.
Dann packten sie Josef und schleppten ihn fort. Sie rissen ihm sein schönes Kleid vom Leib und warfen ihn in den Brunnen. Er weinte und jammerte, aber das kümmerte sie nicht. Sie hatten kein Mitleid mit ihm.
„So", riefen sie, „da liegst du gut. Träum nur weiter, du wärest der Herr über uns."
Dann setzten sie sich nahe an den Brunnen und aßen. Sie brachten es fertig,

ruhig dazusitzen und zu essen, während ihr Bruder tief unter ihnen lag und rief und weinte.
Doch Ruben war nicht so schlecht und so grausam, er lief aufs Feld.
Wartet nur, dachte er, wenn es nur erst dunkel ist! Er glaubte, es besonders schlau angefangen zu haben.

Zum Glück war kein Wasser im Brunnen. Josef konnte nicht ertrinken, aber er konnte auch nicht herauskommen. Die Wände waren viel zu hoch und zu glatt. Und sein Vater ahnte nichts. Der war weit weg und konnte ihm nicht helfen.
Josef hatte große Angst. Er weinte.
Plötzlich hörte er Stimmen. Seine Brüder waren zurückgekommen. Ob er wohl wieder heraus durfte? Ja, wirklich, sie zogen ihn an einem Seil nach oben.
Aber was waren das für fremde Männer, die da herumstanden? Sie hatten Kamele bei sich mit großen Säcken auf dem Rücken und sahen aus wie Kaufleute aus einem fremden Land. Warum schauten sie Josef so an und musterten ihn von allen Seiten?
Die fremden Männer gaben den Brüdern Geld, dann banden sie Josef mit einem Strick und zogen ihn fort zu den Kamelen. Jetzt erst begriff Josef, was mit ihm geschehen sollte. Die Brüder hatten ihn *verkauft.* Er wurde an einem Kamel festgebunden und mußte so mit den fremden Männern fortziehen.
Er weinte herzergreifend und rief: „Helft mir doch, helft mir doch, ich will zurück zu meinem Vater!"
Aber die Brüder hatten kein Mitleid. Und Ruben war nicht da. Erst als Josef schon

ganz weit fort war, kam Ruben zurück. Doch jetzt war es zu spät.
„O weh", rief Ruben, „was wird unser Vater dazu sagen?"
Aber die andern wußten schon Rat. Sie fürchteten sich nicht vor einer Lüge. Sie schlachteten ein Böckchen und schmierten das Blut auf Josefs schönes Kleid. Das blutgetränkte Kleid schickten sie durch einen Hirtenjungen zu ihrem Vater und ließen fragen: „Schau her, Vater, das haben wir auf dem Feld gefunden. Ist das nicht Josefs Kleid?"
So betrogen sie ihren Vater, denn als Jakob das Kleid sah, meinte er, sein geliebter Josef sei von einem wilden Tier gefressen worden.
Der alte Vater war sehr betrübt und sagte: „Ich werde nie wieder froh werden, nachdem nun mein lieber Josef tot ist."
Der arme Jakob!
Er wußte nicht, daß das Kleid nicht mit Josefs, sondern mit dem Blut eines Böckchens beschmiert war.

JOSEF IN ÄGYPTEN

Vater Jakob glaubte, Josef sei tot. Aber so war es nicht.
Er war in einem fernen Land. Dorthin hatten ihn die fremden Kaufleute gebracht. *Ägypten* hieß das Land.
Sie waren mit Josef auf den Markt gegangen und hatten ihn dort an einen reichen Mann verkauft. Der hieß *Potifar*.
Nun war Josef einer der Diener dieses Herrn und konnte nie wieder zu seinem Vater zurück, wie sehr er das auch wünschte.
Sein neuer Herr hatte noch viel mehr Diener. Die mußten den ganzen Tag über schwer arbeiten. Wer faul war oder murrte, wurde mit der Peitsche geschlagen.
Aber Josef war nicht faul. Er murrte auch nicht. Er tat seine Arbeit gut und dachte: Gott sieht mich auch hier in dem fremden Land.
Und es ging ihm gut, denn Gott sorgte für Josef.
Potifar besaß auch einen Stall mit Pferden, und wenn Josef sie versorgte, waren sie immer stark und gesund. Wohin Josef kam, da ging es vorwärts. Er war der beste unter allen Dienern seines Herrn.

Das sah Potifar.
Deshalb sagte er: „Josef, du sollst der Herr sein über all meine Diener und all meine Tiere, über alles, was ich besitze."
Wie schön war das, denn jetzt brauchte Josef nicht mehr so schwer zu arbeiten. Jetzt durfte er überall hingehen, auch in das schöne Haus Potifars, auch in die schönen Gemächer der Herrin, der Frau Potifars.

Doch die Herrin war eine hinterhältige Frau. Nichts konnte sie davon abhalten, schlechte Dinge zu tun.
Josef war ein schöner Mann. Längst hatte die Frau Potifars ein Auge auf ihn geworfen.
Eines Tages sagte sie zu Josef: „Komm, ich möchte deine Freundin sein, es wird ja niemand sehen."
Aber das wollte Josef nicht.
Darum sagte er: „Nein, Herrin, das darf

ich nicht tun, wenn es auch niemand sieht, Gott sieht es. Wie sollte ich etwas Schlechtes tun vor Gott und deinem Mann?"
Er hörte nicht auf sie.
Aber sie fing immer wieder davon an. Sie ließ Josef keinen Tag in Ruhe, bei jeder Gelegenheit versuchte sie, ihren Willen zu bekommen. Eines Tages, als Potifar ausgegangen war, hielt sie Josef an seinem Kleide fest.
„Du *sollst* auf mich hören!" rief sie. „Du *sollst* tun, was ich sage!"
Doch Josef riß sich los und lief fort. Sein Kleid blieb zurück, das hielt die Frau noch fest, aber das war ihm gleich. Er wollte keine schlechten Dinge tun.
Aber Potifars Frau begann, laut zu rufen und zu jammern: „Hilfe! Hilfe! Josef will mir Gewalt antun!"
Da liefen die Diener schnell herbei, und sie glaubten ihrer Herrin.
Zwar sahen sie Josef nicht mehr, aber sie sahen Josefs Kleid, das Potifars Frau noch in ihren Händen hielt. Es mußte wohl so gewesen sein, wie sie sagte.
Als Potifar nach Hause zurückkehrte, glaubte er es auch. Er wurde furchtbar böse auf Josef.
„Greift den Kerl und werft ihn ins Gefängnis!" rief er. Und so geschah es.

Armer Josef!
Da saß er nun im Gefängnis, in dem auch die Diebe und Mörder und andere Bösewichte saßen. In einer engen, dunklen Zelle saß er, ganz allein in dem kleinen, finsteren Loch. Er hatte nichts getan und wurde doch bestraft.
Wie schrecklich war das!

Wurde Josef nun zornig? Fing er an zu toben? Trat er wütend gegen die Tür? Nein, das tat Josef nicht. Denn er war ja nicht allein, *Gott* war bei ihm. Der sah ihn auch hier. Er tröstete Josef und sprach: „Hab Geduld, ich werde für dich sorgen, auch hier."

Jeden Tag ging die Tür der dunklen Zelle ein wenig auf. Dann kam ein Mann herein, um Josef das Essen zu bringen. Das war der Mann, der die Gefangenen bewachen mußte. Der sah Josef dort sitzen, ganz still und geduldig. Er dachte bei sich: Dieser Gefangene ist bestimmt kein Bösewicht. Bald darauf sprach er zu ihm: „Komm mal her, Josef. Du kannst mir helfen und den anderen Gefangenen immer das Essen bringen."

Das tat Josef gern. Auch jetzt gab er sich wieder alle Mühe, und Gott segnete ihn auch hier. Schließlich durfte er alle Gefangenen betreuen.
Doch er selbst blieb auch weiter ein Gefangener. Er durfte nicht aus dem Gefängnis heraus.

Eines Tages wurden zwei neue Gefangene gebracht. Das waren ganz vornehme Männer. Sie kamen aus dem Palast des Königs. Der eine war der *Mundschenk* des Königs, der mußte den Wein des Königs zubereiten und einschenken. Der andere war der *Bäcker* des Königs, der mußte das Brot und den Kuchen für den König backen.
Aber nun saßen sie hier, denn der König war zornig auf die beiden.

Josef mußte ihnen jeden Morgen das Essen bringen. Und einmal, als er wieder zu ihnen kam, saßen sie ganz bekümmert da.

„Was fehlt euch?" fragte Josef.

„Ach", sagten sie, „wir haben beide etwas Seltsames geträumt und meinen, daß die Träume eine Bedeutung haben, aber wir wissen nicht, welche."

„Was habt ihr denn geträumt?" fragte Josef.

Da begann der *Mundschenk* mit seinem Bericht: „Mir träumte, ich sei wieder frei und sah einen wunderschönen Weinstock, daran waren drei Reben, die saßen voller Trauben. Ich hatte den goldenen Becher des Königs in der Hand und drückte den Saft aus den Trauben und ließ ihn in den Becher laufen. Da hatte ich einen Becher voll herrlichen Wein. Den gab ich dem König."

Da schaute Josef ganz fröhlich drein, denn er wußte, was der Traum bedeutete. Gott hatte es ihm gesagt.

Er sprach: „Das ist ein sehr schöner Traum. Die drei Reben sind drei Tage. Noch drei Tage, dann bist du wieder frei und wirst wie in früheren Zeiten der Mundschenk des Königs sein."

Dann fragte er noch: „Willst du dann den König bitten, daß auch ich wieder frei sein darf? Denn ich habe nichts Böses getan."

Das versprach der Mundschenk. Oh, er hätte alles versprochen, wenn er nur wieder frei sein konnte.

Nun erzählte auch der königliche *Bäcker* seinen Traum.

„Ich habe geträumt, ich wäre wieder frei!" rief er. „Ich lief auf der Straße und trug

drei Körbe auf meinem Kopf, drei Körbe übereinander. In dem obersten Korb war herrliches Backwerk für den König, aber dann kamen Vögel angeflogen, die pickten alles weg."

Da blickte Josef sehr traurig drein und sagte: „Das bedeutet nichts Gutes. Noch drei Tage, dann wird dich der König töten und deinen Leichnam an einen Baum hängen lassen, und die Vögel werden kommen und von deinem Fleisch fressen."

Und so, wie Josef es gesagt hatte, geschah es auch. Drei Tage später war der Mundschenk wieder frei, und der Bäcker wurde zum Tode verurteilt.

Doch als der Mundschenk wieder zu Hause war, vergaß er ganz, was er versprochen hatte. Er dachte nicht mehr an Josef, er dachte nicht mehr an das Gefängnis, er dachte nur daran, daß er nicht mehr drin war.

Doch Josef wartete und wartete, aber es kam niemand, um ihn aus dem Gefängnis zu holen. Der Mundschenk hatte ihn einfach vergessen.

Aber Gott hatte ihn nicht vergessen! Das wußte Josef, daran glaubte er.

JOSEF WIRD VIZEKÖNIG

Josef saß immer noch im Gefängnis. Nun waren es schon zwei Jahre. Der Mundschenk hatte ihn vergessen, aber Gott befreite ihn.

Weißt du, wie das vor sich ging?

Hör zu!

Es war in einer dunklen Nacht, als alle Menschen schliefen.

Der König schlief auch. Da schickte ihm Gott einen Traum. Der König träumte, er stehe am Ufer eines großen Flusses, aus dem *sieben* Kühe, schöne, dicke, fette Kühe, stiegen. Die fraßen von dem Gras, das am Ufer des Flusses wuchs.

Dann stiegen abermals sieben Kühe aus dem Wasser, das waren häßliche, dünne, magere Kühe. Und die gingen auf die schönen Kühe zu und fraßen sie auf! War das nicht seltsam? Und trotzdem blieben sie genauso mager wie vorher.

Der König erschrak darüber so sehr, daß er aufwachte. Doch zum Glück war es nur ein Traum! So schlief er ruhig wieder ein.

Aber nun träumte er noch etwas viel Seltsameres. Er sah einen Getreidehalm wachsen. Daran bildeten sich *sieben* Ähren, schöne, dicke Ähren voller Körner. Dann begann noch ein anderer Halm zu wachsen, daraus wuchsen auch sieben Ähren. Doch das waren dünne, leere Ähren, kein einziges Körnchen saß darin.

Und dann lief es genauso ab wie bei den Kühen. Die leeren Ähren bogen sich über die vollen und fraßen sie alle auf.

Da erschrak der König noch mehr, doch jetzt konnte er nicht mehr einschlafen. Er ließ seine Diener rufen und erzählte ihnen, was er geträumt hatte.

„Das bedeutet etwas!" rief er. „Das bedeutet sicher etwas. Legt mir das bitte aus!"

Aber die Diener konnten es nicht.

Der Mundschenk war auch dabei, und jetzt fiel ihm auf einmal wieder *Josef* ein. Der würde sicher wissen, was der Traum des Königs bedeutete. Das sagte der Mundschenk nun dem König.

„Hol den Mann sofort her", befahl der König.

Nun wurde Josef endlich aus dem Gefängnis geholt. Er wurde gewaschen, bekam schöne Kleider, und dann wurde er zum König geführt.
Der König fragte: „Kannst du Träume deuten?"
Josef antwortete: „Nein, König, *ich* kann es nicht, nur Gott allein weiß, was ein Traum bedeutet. Aber Gott wird es mir vielleicht sagen."
Da erzählte der König, was er geträumt hatte. Von den Kühen und von den Ähren, von den sieben *fetten* und den sieben *mageren* Kühen, von den sieben *schönen* und den sieben *häßlichen* Ähren.
Da sagte Josef: „Die beiden Träume bedeuten das gleiche. Zuerst werden sieben *gute* Jahre kommen. Da wird viel Korn wachsen im Land, doch dann werden sieben *schlechte* Jahre kommen. Da wird überhaupt nichts wachsen. Dann werden die Menschen auch nichts zu essen haben."
„Ach", sagte der König, „dann werden sie vor Hunger sterben müssen."
„Nein, König", rief Josef, „denn wißt Ihr, was Ihr tun müßt? Ihr müßt große Scheunen bauen lassen und sie mit Korn füllen. In sieben guten Jahren wächst ja genug. Und wenn dann die schlechten Jahre kommen, dann habt Ihr genug zu essen für die Menschen."
„Ja", rief der König, „so soll es sein. Josef, wie weise und verständig du doch bist! *Du* sollst dafür sorgen. Du sollst künftig der Herr sein über das ganze Land, und du darfst tun, was du für gut hältst. Nur *ich* bin der Herr über dich, *ich* bin der König, aber du bist der Vizekönig."
Dann nahm er seinen schönen goldenen Ring vom Finger und steckte ihn an Josefs Finger. Er zog ihm schöne Kleider an und hängte ihm eine goldene Kette um den Hals.
Nun durfte Josef in einem Wagen des Königs durch die Stadt fahren, in einem der schönsten Wagen, die der König besaß. Und alle Menschen mußten sich vor ihm verbeugen, fast genauso ehrerbietig wie vor dem König.
Dann bekam Josef einen großen Palast, eine Menge Diener und viele schöne Dinge. Nun war er ein reicher und vornehmer Mann geworden.

JOSEFS BRÜDER ZIEHEN NACH ÄGYPTEN

Es kam alles genauso, wie Josef es vorausgesagt hatte. Zuerst kamen die sieben *guten* Jahre. Da wuchs viel Korn im Land, so viel, daß die Menschen nicht alles verbrauchen konnten. Was sie zuviel hatten, das brachten sie zu Josef, der große Scheunen bauen ließ, die mit Korn gefüllt wurden. So konnte Josef große Mengen Korn zusammentragen, die er gut verwahrte. Doch dann kamen die sieben *schlechten* Jahre, da wuchs nichts auf der Erde. Die Sonne verbrannte alles. Und überall litten die Menschen Hunger, nur nicht in Ägypten. Dort gab es Korn genug, ganze Scheunen voll. Dieses Korn verkaufte Josef jetzt an die hungernden Menschen. Aus allen Ländern kamen sie herbei, um bei Josef Korn zu kaufen.

Eines Tages kamen zehn Männer zu ihm, jeder mit einem Esel. Die wollten auch Korn kaufen und hatten leere Säcke mitgebracht. Doch da erschrak Josef. Denn die zehn Männer waren seine Brüder. Seine Brüder, die früher so brutal zu ihm gewesen waren, die ihn an die Ägypter verkauft und kein Mitleid mit ihm gehabt hatten.
Ja, Josef hatte sie sofort wiedererkannt, aber sie erkannten ihn nicht. Sie verbeugten sich tief vor ihm, vor dem vornehmen Vizekönig.
Siehst du wohl, jetzt verbeugten sie sich doch! Josefs Traum war in Erfüllung gegangen.
Doch nun waren die Brüder in Josefs Hand. Nun hätte er sie für ihre Bosheiten bestrafen können. Aber diesen Gedanken wies er weit von sich. Wenn sie ihm auch viel Leid angetan hatten, so dachte er nicht an Vergeltung. Im Gegenteil, er wollte sich mit seinen Brüdern versöhnen. Doch zuvor wollte er wissen, ob sie sich geändert hatten.
Daher setzte er ein ganz strenges Gesicht auf und fragte: „Woher kommt ihr?"
Sie antworteten: „Aus dem Land Kanaan, Herr." Dann erzählten sie ihm von ihrem alten Vater und ihrem jüngsten Bruder, der zu Hause geblieben sei, und daß sie solchen Hunger hätten.
Der Vizekönig machte eine finstere Miene und sagte: „Ja, das redet ihr so. Aber ihr belügt mich. Ihr seid Feinde, wie? Spione seid ihr! Erst kommt ihr mit einigen wenigen daher, um den Weg zu erkunden, und später kommt ihr mit einer ganzen Schar, um hier alles zu stehlen."
Wie erschraken da die Brüder!
„Nein, Herr!" riefen sie. „Wir sind keine Spione, wir sind ehrliche Menschen. Wir kommen nur her, um Korn zu kaufen."
Aber alles Reden half nichts, der Vizekönig wollte ihnen nicht glauben.
Er sagte: „Ich werde sehen, ob ihr die Wahrheit sprecht. Geht nach Hause und holt den jüngsten Bruder. Dann werde ich euch glauben, aber einer von euch muß hierbleiben, dann weiß ich sicher, daß ihr zurückkommt."
Und so geschah es. *Simeon* mußte zurückbleiben, die anderen durften nach Hause. Sie bekamen auch Korn mit, aber *ein* Esel lief allein.

Tief bekümmert kamen sie zu Hause an. Nun hatten sie wohl wieder Brot, aber sie waren nicht froh. Denn Simeon war in dem fernen Land zurückgeblieben und Vater Jakob wollte Benjamin nicht mitgeben zu dem strengen Vizekönig. Er hatte solche Angst, es könnte ihm etwas Schlimmes zustoßen.
Aber schließlich *mußte* er doch einwilligen, denn das Korn ging zu Ende. Bald würden sie nichts mehr zu essen haben. Und *ohne* Benjamin wollten die Brüder nicht wieder nach Ägypten gehen. Denn dann würde der Vizekönig denken, sie seien Lügner.
Juda sagte: „Gib ihn ruhig mit, Vater! Ich werde auf ihn achtgeben."
„Nun, dann muß es eben sein", sagte Jakob. „Nimm ihn nur mit. Ich werde beten, daß Gott euch behüte."
So machten sie sich zusammen auf den Weg und kamen ungefährdet wieder in Ägypten an. Auch dort verlief alles gut.

Sie wurden in den Palast des Vizekönigs geführt und sahen Simeon wieder. Und der gestrenge Vizekönig war nun ganz freundlich zu ihnen.
Josef war in der Tat voller Freude, aber als er Benjamin sah, mußte er vor Rührung weinen und lief schnell in sein Privatgemach. Dort wischte er sich die Tränen ab.
Die Brüder durften im Palast bleiben und essen, Benjamin auch. Der bekam das Beste und am meisten von allen.
Sie bekamen auch guten Wein, wie bei einem Fest. Und der Vizekönig aß mit ihnen und trank auch mit aus einem schönen silbernen Becher.
Als sie dann schliefen, ließ Josef die leeren Säcke seiner Brüder mit Korn füllen, und den schönen silbernen Becher steckte er heimlich in Benjamins Sack.
Doch davon wußten die Brüder nichts. Sie machten sich am folgenden Morgen schon früh auf den Heimweg.
Sie waren sehr froh, sie hatten Korn und hatten Simeon wieder bei sich. Und mit Benjamin war alles gutgegangen. So ritten sie so schnell sie konnten, um bald wieder zu Hause zu sein und Vater Jakob von dem guten Ausgang ihrer Reise zu berichten.
Da hörten sie plötzlich Rufe hinter sich. Ein Trupp Soldaten kam herangesprengt. Der vorderste Soldat rief: „Halt! Bleibt stehen! Warum seid ihr so falsch? Warum habt ihr den silbernen Becher des Vizekönigs gestohlen?"
Zuerst bekamen die Brüder einen großen Schrecken. Dann aber wurden sie zornig und sagten: „Wir haben nichts gestohlen, wir sind keine Diebe, was denkt ihr denn! Ihr könnt unsere Säcke ruhig durchsuchen. Und bei wem ihr den Becher findet, den dürft ihr schwer bestrafen."
„Gut", antworteten die Soldaten. „Bei wem wir den Becher finden, den nehmen wir mit zum Vizekönig."

Und sie suchten und suchten. Und was holten sie schließlich aus Benjamins Sack? Den *Becher*! Den silbernen Becher des Vizekönigs!
„Ich habe es nicht getan", rief Benjamin. „Ich habe ihn wirklich nicht gestohlen. Ich weiß nicht, wie der Becher in meinen Sack gekommen ist."
Aber alles Flehen half ihm nichts. Die Soldaten nahmen ihn fest. Benjamin mußte zurück zum Vizekönig.
Da gingen die Brüder auch mit zurück. Nein, sie ließen Benjamin nicht allein, sie waren nicht mehr wie früher.

Kurze Zeit darauf standen sie wieder vor dem Vizekönig. Aber jetzt war er nicht mehr freundlich, jetzt tat er wieder genauso streng und stolz wie beim erstenmal.
„Geht nur nach Hause", sagte er, „Benjamin soll *allein* hierbleiben."
Aber das taten sie nicht. Sie gingen nicht fort. O nein, sie setzten sich sehr für ihren jüngsten Bruder ein, Juda am allermeisten. Er sagte: „Ach, Herr, laßt Benjamin nach Hause gehen, sonst wird mein alter Vater noch sterben vor Herzeleid. Laßt *mich* doch hierbleiben, straft mich und nicht Benjamin. Denn ich habe versprochen, auf ihn achtzugeben."
Da konnte Josef sich nicht mehr zurückhalten, denn jetzt merkte er, daß seine Brüder anders geworden waren.
Er schluchzte auf und rief: „Ich bin Josef, also lebt unser Vater noch?"
Noch nie waren die Brüder so erschrocken. War das Josef, dieser gestrenge Vizekönig? Josef, den sie immer so gequält hatten? Josef, den sie verkauft hatten? Oh, wie würden sie nun bestraft werden!
Doch Josef sagte: „Habt keine Angst. Ich bin euch nicht mehr gram. Ich habe euch alles vergeben. Ihr habt zwar sehr schlecht an mir gehandelt, aber Gott hat alles gutgemacht."
Er küßte Benjamin und alle anderen Brüder. Dann schickte er sie eilends nach Hause zu ihrem Vater Jakob. Er gab ihnen schöne Geschenke mit, auch einen schönen Wagen, mit dem sein Vater reisen konnte.
Beim Abschied sagte er noch: „Ihr müßt mit Vater zurückkommen, und dann müßt ihr *hier* in diesem Land wohnen. Dann werde ich schon dafür sorgen, daß ihr immer genug zu essen habt."
Das wurde eine schöne Reise für die Brüder. Nun kamen keine Soldaten mehr, um sie wieder zurückzuholen.

JAKOB ZIEHT AUS

Vater Jakob stand an der Tür und hielt Ausschau. Da sah er seine Söhne herankommen: Ruben, Simeon, Levi, Juda . . . sie waren alle beisammen. Sieh, da war ja auch Benjamin. Benjamin war auch wieder da.
Gott hatte Jakobs Gebet erhört.
Aber was hörte er da? Was riefen sie ihm da entgegen? Josef? Sprachen sie von *Josef*?
„Vater, Josef lebt noch!" riefen sie. „Er ist Vizekönig in Ägypten."
Der alte Vater Jakob wurde bleich vor Schreck. Er glaubte es nicht. Er konnte es nicht glauben, daß sein lieber Josef

noch lebte und ein so vornehmer Herr geworden war.
Aber als seine Söhne ihm alles erzählten und als er den schönen Wagen sah und all die schönen Geschenke, die Josef geschickt hatte, da *mußte* er es wohl glauben.
So froh war er noch nie gewesen. Vor Freude lachte und weinte er zugleich.
„Ich gehe mit nach Ägypten", rief er. „Ich gehe bestimmt mit. Mein Sohn Josef lebt noch? Dann werde ich ihn doch noch sehen, bevor ich sterbe!"

Bald darauf machten sie sich alle auf den Weg, Jakob und seine Kinder. Und Gott erschien Jakob im Traum und sprach: „Geh nur getrost, Jakob! Ich werde mit dir sein."
Juda ging schnell voraus, um Josef anzukündigen, daß der Vater unterwegs sei. Als Jakob nahe bei Ägypten war, kam Josef ihm schon in seinem schönen königlichen Wagen entgegen. Wie schnell er doch fuhr und wie flink er von seinem Wagen sprang, als er seinen Vater wiedersah!
Er lief eilends auf ihn zu und nahm ihn in die Arme.
„O mein Vater, mein Vater!" rief er.
„Josef, mein lieber Sohn!" flüsterte Jakob.
Und sie weinten beide vor Freude.
Jakob aber sagte: „Nun kann ich ruhig sterben, nachdem ich dich wiedergesehen habe, mein Sohn."
In Ägypten, wo Josef Vizekönig war, ließ Jakob sich dann mit seinen Kindern nieder. Sie wohnten in einem Zipfel des Landes, der hieß *Goschen.*
Josef sorgte für sie alle. Wenn er nicht gewesen wäre, hätten sie wohl alle vor Hunger sterben müssen.

Dann kam noch eine sehr schöne und glückliche Zeit, bis Jakob im hohen Alter starb. Josef und seine Brüder erfüllten den letzten Wunsch ihres Vaters. Sie begruben ihn in der Höhle von *Machpela* im fernen Kanaan.

MOSE

In einem kleinen Haus im Land Goschen lebten einst ein Vater und eine Mutter. Sie hatten drei Kinder.
Zuerst war da ein großes Mädchen, das hieß *Mirjam.*
Dann ein Junge von ungefähr drei Jahren, der hieß *Aaron.*
Und dann kam noch ein Junge, aber der hatte noch keinen Namen, denn der war gerade erst geboren.
Über die beiden älteren Kinder hatten Vater und Mutter sich sehr gefreut, aber über das jüngste Kind nicht so sehr.
Warum nicht? War es etwa kein liebes Kind? O doch, es war ein liebes und auch ein schönes Kind, ein Prachtjunge.

Aber siehst du, sie durften das Kind nicht behalten, die Soldaten des Königs sollten es ins Wasser werfen, in einen großen Fluß in der Nähe. Das hatte der König befohlen. So ein grausamer und gottloser König lebte damals in Ägypten.
Aber der Vater und die Mutter ließen das nicht zu. Sie hatten ihr Kind viel zu lieb.
Nein, der Vater und die Mutter hörten

nicht auf den König, sie hörten nur auf Gott. Sie versteckten ihr Kind in einem dunklen Winkel des Hauses, wo der König es nicht finden konnte. Die Mutter sagte zu Mirjam und Aaron: „Ihr dürft niemandem erzählen, daß ihr noch ein Brüderchen habt. Denn wenn der König das hört, dann schickt er Soldaten, die das Brüderchen holen und ins Wasser werfen. Werdet ihr es auch niemandem sagen?”
„Nein, liebe Mutter”, versprachen alle beide.
Und sie hielten ihr Wort, sie wollten ihr Brüderchen viel zu gern behalten.

Der Vater ging morgens schon sehr früh aus dem Hause. Er mußte den ganzen Tag für den König arbeiten, er und auch all die andern Männer, die dort wohnten. Sie mußten Steine brennen. Und mit den Steinen mußten sie Mauern bauen und Häuser und Paläste. Eine ganze Stadt mußten sie errichten. Wer aber nicht tüchtig genug arbeitete, wurde mit der Peitsche geschlagen.
Sie murrten sehr, die armen Menschen, aber es half ihnen nichts, denn der König spielte den Herrn über sie. Er und seine Diener und seine Soldaten waren alle Ägypter. Sie hatten schon immer in dem Land gewohnt.
Die Eltern des kleinen Jungen aber und die anderen hatten dort nicht immer gewohnt. Sie waren keine Ägypter.
Weißt du, wer sie waren?
Sie waren die Nachkommen Jakobs.
Weißt du noch, wie Vater Jakob nach Ägypten kam, um dort zu wohnen, als Josef dort noch Vizekönig war?
Aber Jakob war nun tot und Josef auch. Und Ruben und Simeon und die anderen Brüder waren alle gestorben. Aber ihre Kinder waren dort geblieben und wohnten noch dort. Und alle zusammen hießen sie das *Volk Israel.*
Zuerst waren sie nur ein kleines Volk, aber jetzt waren sie das nicht mehr. Jetzt waren sie ein großes Volk geworden, denn täglich wurden neue Kinder geboren, die wuchsen heran und wurden groß und hatten auch wieder Kinder. Und so wurde das Volk Israel mit der Zeit immer größer.
Da kam ein neuer König ins Land, der Josef nicht mehr gekannt hatte. Der hatte auch noch nie etwas von ihm gehört und wußte auch nicht, daß Josef das Land einst vor dem Hungertod gerettet hatte.
Der König hatte Angst vor dem großen Volk Israel und dachte: Dieses Volk wird viel zu groß, bald wird es größer sein als das der Ägypter. Dann wird es über uns den Herrn spielen. Aber das darf nicht sein. *Wir* sind die Herren, und wir müssen es *bleiben*!
Darum mußten alle Jungen ertränkt werden, die im Volk Israel geboren wurden, damit das Volk nicht größer würde.
Die Mädchen aber durften am Leben bleiben.
Vor Frauen und Mädchen fürchtete sich der König nicht.
Doch niemand wußte, daß in dem kleinen Haus so ein neugeborenes Bübchen lebte. Die Mutter hielt es gut versteckt, drei Monate lang. Aber dann wurde es immer schwieriger, denn das Kind schrie oft so laut. Es bekam eine

solch kräftige Stimme. Man konnte es auf der Straße hören.
Auf der Straße aber . . . ja, da liefen die Soldaten des Königs herum. Wenn die den Kleinen hörten, dann würden sie hereinkommen, um ihn zu holen. Dann hätte die Mutter ihren Jungen verloren.
Ach, die arme Mutter, was sollte sie tun? Sie konnte nicht mehr schlafen. Sie wagte es nicht, ihr Kind noch länger im Haus zu behalten, und wußte auch nicht, wohin sie mit ihm gehen sollte. Sie wußte sich einfach keinen Rat mehr.
Da faßte sie einen Plan. Sie ging an den breiten Fluß, ganz in der Nähe ihres Hauses. Dort pflückte sie Binsen- und Schilfhalme. Die wuchsen am Ufer im Überfluß. Von den Halmen und Binsen flocht sie zu Hause ein Körbchen, ein Kästchen aus Schilfrohr, dessen Löcher sie mit Pech abdichtete. Es war wie eine Wiege. Und als es ganz fertig war, legte sie ihr Kind hinein.
Dann nahm sie das Kästchen aus Schilfrohr in die Arme und ging damit aus dem Haus. Mirjam durfte die Mutter begleiten. Sie gingen an den breiten Fluß, in dem die kleinen Knaben ertränkt wurden.
Aber die Mutter ertränkte ihren Jungen nicht, natürlich nicht. Sie schritt ins Wasser hinein und stellte die Wiege vorsichtig zwischen die Binsen. Hier, ganz dicht am Ufer, war das Wasser nicht tief.
Da trieb nun die kleine Wiege auf dem breiten Fluß. Jetzt sah sie aus wie ein kleines Boot. In dem Boot lag das Kind und schlief. Was würde wohl mit ihm geschehen?
Die Mutter schaute zum Himmel empor und betete zu Gott um die Rettung ihres Kindes. Dann ging sie wieder nach Hause, aber Mirjam kam nicht mit. Sie blieb am Fluß zurück, kroch in die Sträucher und schaute auf die Wiege. Sie wollte wissen, was mit ihrem Brüderchen geschehen würde.

Es war ganz warm und still am Wasser. Die Sonne schien, die Wiege schaukelte leise auf den Wellen hin und her. Ein Vogel sang ein Lied, aber sonst geschah nichts.
Doch dann auf einmal . . . dann geschah doch etwas. Es kamen Schritte näher, und Stimmen waren zu hören.
Mirjam spähte durch die Sträucher. Da sah sie eine vornehme Dame, die am Ufer spazierenging. Es war die Prinzessin, die Tochter des Königs, gefolgt von ihren Zofen.
Die Prinzessin wollte im Fluß ein Bad nehmen, denn es war sehr heiß. So ging sie am Ufer entlang, um eine schöne Stelle auszusuchen. Und da sah sie plötzlich die Wiege.
Sie rief: „Oh, seht mal, was dort schwimmt! Holt mir das schnell mal her!"
Da lief eine der Zofen ins Wasser und holte die Wiege heraus. Darüber erwachte das Kind und begann zu weinen. Als aber die Prinzessin das weinende Kind sah, hatte sie großes Mitleid mit ihm.
Sie sagte: „Was ist das für ein hübsches Kind, sicher ein Junge aus dem Volk Israel! Aber dieser darf nicht ertränkt werden, für den werde *ich* sorgen. Ich habe ihn gefunden, er soll *mein* Junge

sein. Und wißt ihr, wie er heißen soll? Ich werde ihn *Mose* nennen. Das ist ein passender Name, denn er bedeutet: aus dem Wasser geholt."
Das Kind weinte immer noch. Es hatte sicher Hunger. Es war noch so klein, daß es noch Milch trinken mußte bei seiner Mutter. Aber die Mutter war nicht da. Wer sollte nun das Kind stillen? Die Prinzessin konnte es nicht. Und die Zofen konnten es auch nicht.

Da kam plötzlich ein Mädchen aus den Sträuchern. Es war Mirjam, die hatte alles gehört und sagte: „Ich kenne eine Frau, die das Kind stillen kann. Soll ich sie holen?"
„Das ist ja herrlich", rief die Prinzessin, „geh und hol sie schnell!"
Mirjam rannte fort. Und mit wem kam sie atemlos zurück? Mit ihrer Mutter!
Die Prinzessin fragte: „Willst du das Kind stillen?"

„Gern, Prinzessin", sagte die Mutter.
„Dann nimm es mit nach Hause", fuhr die Prinzessin fort. „Behalte es bei dir und sorge gut für den Jungen! Ich werde dich dafür bezahlen. Aber wenn er größer ist und selber essen kann, will ich ihn zurückhaben."
„Gut, Prinzessin", antwortete die Mutter. Oh, wie glücklich war sie! Voller Freude trug sie ihr Kind nach Hause. Gott hatte ihr Gebet erhört. Er hatte für das Kind gesorgt. Es durfte am Leben bleiben, und sie bekam noch obendrein Geld dafür. Nun brauchte sie es nicht mehr in einem dunklen Winkel zu verstecken. Und auch die Soldaten des Königs brauchte sie nicht mehr zu fürchten.
„Geht fort", würde sie nun den Soldaten sagen, „dieses Kind gehört der Prinzessin. Geht nur in den Palast und fragt sie."
Dieser Tag wurde ein Fest für das kleine Haus.

MOSE WIRD EIN PRINZ

Mose blieb noch lange bei seiner Mutter, wo er im Kreis seiner Geschwister heranwuchs. Wenn die Mutter den Kindern etwas erzählen wollte, hörte er aufmerksam zu. Mutter konnte so wunderschön erzählen!
Einmal erzählte sie, daß das Volk Israel später aufbrechen sollte in ein anderes Land, in dem niemand mehr den Herrn über es spielen sollte. Das hatte Gott Jakob gelobt, vor langer Zeit schon.
„Israel ist das Volk Gottes", erzählte die Mutter. „Es gehört nicht hierher, es gehört in ein andres Land, das viel schöner ist, in das Land Kanaan. Das ist das Land, in dem Vater Jakob früher auch gewohnt hat, bevor er nach Ägypten kam. Und dahin wird Gott uns zurückbringen. Dorthin werden wir alle ausziehen."
„Dann will ich auch mit", sagte Mose.
Er vergaß es nie mehr, denn was für ein schöner Tag würde das werden, wenn sie alle auszögen!

Aber zunächst kam ein trauriger Tag. Da mußte Mose *allein* ausziehen. Da wurde er von seiner Mutter in den Palast der Prinzessin gebracht, und dort mußte er jetzt immer bleiben.
Jetzt wurde Mose ein Prinz. Er bekam schöne Kleider und eine Menge schönes Spielzeug. Die Prinzessin war jetzt seine Mutter.
Aber Mose wußte genau, daß sie nicht seine wirkliche Mutter war. Seine richtige Mutter war eine arme Frau und wohnte in einem kleinen Haus.
Nein, der kleine Prinz Mose konnte seine Mutter nicht vergessen.
Prinz Mose wuchs tüchtig heran. Er wurde ein großer Mann. Da bekam er selber einen Palast, dazu Diener, Pferde und Wagen. Wenn er durch die Straßen ging, verbeugten sich die Menschen sehr höflich und ehrerbietig vor ihm.
„Seht", sagten sie dann, „der Sohn der Prinzessin!"
Doch wenn Mose das hörte, schüttelte er den Kopf und dachte: Nein, ich bin nicht der Sohn der Prinzessin, das will ich gar nicht sein. Ich bin der Sohn einer armen Frau aus dem Volk Israel.
Wenn er dann wieder in seinen Palast kam und all die schönen Dinge sah, dann

gefielen sie ihm gar nicht mehr. Alle Schätze Ägyptens bedeuteten ihm nichts. Ich gehöre nicht hierher, dachte er, ich gehöre zu Israel, dem Volk Gottes.

Eines Tages machte Mose einen Spaziergang. Wohin ging er wohl? In die Nähe der kleinen Häuser, wo er geboren war und wo das Volk Israel wohnte. Die Ägypter waren immer noch Herren über sein Volk. Immer noch ließen sie die Menschen Steine brennen und Häuser bauen. Und wer nicht tüchtig genug arbeitete, bekam die Peitsche zu spüren. Es bedrückte Mose sehr, als er plötzlich jemand schreien hörte. Es war ein Mann aus dem Volk Israel. Der hatte sicher nicht hart genug gearbeitet, und nun wurde er von so einem brutalen Ägypter mit der Peitsche geschlagen. Der arme Mann weinte und jammerte, aber das half ihm nichts. Der Ägypter hatte kein Mitleid mit ihm.
Mose wurde sehr zornig, er zitterte am ganzen Leib und dachte: Wenn Gott meinem Volk nicht hilft, dann werde *ich* ihm helfen.
Er hielt nach allen Seiten Ausschau und sah, daß niemand in der Nähe war. Da sprang er auf den Ägypter zu und schlug ihn tot.

Da lag nun der Mann. Jetzt konnte er dem Volk Israel nie mehr ein Leid zufügen. Aber er konnte *hier* nicht liegenbleiben, denn niemand durfte wissen, was Mose getan hatte. Stell dir vor, wenn das der König hörte!

Mose grub schnell ein Loch in den Sand, und da legte er den toten Mann hinein. Dann deckte er wieder Sand darüber. Als er damit fertig war, sah es genauso aus, als sei nichts geschehen. Niemand hat es gesehen, dachte Mose, und niemand wird je davon erfahren.

Langsam ging Mose zu seinem Palast zurück, aber sein Herz klopfte ganz stark, denn Gott hatte es bestimmt gesehen! Mose wußte sehr wohl, daß es nicht recht war, was er getan hatte.
Er hätte so gerne seinem Volk geholfen, doch nun war er ein Mörder geworden. Wenn es bloß niemand gesehen hatte! Dann würde Mose wohl nicht bestraft werden.
Als er aber am folgenden Tag seinen Spaziergang machte, hörte er wieder jemand schreien.
Wurde da schon wieder jemand von einem Ägypter geschlagen?
Nein, jetzt war es kein Ägypter, jetzt waren es zwei Männer aus dem Volk Israel. Die hatten Streit bekommen und waren aufeinander losgegangen.
Mose war sehr bekümmert und dachte: Sie dürfen nicht gegeneinander kämpfen, sie müssen gegen die Ägypter kämpfen. Deshalb fragte er einen der Männer: „Sag, warum schlägst du deinen Kameraden?"
Aber der Mann sah ihn nur spöttisch an und antwortete: „Das geht dich nichts an, du bist doch hier nicht der Herr! Oder willst du mich auch totschlagen, so wie gestern den Ägypter?"
Oh, welch einen Schrecken bekam Mose da! Er meinte, niemand wisse davon, und nun wußte es vielleicht schon jeder. Und wenn der König es hörte!
Ja, der König hörte es auch. Er schickte sofort seine Soldaten aus, um Mose festzunehmen. Er wollte ihn bestrafen. Aber die Soldaten kamen zu spät, denn Mose war bereits auf der Flucht.
Nun war er kein Prinz mehr.
Nun war er ein armer Flüchtling.
Er hatte seinem Volk helfen wollen, aber er konnte es nicht. Gott allein konnte es. Darauf mußte Mose nur getrost warten.

MOSE WIRD EIN SCHAFHIRTE

Mose lief weit, weit fort, weil der König der Ägypter ihn töten wollte. Nach einem langen und beschwerlichen Weg kam er schließlich in ein fremdes Land, in ein Land mit hohen Bergen. Es hieß *Midian.* Eines Abends näherte er sich einem Brunnen. Dort setzte er sich nieder, um sich auszuruhen.
Da kamen sieben Mädchen herbei mit einer großen Herde Schafe. Sie wollten die Schafe tränken und schöpften mit ihren Krügen das Wasser aus dem Brunnen und schütteten es dann in steinerne Behälter. So konnten die Schafe trinken.
Plötzlich kamen Männer hinzu, die hatten auch Schafe bei sich. Es waren üble Gesellen, denn sie jagten die Mädchen weg.
„Macht, daß ihr fortkommt", sagten sie, „zuerst müssen *unsere* Schafe trinken. Ihr könnt warten, bis *wir* fertig sind."
Da hatten die Mädchen Angst und machten eilig Platz.

Doch Mose hatte keine Angst. Als er sah, wie unverschämt die Männer waren, wurde er wütend.
Er stellte sich vor sie hin und rief: „Wollt ihr wohl machen, daß ihr fortkommt! Die Mädchen waren zuerst hier und dürfen daher auch zuerst ihre Schafe tränken. Wagt es nur nicht, sie noch einmal zu belästigen."
Dann rief er die Mädchen zurück und half ihnen, die Schafe zu versorgen. So wurden sie schnell fertig und gingen fröhlich nach Hause.
Es waren sieben Schwestern. Ihr Vater war ein alter Priester, ein Diener Gottes. „Wieso seid ihr heute abend so früh da?" fragte der Vater.
Da erzählten sie von dem fremden Mann, der ihnen so freundlich geholfen hatte.
„Und wo ist der Mann jetzt?" fragte der Vater.
„Nun", antworteten sie, „der wird wohl noch am Brunnen sitzen."
„Schämt euch", sagte der Vater, „so undankbar zu sein. Holt ihn schnell her. Er muß ein guter Mensch sein, denn er hat sich für euch eingesetzt. Er soll heute abend bei uns essen."
So kam Mose zu dem alten Priester ins Haus. Er blieb bei ihm zum Abendessen, er blieb auch dort zum Übernachten. Er blieb sogar für immer bei ihm wohnen und ging nicht mehr fort. Im Laufe der Zeit heiratete er eine der sieben Töchter, *Zippora* hieß das Mädchen. Jetzt war Mose kein Flüchtling mehr, jetzt hatte er wieder ein Zuhause und auch eine Frau, die für ihn sorgte.
Aber er mußte auch arbeiten, um seinen Lebensunterhalt zu verdienen. Jeden Tag zog er mit den Schafen aufs Feld und suchte saftiges Gras für sie aus. Abends brachte er sie dann zum Brunnen, um sie zu tränken. Und wenn ein wildes Tier herankam, um sich ein Schaf als Beute zu holen, jagte er es fort.

Mose hatte sich schon sehr verändert. Früher war er ein reicher Prinz, jetzt war er ein armer Schafhirte.
Früher führte er ein bequemes Leben, jetzt mußte er jeden Tag arbeiten und geduldig die Schafe hüten.
Aber früher wurde er auch schnell aufbrausend und zornig. Da wollte er seinem Volk selber helfen. Jetzt lernte er es, geduldig zu sein und ruhig zu warten, bis Gott dem Volk Israel helfen würde.
Doch Mose wartete sehr, sehr lange, und es geschah nichts. Vierzig Jahre lang war Mose Schafhirte und inzwischen bereits ein alter Mann geworden, der kaum noch an sein Volk dachte.
Er hatte es fast schon vergessen.
Aber Gott vergaß sein Volk nicht!
Tag für Tag zog Mose mit den Schafen aufs Feld. Da kam er eines Tages an einen hohen Berg. Und dort sah er etwas höchst Seltsames.
Es war ein Feuer am Berg, ein großer Dornbusch stand in Flammen. Das war nicht einmal so ungewöhnlich, denn es brannte dort schon mal öfters. Doch der Dornbusch stand mitten im Feuer und verbrannte nicht. Die Blätter und Zweige blieben genauso, wie sie waren.
Das ist ein Wunder, dachte Mose. Das muß ich mir mal aus der Nähe ansehen. Voll Neugier ging er hin.
Auf einmal hörte er eine Stimme, die rief:

„Mose, Mose!" Die Stimme kam aus dem Feuer.
Mose antwortete erschrocken: „Hier bin ich."
Die Stimme fuhr fort: „Du darfst nicht näher herankommen, Mose, denn *ich* bin hier, der Gott Abrahams, Isaaks und Jakobs."
Da fiel Mose ehrfürchtig auf die Knie und wagte es nicht mehr aufzuschauen. Aber er hörte genau zu, was Gott ihm sagte. Gott sagte, daß er nunmehr dem Volk Israel helfen wolle und es in das schöne Land bringen werde. Mose müsse zum König der Ägypter gehen und ihm sagen, er solle das Volk Israel ziehen lassen.

Doch Mose hatte gar keine Lust, zum König zu gehen. Er traute sich nicht. Ja, er hatte sich mit den Jahren sehr verändert. Früher wagte er alles, jetzt wagte er nichts mehr. Jetzt hätte er es viel lieber gesehen, wenn Gott einen anderen geschickt hätte. Er wollte gern Schafhirte bleiben.
Aber Gott sagte, es müsse so sein. Da wagte Mose nicht länger zu widersprechen. Gott sicherte ihm zu, daß er für ihn sorgen werde und daß sein Bruder Aaron mit ihm zum König gehen solle. Dann wurde es still. Die Stimme sprach nicht mehr. Der Dornbusch brannte nicht mehr. Es war, als ob nichts geschehen wäre.
Mose aber ging nach Hause und führte seine Schafe in den Stall. Um die mußte sich jetzt ein anderer kümmern, *er* konnte es nicht mehr. Er hatte einen anderen Auftrag von Gott bekommen, ein mühseliges, aber auch ein herrliches Werk. Er

durfte nun doch noch mithelfen, sein Volk in das schöne Land zu bringen.
Dann machte sich Mose auf den Weg, auf den langen Weg zurück nach Ägypten.

MOSE BEIM KÖNIG DER ÄGYPTER

Mose mußte wieder zurück nach Ägypten, aber wer kam ihm da unterwegs entgegen? Zwar war er schon ein alter Mann geworden, genauso wie Mose auch. Doch Mose erkannte ihn sofort wieder, es war Aaron, sein Bruder. Gott hatte Aaron gesagt, er solle Mose entgegengehen.
Mose war froh, als er Aaron sah. Er gab ihm einen Kuß und erzählte ihm alles, was Gott ihm am brennenden Dornbusch gesagt hatte.
So zogen sie nun zusammen nach Ägypten. Zuerst gingen sie zum Volk Israel und erzählten ihm, daß Gott nun bald helfen würde, daß sie bald ausziehen dürften in das schöne Land, das er ihnen versprochen hatte. Die Menschen waren sehr froh und riefen: „Nun ist es bald vorbei mit der schweren Arbeit, nun werden wir auch keine Schläge mehr bekommen."
Sie dankten Gott dafür.
Dann gingen Mose und Aaron zum König, der in einem großen Palast wohnte. Er saß auf einem goldenen Thron in einem wunderbaren Saal. Ganz stolz und hochmütig sah er aus, umringt von einer großen Dienerschar.
Doch Mose und Aaron hatten keine Angst, denn sie wußten ja, daß Gott ihnen helfen würde. Sie stellten sich vor den König und sagten mit lauter Stimme: „So spricht der Herr, unser Gott: Laß mein Volk aus Ägypten ziehen!"
Der König machte ein finsteres Gesicht und antwortete: „Nein, das tue ich nicht. Das Volk Israel bleibt hier, es muß für mich arbeiten!"
„Aber Gott hat es selber gesagt", gaben Mose und Aaron zur Antwort. „Ihr müßt Gott gehorchen!"
Da wurde der König zornig und rief: „Ich kenne euren Gott nicht, und ich werde ihm auch nicht gehorchen. Ich habe mit eurem Gott nichts zu schaffen. *Ich* bin der Herr über das Volk Israel und will es auch *bleiben.* Daher werde ich euer Volk noch viel schwerer arbeiten lassen. Und sollte es mit der Arbeit nicht fertig werden, will ich es noch viel härter schlagen lassen. Geht fort, Mose und Aaron, geht auch an die Arbeit!"
Da verließen sie ganz niedergeschlagen den Palast. Nun war alles noch viel schlimmer geworden. Wenn Mose von sich aus dem Volk hätte helfen sollen, wäre es nie aus Ägypten fortgekommen. Aber Mose brauchte es nicht zu tun. Gott *selbst* tat es.
Er sorgte dafür, daß der stolze König ihm gehorchen mußte. Er strafte ihn, weil er so starrköpfig und ungehorsam war. *Zehn* schwere Strafen schickte Gott dem König und allen Ägyptern.
Zuerst wurde alles Wasser in Ägypten in Blut verwandelt. Da hatten die Menschen nichts mehr zu trinken.
Dann kam plötzlich eine Riesenmenge Frösche, an die hunderttausend Millionen. Die sprangen in die Häuser und

kamen überallhin, in alle Räume, in jedes Zimmer, auf die Speisen und in die Betten. Die Menschen hatten nirgends Ruhe vor ihnen.

Da bekam der König es doch mit der Angst zu tun. Er ließ Mose und Aaron rufen und sagte: „Ich werde das Volk Israel ziehen lassen, aber seht erst zu, daß die häßlichen Frösche verschwinden."

Mose war sehr froh. Er betete zu Gott, und alle Frösche starben.

Als aber die Strafe vorbei war, hatte der König keine Angst mehr und sagte: „Ich habe zwar versprochen, das Volk Israel ziehen zu lassen, aber ich tue es doch nicht. Das ganze Volk muß hierbleiben."

Darum kam alsbald eine neue Strafe. Der Staub verwandelte sich in Mücken. Die stachen die Menschen und ließen auch den König nicht in Ruhe.

Dann kamen auch noch Stechfliegen in großen Schwärmen heran, die stachen noch viel schlimmer, und die Menschen wußten nicht, wohin sie sich verkriechen sollten.

Wieder versprach der König, er werde das Volk ziehen lassen, doch als die Strafe vorüber war, tat er es wieder nicht.

Da wurde es noch schlimmer in Ägypten, und das war des Königs eigene Schuld. Alle Tiere wurden krank. Die Kühe und die Schafe starben in Massen, nur die Tiere des Volkes Israel blieben gesund.

Auch die Menschen in Ägypten wurden krank. Sie bekamen auf ihren Körpern große Geschwüre, die fürchterlich schmerzten.

Dann begann es zu hageln. Hagelkörner, so dick wie sie die Menschen noch nie gesehen hatten, fielen vom Himmel herab und schlugen alles kaputt. Das Korn wurde niedergewalzt, die Blätter von den Bäumen gerissen, die Blüten geknickt, und die Menschen, die draußen waren, wurden von den Hagelkörnern erschlagen. Aber der König gehorchte immer noch nicht.

Da wurde es noch schlimmer. Es kamen Heuschrecken. Das waren zwar kleine Tiere, Insekten, die fliegen und springen konnten, aber sie kamen in Scharen, in Schwärmen, in ganzen Wolken angeflogen. Es wurde dunkel davon, so viele Heuschrecken waren in der Luft.

Sie ließen sich auf das Land herabfallen und fraßen alle Blätter auf und alle Blüten und alles Gras. Das Land wurde ganz und gar kahl gefressen. Aber noch immer gehorchte der König nicht.

Da wurde es plötzlich dunkel, ganz dunkel. Man konnte keine Handbreit mehr vor den Augen sehen. Es war mitten am Tag, aber die Sonne schien nicht mehr, und es sah aus, als sei es Nacht. Drei Tage dauerte die Finsternis. Die Menschen saßen ängstlich beieinander und wagten nicht, nach draußen zu gehen. Und der König saß voller Furcht in seinem Palast, aber das tun, was Gott von ihm forderte, das wollte er immer noch nicht.

Da kam die letzte Strafe, und die war die allerschlimmste.

Es war an einem Abend. Die Menschen in Ägypten gingen wie immer schlafen, sie wußten ja nicht, was in dieser Nacht geschehen würde.

Aber bei den Menschen des Volkes Israel ging niemand schlafen. Im Gegenteil, dort zogen sie sich erst richtig an. Und

alles, was sie mit auf die Reise nehmen wollten, packten sie ein. Sie waren zum Auszug bereit.
Sie mußten bereit sein, denn Gott hatte zu Mose gesagt: In dieser Nacht müsse das Volk ausziehen in das schöne Land Kanaan.
Aber zuvor mußten sie sich alle noch um den Tisch setzen und etwas essen.

Die Mütter in jedem Haus hatten Kuchen gebacken, und die Väter in jedem Haus hatten die Böckchen geschlachtet. Der Kuchen und das Böcklein wurden als Speise auf den Tisch gestellt.
Es ging zu wie bei einem Fest. Und es war ja auch ein Fest, denn in dieser Nacht sollten sie frei werden. Sie feierten das Fest der Befreiung.

Aber was tat der Vater jetzt? . . . Er nahm das Blut des Böckchens und ging damit nach draußen. Dort strich er das Blut an die Pfosten der Tür, zur Linken und zur Rechten und oben auch ein bißchen.
Alle Väter taten das.
Alle Türen des Volkes Israel wurden rot von dem Blut.
Dann wurden die Türen geschlossen.
Es wurde Nacht.
Und in dieser Nacht kam die letzte Strafe.
Da geschah etwas Schreckliches.
Es kam ein Engel vom Himmel hernieder. Er ging durch alle Straßen, er kam in alle Häuser. Und überall, wohin er kam, starb der älteste Sohn. Der lag plötzlich tot in seinem Bett.
Der Engel kam auch in den Palast des Königs.
Er kam zu allen Ägyptern.
Er kam schließlich auch zu den Häusern des Volkes Israel.

Diese Häuser waren nur klein und baufällig. Der Engel hätte ganz gewiß hineinkommen können.
Aber er tat es nicht.
Denn wenn er an eine Tür kam und das Blut sah, dann ging er vorüber. Das hatte Gott ihm gesagt: Wo er Blut sähe an einer Tür, da solle er nicht hineingehen.
Das Blut hat Israel gerettet.
Dann ging der Engel wieder zurück in den Himmel. Er hatte sein Werk getan.

Und das Volk Israel feierte ein Fest, das Fest der Befreiung.
Aber die Ägypter . . .
Die feierten kein Fest. Die weinten schrecklich, denn in jedem Haus gab es einen Toten.
Und sie wußten sehr wohl, warum das so war. Sie wußten, es war ihre Schuld und die Schuld ihres hartnäckigen Königs.
Sie bekamen große Angst, und auch der König bekam große Angst. Sein ältester Sohn war auch unter den Toten. Er rief: „Laßt das Volk Israel weggehen!"
Da kamen die Ägypter in Scharen herbeigelaufen und brachten den Israeliten viele schöne Dinge aus Gold und Silber.
„Hier", riefen sie, „das alles sollt ihr haben, wenn ihr nur schnell fortgeht!"
Als es dann Morgen wurde, machte sich das Volk Israel auf den Weg, mit seinen Kindern und seinen Kühen und seinen Schafen und mit den vielen schönen Dingen, die es bekommen hatte. Jetzt ging es endlich fort in das Land Kanaan.

MITTEN DURCH DAS MEER

Die Kinder Israels waren auf dem Weg nach Kanaan. Eine lange Wanderung lag vor ihnen, denn sie mußten den ganzen Weg zu Fuß gehen.
Es ging nur langsam, sehr langsam vorwärts. Sie hatten ja auch Kinder bei sich und Schafe und Lämmer. Die konnten nicht so schnell laufen.
Aber wie sollten sie den Weg finden in das ferne Land? Sie waren ja noch nie so weit fort gewesen.
Nun, sie liefen einfach hinter Mose her. Der ging ihnen voran mit seinem langen Stab in der Hand.
Doch auch Mose brauchte den Weg nicht zu wissen.
Er ging ja nicht ganz vorne. Weißt du, wer ganz vorne ging?
Gott, der Herr.
Eine große weiße Wolke hing aus dem blauen Himmel nach unten und schwebte vor den Menschen her. Das war die Wolke des Herrn. Die zeigte dem Volk den Weg.
Gott selber ging mit in die weite Welt. Er sorgte gut für sein Volk.
Wenn die Sonne zu heiß herniederbrannte, bedeckte er ihre Strahlen. Dann wurde es schön kühl.
Wenn die Kinder müde wurden, blieb die Wolke stehen. Dann konnte das Volk sich ausruhen.
Und wenn es Abend wurde und die Sonne unterging, wurde es gar nicht dunkel. Dann brannte ein Feuer in der Wolke, das alles hell machte. Das Feuer brannte während der ganzen Nacht.
Gott selber hielt bei seinem Volk Wache. Niemand brauchte Angst zu haben.

Drei Tage war das Volk Israel nun schon unterwegs, da kam es an ein Meer.
Da hörten die Menschen plötzlich ein dumpfes Gepolter hinter sich. Was nahte sich da von weitem? Waren es Wagen und Pferde? Ja, es kamen Soldaten heran. Und der Ägypterkönig war auch dabei. Er bereute, daß er das Volk Israel hatte ziehen lassen. Jetzt kam er mit seinen Soldaten, um es wieder zurück nach Ägypten zu treiben.

Oh, was bekamen die Menschen da für Angst! Sie schrien und jammerten, denn vor ihnen war das Meer, da konnten sie nicht weiter. Hinter ihnen aber war der König, und gegen den konnten sie nicht ankämpfen.
Doch Mose jammerte nicht, er war zuversichtlich und rief: „Seid doch nicht so ängstlich! Der Herr sorgt ja für uns! Ihr braucht doch nicht gegen die Soldaten zu kämpfen! Geht nur ruhig weiter!"
Da gingen sie alle wieder hinter Mose her. Und Mose ging ans Meer.
Es war sehr tief, und die Wellen brausten. Doch Mose streckte seinen Stab über das Wasser aus. Da kam ein starker Wind und trieb das Wasser fort.
So entstand ein Weg durch das Meer, mitten durch das Meer.
Und auf diesem Weg ging Mose durch das Meer.
Und hinter ihm her zog das Volk Israel. Und hinter den Menschen kam die Wolke. Sie schwebte zwischen dem Volk und den Soldaten, als wolle sie den Kindern Israels sagen: „Habt keine Angst, ich sorge für euch!" Denn die Wolke war *hell* an der Seite des Volkes Israel, aber *dunkel* an der Seite der Soldaten.
Dann kam auch der König mit seinen Soldaten an das Meer. Sie schauten umher und dachten: Wo ist das Volk geblieben? Und da sahen sie es, mitten im Meer.
Sie waren so wütend, der König und seine Soldaten, daß sie nicht einmal merkten, was für ein großes Wunder sich da vor ihren Augen abspielte.
„Vorwärts!" rief der König. „Wir holen sie schon ein! Wir werden es ihnen schon zeigen! Totschlagen werden wir sie!"
Und dann fuhr er hinein ins Meer mit seinem schönen Wagen, und seine Soldaten folgten ihm. So schnell sie konnten, fuhren sie hinter dem Volk Israel her.
Aber sie konnten es nicht einholen, denn plötzlich wurde es dunkel wie in der tiefsten Nacht. Die große Wolke vor ihnen hüllte alles in ihren schwarzen Schatten. Es war, als wollte die Wolke sich gegen sie stellen.
Als es Morgen wurde, war das Volk Israel bereits am anderen Ufer des Meeres angekommen, aber die Ägypter waren noch mittendrin. Da kam die Strafe über den König und seine Soldaten.
Gott sprach zu Mose: „Strecke deine Hand aus über dem Meer."
Mose streckte seine Hand aus, und das Wasser kam wieder zurück. Es strömte über den Weg, über die Wagen und Pferde und über den König und die Soldaten.
Dann war nichts mehr da als Wasser. Alle Ägypter waren ertrunken.
Der König, der dem Volk Israel so viel Leid zugefügt hatte, konnte ihm nichts Böses mehr antun.
Nie mehr.
Nun war das Volk Israel frei. Wie froh waren die Menschen!
Sie feierten ein Fest am Ufer des Meeres und sangen ein Lied, um Gott zu danken, ein sehr schönes Danklied, das Mose gemacht hatte:
„Lobet den Herrn, denn er ist gut zu uns. Er hat die Pferde und die Soldaten im Meer ertränkt. Der Herr ist unser König."

DURCH DIE WÜSTE

Das Volk Israel war mitten durchs Meer gezogen, und der Ägypterkönig war mit all seinen Soldaten ertrunken.
Jetzt war das Volk Israel ganz frei, jetzt konnte es ruhig weiterziehen in das schöne Land Kanaan.
Doch würde es sich auf dem langen Weg auch nicht verirren? Nein, gewiß nicht, Gott zeigte ihm ja den Weg.
Würde ihm unterwegs auch niemand etwas zuleide tun? Natürlich nicht, Gott war ja bei ihm.
Und würde es keinen Mangel leiden? Würden die Menschen nicht sterben vor Hunger und Durst? Natürlich nicht, Gott würde ja für sie sorgen.
Er kümmerte sich um das Volk wie ein Vater um sein Kind.
Wenn das Volk nur fest daran *glauben* wollte, dann brauchte es sich nie mehr zu fürchten.
Ja, aber das Volk Israel glaubte nicht immer so fest an Gott.
Es war ein so wunderliches, ein so unzufriedenes Volk! Es murrte so schnell, es wurde so schnell kleinmütig. Es vergaß immer wieder, daß Gott doch mit ihm war.

Das Volk mußte eine Wüste durchqueren. Da wuchs überhaupt nichts. Da war nichts als Sand und Steine und nochmals Sand. Auch war es so heiß dort, so schrecklich heiß, so daß sie vom Gehen durch den heißen Sand fürchterlichen Durst bekamen.
Es gab dort keinen Brunnen, nicht einmal einen Tümpel. Es gab überhaupt kein Wasser in der heißen Wüste. Und das Wasser, das sie aus Ägypten mitgenommen hatten, war ganz und gar verbraucht.
Schließlich fanden sie doch etwas. Sie sahen eine Pfütze mit Wasser und eilten darauf zu, um zu trinken. Aber sie spuckten es sofort wieder aus. Pfui! Wie schlecht schmeckte das Wasser! Wie bitter war es! Das konnte man nicht trinken. Nun hatten sie noch immer nichts gegen den Durst.
Da fingen sie an, zu murren und zu schimpfen und häßliche Dinge zu sagen. Sie schrien Mose an: „Was sollen wir nun trinken?"
Da nahm Mose ein Stück Holz und warf es ins Wasser. Das hatte ihm Gott gesagt. „Trinkt nur", sagte er, „nun ist das Wasser gut."
Und wirklich, jetzt war das bittere Wasser auf einmal richtig süß und frisch geworden.
Das hatte aber nicht das Holz getan.
Das hatte auch Mose nicht getan.
Das hatte Gott getan. Nun konnten sie wieder einmal sehen, wie mächtig Gott war und wie gut er für sie sorgte.
Ob sie das auch nie vergessen würden?

Kurze Zeit darauf war auch das Brot zu Ende, das sie aus Ägypten mitgenommen hatten, ebenso das Fleisch. Da hatten sie nichts mehr zu essen. Und schon begannen sie, wieder zu murren.
Sie sagten zu Mose: „In Ägypten hatten wir Brot und Fleisch genug. Hättest du uns nur dort gelassen! Warum hast du uns dort weggeholt? Um uns hier in der Wüste vor Hunger sterben zu lassen?"

Wie häßlich war es doch von ihnen, so zu sprechen. Doch Gott hatte viel Geduld mit seinem Volk. Er strafte es nicht. Mose sagte: „Murret nicht. Gott wird für euch sorgen. Heute abend wird er euch Fleisch geben und morgen Brot vom Himmel regnen lassen. Werdet ihr dann glauben, daß der Herr für euch sorgt?"

Und wirklich, am Abend kam eine Menge Vögel angeflogen. Dicke, fette Vögel, *Wachteln* hießen sie. Die waren so müde vom Fliegen, daß sie einfach auf die Erde fielen zwischen die Zelte, in denen das Volk wohnte. Die Menschen ergriffen sie, schlachteten sie und brieten sie über dem Feuer. Wie gut das roch! Jetzt hatten sie Fleisch, soviel sie mochten.

Am anderen Morgen aber, als die Menschen nach draußen gingen, war der ganze Boden weiß, als ob es geschneit hätte. Kleine runde Körner lagen da.

„Was ist das?" riefen die Menschen.

Mose wußte es.

„Das ist *Manna*", sagte er, „das ist das Brot, das der Herr euch zu essen gibt."

Da sammelten sie es schnell auf, ganze Hände voll, ganze Krüge voll, soviel sie nur wollten. Man konnte es roh essen, man konnte aber auch Brei davon kochen und Brot daraus backen. Es schmeckte herrlich, süß wie Honigkuchen. Und jeden Morgen lag es wieder für die Menschen bereit.

Nun wußten sie, daß sie nie Hunger zu leiden brauchten, daß der Herr gut für sie sorgte.

Würden sie es nun nie mehr vergessen? Würden sie es nun immer glauben?

Aber ach, der Glaube des Volkes war sehr schwach.
Eines Tages hatten sie wieder kein Wasser. Brot hatten sie genug, aber kein Wasser.
Da murrten sie wieder, viel schlimmer als jemals vorher. Und wieder gaben sie Mose die Schuld.
Da wurde Mose sehr traurig und flehte zu Gott: „O Herr, was soll ich tun?"
Gott aber antwortete: „Geh zu den Felsen und schlag mit deinem Stab gegen den Stein, dann wird Wasser herauskommen." Die Felsen bildeten einen hohen Berg aus Stein, der war ganz in der Nähe. Mose ging darauf zu, und das Volk lief schreiend und murrend hinter ihm her.
Als Mose aber mit seinem Stab auf den Fels schlug, riß das Gestein auseinander, und ein Wasserstrom schoß daraus hervor. Da war das Volk still. Jetzt konnte es trinken, soviel es wollte.
Jetzt mußte es doch endlich glauben, daß Gott immer auf seiner Seite stand.

Und dann ist noch etwas geschehen, woran man so recht erkennen kann, wie Gott für sein Volk sorgte.
Eines Tages kamen Räuber daher, ein ganzer Trupp. Starke braune Kerle waren das, die in der Wüste wohnten. Die kamen immer wieder, um zu stehlen.
Mose sagte: „Das darf so nicht weitergehen. Wir müssen gegen die Räuber kämpfen und sie so hart bestrafen, daß sie nicht mehr wiederkommen."
Dann rief er *Josua* herbei, einen jungen Mann, der Gott liebhatte und der schon sehr oft gezeigt hatte, daß er gut kämpfen konnte.
Mose befahl ihm: „Such dir die kräftigsten Männer aus und kämpfe gegen die Räuber!"
Und das tat Josua.

Mose aber stieg auf einen Hügel und sah dem Kampf zu. Er kämpfte nicht mit den Waffen, er kämpfte mit etwas ganz anderem: Er *betete* für das Volk.
Er hob seine Hände zum Himmel empor und wies mit ihnen zu Gott und rief: „Herr, hilf uns doch!"
Und diese Hilfe war gut.
Wenn Mose seine Hände zum Himmel aufhob, dann waren die Israeliten ganz stark, dann konnten die Räuber nicht gegen sie ankämpfen. Dann wurden sie nur so zurückgejagt.
Wenn Mose aber seine Hände sinken ließ, dann wurden die Räuber wieder stärker. Dann trieben sie die Israeliten zurück.
Als Mose das sah, hob er seine Hände immerzu zum Himmel auf, aber seine Arme wurden sehr müde. Er konnte sie fast nicht mehr nach oben halten.
Da kamen zwei Männer herbei, Aaron und noch ein Mann, und die hielten seine Arme hoch.
Jetzt zeigten Moses Hände immer zu Gott empor. Und so blieben die Israeliten die Stärkeren. Sie kämpften den ganzen Tag über und trieben alle Räuber in die Flucht.
Aber das hatten nicht *sie* getan!
Das hatte *Gott* getan.

DAS GOLDENE KALB

Das Volk Israel zog immer weiter, und die Wolke schwebte den Menschen voraus. Sie wies ihnen den Weg.
So kamen sie in das Land, in dem Mose lange gewohnt hatte und in dem er Schafhirte gewesen war.
Dort gab es einen hohen Berg, der hieß Sinai. Oben an der Spitze des Berges blieb die Wolke hängen, und unten am Fuße des Berges ruhten sich die Menschen aus. Dort sollten sie eine Zeitlang bleiben.
Denn hier, an diesem Berg, sollte etwas Schönes geschehen. Hier sollte ein großes Fest gefeiert werden. Das hatte Gott gesagt.

Der große, allmächtige Gott, der Himmel und Erde gemacht hat, wollte der Freund des Volkes Israel sein, das so oft gegen ihn gemurrt hatte. Er wollte es zu seinem Volk, zum Volk Gottes, machen. War das nicht herrlich?
Deshalb wollte er selber zum Volke sprechen. Jeder sollte seine Stimme hören.
Aber nun mußten sie auch alle mithelfen, das Fest gut vorzubereiten. So zogen sie ihre schönsten Kleider an, die sie frisch gewaschen hatten, und mit ihren Streitigkeiten untereinander machten sie ein Ende. Sie wollten ein friedliches Volk sein.
Dann standen sie an einem frühen Morgen alle beisammen und warteten am Berg. An der Spitze des Berges hing die Wolke. In der Wolke donnerte es, und der ganze Berg erbebte vor Ehrerbietung und Furcht.
Dann wurde es still auf dem Berg, ganz still.
Und alle Menschen und alle Kinder hörten die Stimme Gottes, die zu ihnen sprach.
Gott sagte, sie müßten von nun an stets *ihm* gehorsam sein und *ihn* über alles liebhaben. Dann würden sie immer in Frieden leben können.
Dann wurde es wieder still. Die Stimme Gottes sprach nicht mehr, aber der Donner begann, wieder zu rollen.
Da gingen die Menschen schnell wieder in ihre Zelte zurück. Sie wagten es nicht mehr, so nahe am Berg zu bleiben. Sie hatten eigentlich ein wenig Angst vor Gott.
Mose aber schrieb alles auf, was der Herr gesagt hatte, denn dann würde das Volk es nie mehr vergessen.
Aber der Herr hatte dem Volk noch viel mehr zu sagen, und all das mußte Mose auch aufschreiben.
Darum ging Mose oben auf den Berg, wo er ganz nahe bei Gott war. Er fürchtete Gott nicht.
Die Menschen sahen ihn hinaufsteigen, immer höher. Sie sahen ihn bei der Wolke ankommen, und dann sahen sie ihn nicht mehr.
Am Abend aber standen sie alle beisammen und schauten, ob Mose zurückkommen würde. Doch er kam nicht. Er blieb bei Gott auf dem Berg.
Am folgenden Tag kam er auch nicht und am übernächsten Tag auch noch nicht.
Er ließ sehr lange auf sich warten. Da wurden die Menschen unruhig und sagten: „Mose kommt vielleicht nie mehr

zurück. Sicher ist ihm dort oben ein Unglück zugestoßen. Vielleicht ist er sogar tot. Wer wird uns dann nach Kanaan bringen? Jetzt haben wir niemand mehr, der für uns sorgt."
Die dummen Menschen!
Gott war doch da!
Er würde immer für sie sorgen.
Sie sagten dann noch viel Dummes und Verwerfliches.
So meinten sie: „Wir können Gott nicht sehen, wir merken nichts mehr von ihm. Die anderen Völker haben ein Bild, und das ist ihr Gott. Davor knien sie nieder, das beten sie an und das können sie sehen. Wir wollen auch so ein Bild haben, ein Bild aus Gold. Das wollen wir dann anbeten und vor uns hertragen auf unserer Reise nach Kanaan."
Da gingen die Menschen zu Aaron. Der war nun ihr Führer, weil Mose fort war. Sie sagten: „Mach uns ein Bild, einen Gott, den wir sehen und den wir vor uns hertragen können auf unserem Weg nach Kanaan."
Aaron erschrak. Wie schlecht war doch das Volk! Gott hatte gerade erst gesagt, daß sie nicht vor einem Bild knien sollten, und nun wollten sie es doch tun. Welch ein Frevel!
Aber das wagte Aaron nicht zu sagen. Er hatte Angst vor dem Volk. Er dachte: Ich will die Leute nur ja nicht verärgern und gegen mich aufbringen, sonst werden sie mich am Ende noch totschlagen. Daher will ich es ganz schlau anfangen.
Darum sagte er: „Ja, aber dann muß *ich* eure schönen goldenen Ringe haben, die müßt ihr zuerst hergeben."
Er dachte: Das werden sie niemals tun.
Aber sie taten es doch. Sie zogen alle ihre Ringe ab und brachten sie zu Aaron, ganze Hände voll.
Da wagte Aaron es nicht mehr, nein zu sagen. Er fürchtete sich vor dem Zorn der Menschen. Er wußte, daß dies schlecht war, und doch tat er es: Er machte ein goldenes Bild aus all den Ringen, ein goldenes Stierkalb, so wie es auch die Ägypter hatten.
Und das Kalb stellte er dann mitten zwischen die Menschen.
Die knieten davor nieder und waren sehr froh über das Bild, die ungehorsamen Menschen. Schließlich tanzten sie darum herum und sprangen und jubelten und sangen, daß man es oben auf dem Berg hören konnte. Nun feiern sie wieder ein Fest. Aber jetzt ist es kein schönes Fest, jetzt bejubelten sie nicht mehr Gott, sondern ein von Menschen angefertigtes Götzenbild.
Als aber das Fest im vollen Gang war, wer stand da plötzlich in der Menge? Wer ging da zwischen den Menschen hindurch und schaute mit zornigen Augen umher? Es war Mose, der zurückgekommen war. Er hatte keine Angst vor dem Volk wie Aaron. Er traute sich schon, ihm zu sagen, wie schlecht es war.
Er nahm das goldene Kalb und warf es um. Er warf es ins Feuer, so daß nichts davon übrigblieb.
Da erschraken die Menschen. Sie erkannten, was sie da getan hatten. Still schlichen sie in ihre Zelte davon und versteckten sich vor Moses zornsprühenden Augen. Vor Gott aber konnten sie sich nicht verstecken.
Wie zornig würde er jetzt auf sie sein!

Nun würde er wohl nicht mehr ihr Freund sein.
Am folgenden Tag stieg Mose wieder auf den Berg, voller Angst und Schmerz.
Ganz oben kniete er nieder vor Gott. Er sagte: „Ach Herr, dieses Volk hat sich schwer an dir vergangen und hat eine ganz schlimme Strafe verdient. Aber willst du nicht doch sein Freund bleiben? Laß *mich* doch die Strafe tragen für dieses Volk. Straf mich nur!"

Ja, das wollte Mose tun! Er liebte das Volk so sehr, wenn es auch noch so ungehorsam gewesen war.

Weil Mose aber so inständig darum bat, hat Gott dann dem Volk seine schlechte Tat doch vergeben. Er wollte auch weiter sein Freund sein und mit ihm gehen nach Kanaan.
Gott hatte sein Volk sehr lieb, viel mehr, als Mose es liebhaben konnte.

BEINAHE IM SCHÖNEN LAND

Das Volk Israel blieb lange wohnen am hohen Berg Sinai, fast ein Jahr lang, aber dann mußte es doch weiterziehen, denn es sollte ja in das schöne Land Kanaan.
Die Wolke ging wieder am Himmel voraus, und die Menschen liefen hinter ihr her durch die Wüste. So kamen sie jeden Tag ein Stückchen weiter, bis sie schließlich ganz nahe an das schöne Land herankamen. Sie konnten in der Ferne schon seine Berge sehen.
Da blieb die Wolke stehen, und die Menschen blieben auch stehen. Sie schlugen die Zelte auf, aßen und tranken und ruhten sich ein paar Tage aus. Aber sie schauten immer wieder auf die fernen Höhen. Dort hinter den Bergen, dort lag Kanaan. Dort würden sie bald wohnen. Dort würden sie sich gut ausruhen können von der langen Reise.
Ja, aber sie wohnten noch nicht dort. Es wohnten nämlich andere Menschen in Kanaan, die nichts von Gott wußten, und die mußten erst einmal vertrieben werden. Ob sie wohl stark waren und groß an Zahl? Würde wohl fettes Gras wachsen im Land Kanaan? Auch Bäume und Früchte? Ob das Land wirklich so schön war, wie die Menschen glaubten? Das alles wollte das Volk gern wissen.
Darum ließ Mose zwölf Männer zu sich kommen, zwölf starke, tapfere Männer. Josua war auch darunter.
Mose sagte: „Ihr müßt über die Berge steigen und in das Land Kanaan gehen. Und dann müßt ihr euch dort alles ansehen und es uns nach eurer Rückkehr berichten. Aber ihr müßt ganz vorsichtig sein, damit euch die Menschen dort nicht finden und festhalten!"
Die zwölf Männer nahmen den Auftrag gern an. Am folgenden Tag machten sie sich auf den Weg, und täglich hielt das Volk Ausschau, ob sie nicht schon zurückkämen.
Es dauerte sehr lange. Aber endlich kamen sie wieder. Und was hatten sie aus dem schönen Land mitgebracht? Herrliche Früchte, Äpfel und Feigen und auch ein Büschel Trauben hatten sie bei sich, ein gewaltig großes Büschel. Ein Mann allein konnte es nicht tragen. Sie hatten es an einen Stab gebunden, den zwei Männer auf der Schulter trugen. Solche schönen Früchte wuchsen also in Kanaan? Welch ein wunderbares Land mußte es doch sein!
Die zwölf Männer fingen an zu erzählen. Unter ihnen waren zwei, die Gott liebhatten, und zehn, die ihn nicht liebhatten. Zwei, die alles glaubten, was Gott gesagt hatte, und zehn, die ihm nicht glaubten.
Josua und *Kaleb* glaubten Gott. Die zehn Männer berichteten: „O je, es ist ein prächtiges Land. Überall blühen Blumen, und überall wächst Gras in Fülle. Aber freut euch nur nicht zu früh! Denn in das schöne Land können wir nicht eindringen. Die Menschen, die dort wohnen, sind viel zu stark. Wir haben sogar Riesen gesehen. Die sind so groß, daß wir dagegen nur ganz kleine Menschen sind. Denkt ihr etwa, die werden sich gerade durch uns vertreiben lassen? Das glaubt ihr wohl selbst nicht!"
Da erschraken die Menschen. Sie bekamen Angst vor den Riesen. Sie hatten

wieder ganz vergessen, was Gott ihnen versprochen hatte.
Aber die beiden Männer Josua und Kaleb hatten das nicht vergessen. Sie sagten: „Habt keine Angst! Der Herr wird uns helfen. Das hat er versprochen. Er hat gesagt, daß er uns das Land geben will. Und Gott tut, was er verspricht. *Glaubt* es doch!"

Aber sie glaubten es nicht. Sie begannen, vor Angst zu klagen und zu jammern und zu weinen. Auch fingen sie wieder an zu murren, gegen Gott und gegen Mose. Sie dachten, Gott hätte sie betrogen, und riefen: „Wären wir nur in Ägypten geblieben! Warum hat Gott uns hierher gebracht? Sicher nur, um uns durch die Riesen totschlagen zu lassen. Aber wir wollen uns nicht totschlagen lassen, nein, wir gehen nicht in das Land Kanaan. Wir wollen nicht. Wir wollen zurück nach Ägypten."
Josua und Kaleb aber riefen: „So etwas dürft ihr nicht sagen!"
Doch sie hörten nicht auf die beiden. Sie wurden vielmehr sehr zornig auf sie und hoben Steine auf, um die beiden zu töten. Aber da . . . o wie erschraken sie! Es war, als fahre ein Blitz vom Himmel herab, solch ein großes weißes Licht strahlte auf einmal hernieder. Das kam aus der Wolke Gottes. Er war selber gekommen, um die beiden Männer zu beschützen.
All die ungehorsamen Menschen nahmen die Hände vor die Augen wegen des grellen Lichtes und sprangen erschrocken zurück. Wenn Mose jetzt nicht für das Volk gebetet hätte, wie schwer wäre es da bestraft worden!
Aber es wurde auch so noch bestraft, weil es Gott nicht geglaubt hatte.
Mose sagte zum Volk: „So spricht der Herr: Ihr wollt nicht in das schöne Land gehen? Dann sollt ihr überhaupt nicht mehr hinein. Ihr wollt zurück? Gut, ihr sollt zurück. Ihr sollt umherirren in der Wüste, bis eure Kinder groß geworden sind. Dann sollen die in das Land Kanaan einziehen, aber ihr nicht. Ihr sollt alle in der Wüste sterben, außer Josua und Kaleb, die mir geglaubt haben."
Das war sehr schlimm für die Menschen. Aber es war ihre eigene Schuld.
Einige wollten nun doch gern in das schöne Land hinein. Die kamen am folgenden Morgen zu Mose und sagten: „Gestern sind wir ängstlich und ungehorsam gewesen, aber nun möchten wir es doch wagen, nun möchten wir ins Land gehen und tapfer gegen die Menschen kämpfen, die dort wohnen."
Aber Mose schüttelte bekümmert den Kopf und sagte: „Tut es nicht! Gott will es nicht. Jetzt geht es nicht mehr."
Aber sie taten es doch. Und sie kämpften tapfer, aber der Herr half ihnen nicht.
Da wurden sie alle erschlagen von den Einwohnern des Landes Kanaan.
Der Rest des Volkes Israel aber zog weiter – die Wolke wieder voraus, die Menschen hinterher.
Gebeugten Hauptes und mit leidvollem Herzen, so gingen sie zurück, wieder in die Wüste hinein, immer weiter und weiter fort von dem schönen Land Kanaan.
Sie durften nicht hinein, sie konnten nicht hinein, weil sie in ihren Herzen nicht glaubten.

AUF DER WANDERUNG DURCH DIE WÜSTE

Das ist dann eine traurige Reise gewesen, die lange Wanderschaft durch die Wüste. Das Traurigste aber war, daß die Menschen auch jetzt noch zu murren wagten.

Einmal war es ganz schlimm. Da hatten sie kein Wasser. Und daran gaben sie Mose und Aaron die Schuld.
Sie sagten: „Warum habt ihr uns hierher gebracht? Es ist *eure* Schuld, daß wir einen solchen Durst haben."
Da sagte Gott: „Mose, geh an die Felsen und sprich, es soll Wasser herauskommen. Dann können die Menschen trinken."
Da gingen Mose und Aaron zu den Felsen, und das Volk lief schreiend und murrend hinter ihnen her.

Mose war verbittert über sein Volk. Bisher war er immer geduldig gewesen, aber jetzt hatte er keine Geduld mehr.
Er dachte: Die törichten Menschen, warum murren sie jetzt wieder? Sind *wir* denn nicht da, um für sie zu sorgen, ich und Aaron?
Und er rief voll Zorn: „Hört zu, ihr ungehorsamen Menschen! Sollen *wir* Wasser für euch aus den Felsen strömen lassen?" Und er schlug heftig mit seinem Stab an die Felsen, zweimal. Da strömte das Wasser heraus, und sie konnten alle trinken und wurden wieder froh.
Aber Mose wurde nicht froh.
Mose war tief bekümmert.
Denn jetzt war *er* ungehorsam gewesen und Aaron auch.
Sie hatten nicht auf Gott vertraut, sie hatten ihn vergessen. „*Wir* werden euch Wasser geben", hatten sie zu den Menschen gesagt. „*Wir* werden für euch sorgen."
Aber *sie* hatten doch das große Wunder nicht getan! Wie konnten sie das vergessen! Da sprach Gott zu den beiden: „Weil ihr *mich* vergessen habt, dürft auch *ihr* nicht in das Land Kanaan gehen."
Armer Mose und armer Aaron!
Das war eine schlimme Botschaft für sie.

Einige Zeit später geschah jedoch etwas, das noch viel schlimmer war.
Jeden Morgen regnete es immer noch Manna vom Himmel. Das herrliche Himmelsbrot lag täglich für die Menschen bereit.
Aber sie waren ja so undankbar! Sie fingen an, auf das köstliche Brot zu schimpfen und sagten: „Bah, dieses eklige Manna! Jeden Tag dasselbe." Und sie traten es mit den Füßen in den Sand.
Das war sehr schlimm, und dafür gab es auch eine ganz schwere Strafe.
Es kamen Schlangen herangekrochen, die bissen die Menschen. Das tat sehr weh, denn es waren giftige Schlangen! Wer von einer solchen Schlange gebissen wurde, mußte sterben. Da gab es keine Rettung mehr. Viele Menschen lagen bereits tot am Boden.
Da bekam das Volk schreckliche Angst und bereute sehr, daß es über das Himmelsbrot gemurrt hatte.
Die Menschen liefen zu Mose und riefen: „Hilf uns doch! Bete doch zu Gott, daß er uns vergebe! Und laß die schrecklichen Schlangen weggehen!"

Da flehte Mose zu Gott, und Gott erhörte sein Gebet. Er nahm aber die Schlangen nicht fort, sondern tat ein anderes großes Wunder, so daß sich niemand mehr vor den Schlangen zu fürchten brauchte.
Mose ging zu den Menschen und stellte sich in ihrer Mitte auf. Er hatte einen langen Stab, und auf dem Stab war eine Schlange. Aber das war keine richtige Schlange, sondern nur eine Schlange aus Erz, die Mose selber gemacht hatte.
Alle Menschen, die von einer Schlange gebissen worden waren, mußten ihren Blick jetzt auf die eherne Schlange richten. Dann konnte ihnen das Gift nichts mehr antun. Dann brauchten sie

nicht mehr zu sterben. Das hatte Gott gesagt. Und so geschah es auch.
Wer Gott nicht glaubte und wer die eherne Schlange nicht ansehen wollte, der mußte sterben.
Aber wer gläubig tat, was Gott gesagt hatte, blieb am Leben.

Dann war die große Reise durch die Wüste beinahe zu Ende. Das Volk Israel war wieder ganz nahe an das Land Kanaan herangekommen.
Die Kinder waren groß geworden. Noch eine kleine Weile, dann durften sie in das Land Kanaan einziehen.

GOTT NIMMT MOSE ZU SICH

Mose, so hatte Gott gesagt, dürfte nicht in das schöne Land gehen. Aaron war schon gestorben, und nun mußte auch er sterben. Das war seine Strafe, weil er ungehorsam gewesen war. Darüber war Mose tief bekümmert.
Er dachte: Ich will noch einmal darum bitten, ob ich nicht doch mit dem Volk Israel weitergehen darf.
So betete er voller Ehrfurcht und rief: „O Herr, ich habe es nicht verdient, aber ich möchte doch auch in das schöne Land Kanaan. Ich möchte so gerne sehen, wo mein Volk wohnen wird."
Gott aber sprach: „Sei still, Mose, sprich nicht mehr davon."
Hatte Gott denn kein Mitleid mit Mose? Liebte er seinen alten Diener nicht mehr?
Nun, Mose wußte es besser.
Gott hatte ihn während seines ganzen Lebens liebgehabt.
Immer hatte Gott sich um ihn gekümmert.
Als er noch ein ganz kleiner Junge war, hatte Gott schon dafür gesorgt, daß Mose nicht im großen Fluß ertränkt wurde. Und als er in dem Kästchen aus Schilfrohr lag, hatte Gott die Prinzessin geschickt.
Und viel später, als Mose den Ägypter erschlagen hatte, hielt Gott seine schützende Hand über ihm, daß der grimmige König ihn nicht ergreifen konnte.
Als er dann Schafhirte war . . . und als er dann wieder nach Ägypten mußte . . . und als sie dann mitten durch das Meer gingen . . . und als sie auf der langen Wanderung durch die Wüste zogen: Immer hatte Gott für Mose gesorgt wie ein Vater für sein Kind.
Wenn Mose an all dies dachte, wurde er wieder froh. Dann fand er es gar nicht schlimm, daß er nicht in das schöne Land durfte. Er durfte ja zu Gott gehen, ganz nahe zu Gott, noch viel näher als auf dem hohen Berg.

Da rief Mose eines Tages alle Menschen zusammen, um noch einmal zu ihnen zu sprechen.
Er sagte ihnen, daß sie künftig ganz gehorsam sein müßten, dann würden sie in Frieden in dem schönen Land wohnen. Aber wenn sie Gott vergäßen, dann würden sie unzufrieden werden, dann dürften sie auch nicht in dem Land Kanaan bleiben.
Mose sprach noch viel mehr. Er liebte das Volk, er wollte so gern, daß es ganz nahe bei Gott bliebe.

Er wußte aber auch, daß er es ruhig zurücklassen konnte.
Gott würde für das Volk sorgen.
Dann nahm Mose Abschied von den Menschen und ging fort, ganz allein.
In der Nähe war ein steiler Berg. Auf den stieg er hinauf.
Die Menschen sahen ihm nach, soweit sie konnten. Sie liebten ihn sehr und hatten großes Mitleid mit ihm. Sie sagten: „Ach, der arme Mose!"
Aber Mose war gar nicht arm.
Denn als er oben auf dem Berg war, kam Gott, der Herr, zu ihm. Mose konnte von der Höhe aus weit in die Runde schauen.

So sah er doch noch das schöne Land, in dem das Volk bald wohnen sollte. Gott zeigte ihm die grünen Weiden und die Bäche, die hindurchströmten, die Berge und die Bäume und ganz in der Ferne das Meer. Mose sah das ganze Land und wußte, daß sein Volk dort zufrieden leben würde.
Dann sprach Gott: „Komm, mein Kind, nun ist es Zeit" und nahm Mose zu sich.

RAHAB

Mose lebte nicht mehr.
Auch Aaron war gestorben.
Wer sollte nun dem Volk auf der Wanderschaft vorangehen? Wer sollte nun an Stelle von Mose der Anführer sein?
Josua! Josua sollte mit dem Volk in das Land Kanaan einziehen.
Aber Josua mußte sehr vorsichtig sein, denn es wohnten feindselige Menschen in dem Land.
Dann gab es da auch eine große Stadt, die von einer hohen Mauer umgeben war. Sie hieß *Jericho*. Diese Stadt mußte erobert werden, wenn sie in Ruhe siedeln wollten.
Ob die Mauern sehr dick und stark waren? Und ob sich viele Soldaten in der Stadt aufhielten?
Josua wollte das gern wissen. Und darum rief er zwei Männer zu sich und sagte zu ihnen: „Ihr müßt heimlich in das Land Kanaan, in die große Stadt Jericho gehen und euch dort alles genau ansehen. Und dann zurückkommen und mir alles erzählen. Traut ihr euch das zu?"
Ja, das trauten sich die beiden Männer wohl zu. Sie dachten: Gott wird schon für uns sorgen.

So machten sie sich mutig auf den Weg und kamen in die große Stadt Jericho. O ja, die Mauer war sehr hoch und dick. Da konnte niemand hinüberklettern, aber in der Mauer war eine große Tür, das Stadttor. Es stand offen, und die Menschen gingen ein und aus. Da schlenderten die beiden Männer auch durch das Tor. Niemand achtete auf sie. So kamen sie in die Stadt. Und sie liefen durch die Straßen und sahen sich alles genau an.
Dann kam der Abend. Wo sollten sie jetzt schlafen? Sie gingen an der Mauer entlang, die um die Stadt führte, und kamen an ein Haus, das oben auf der Mauer stand. So dick war die Mauer, daß oben darauf ein Haus stehen konnte! Und in dieses Haus gingen die Männer. In dem Haus wohnte eine Frau, die hieß *Rahab*. Die hatte nichts dagegen, daß die Männer dort übernachteten.

Aber die feindseligen Bewohner der Stadt hatten gesehen, wie die beiden Männer in das Haus gegangen waren. Sie liefen schnell zum König und meldeten es ihm. Der König von Jericho aber schickte Soldaten, um die beiden Männer festzunehmen.

Die Soldaten schlugen an die Tür und riefen: „Rahab, mach auf! Wo sind die fremden Männer? Wir müssen sie gefangennehmen, denn es sind Feinde, die gekommen sind, um bei uns zu spionieren."
Was sollte Rahab jetzt tun?
Sollte sie die Soldaten hereinlassen?
Sollte sie sagen: „Hier sind die Männer, ergreift sie nur?"
Nein, das tat Rahab nicht. Längst hatte sie die Männer versteckt, oben auf dem flachen Dach, unter einem Haufen Stroh. Rahab war eine schlaue Frau.
Sie sagte den Soldaten: „Die Männer? Ja, die sind hier gewesen. Wenn ihr schnell lauft, dann werdet ihr sie vielleicht noch einholen."
Zum Glück gingen die Soldaten wieder fort, ohne die Kundschafter entdeckt zu haben.
Rahab aber ging aufs Dach und holte die Männer unter dem Stroh hervor. Sie wußte genau, wer sie waren. Sie hatte schon gehört vom Volk Israel. Sie wußte auch, daß Israel das Volk Gottes war. Gerade deswegen hatte sie die Männer versteckt, deswegen war sie so gut zu ihnen. Sie sagte: „Gott wird euch bald dieses Land geben und diese Stadt dazu. Er kann alles, das haben wir hier schon gehört. Er hat euch auch mitten durch das Meer geführt. Darum haben auch alle feindseligen Menschen in diesem Land Angst vor dem Volk Israel. Und darum bin ich auch gut zu euch gewesen. Nun müßt ihr mir aber versprechen, daß ihr auch gut zu *mir* sein werdet. In kurzer Zeit wird euer Volk hierherkommen, um diese Stadt einzunehmen. Werdet ihr mir dann nichts Böses tun, und meinem Vater und meiner Mutter, meinen Brüdern und meinen Schwestern auch nicht?"

Das versprachen die Männer. Aber nun mußten sie schnell weg, denn die Soldaten hätten noch einmal zurückkommen können.
Rahab nahm sie mit ins Haus. Sie machte ein Fenster auf. Dann nahm sie ein dickes Seil. Es war ein *rotes* Seil. Das eine Ende band sie am Fenster fest, das andere Ende hing nach draußen in das Dunkel. An diesem Seil sollten die Männer nach unten klettern. Dann waren sie außerhalb der Stadt, denn das Haus stand ja oben auf der Mauer.

„Häng dies rote Seil aus dem Fenster, wenn wir zurückkommen", sagten die Männer, „dann kann unser Volk sehen, daß du dort wohnst. Und sorg dafür, daß dein Vater und deine Mutter, deine Brüder und deine Schwestern bei dir im Haus sind. Dann werden wir unserem Volk sagen: ‚Wo ein rotes Seil aus dem Fenster hängt, dort dürft ihr den Menschen nichts antun.'"
Dann kletterten die Männer schnell nach unten und versteckten sich in den Bergen. Nach einigen Tagen kamen sie wieder wohlbehalten bei Josua an.

JERICHO

Weißt du noch von den beiden Männern, die in die große Stadt Jericho gehen mußten, um sich dort heimlich alles anzusehen? Weißt du auch noch von den Soldaten, die sie festnehmen wollten, und von der guten Frau Rahab, die ihnen so schlau geholfen hatte?
Sie hatte ein rotes Seil ans Fenster gebunden und die beiden Männer daran hinuntergelassen. Sie sollte das rote Seil aus dem Fenster hängen, wenn das Volk Israel kam, um den feindseligen Bewohnern die Stadt abzunehmen.

Jetzt rückte das Volk Israel auf die Stadt zu. Die feindseligen Menschen sahen es. Sie verschlossen schnell das Tor und stellten sich oben auf die Mauer. Sie waren zum Kampf bereit.
Was sollten die Israeliten jetzt tun? Sollten sie etwa die Mauern mit Hämmern zusammenschlagen? Sollten sie versuchen, das Tor mit einem dicken Balken aufzustoßen?
Nein, das war nicht möglich. Die Mauer war viel zu dick und das Tor viel zu stark. Die Israeliten taten etwas ganz anderes. Sie liefen in einem großen Umzug um die ganze Stadt, sonst unternahmen sie nichts. Dann gingen sie wieder fort.
Am folgenden Tag aber kamen sie wieder. Da lief das ganze Volk ein zweites Mal um die Stadt. So auch am dritten, am vierten und am fünften Tag, immer einmal um die ganze Stadt.
Am sechsten Tag war es ebenso. Die Bewohner von Jericho konnten dies nicht begreifen. Sie lachten darüber und

sagten: „Was will nur das dumme Volk Israel? Will es so unsere Stadt erobern? Das ist schon eine seltsame Art, was? So wird es nie in unsere Stadt kommen!”
Doch Gott hatte zu Josua gesagt, was das Volk Israel tun sollte.
Wieder kam ein Tag. Der *siebte* Tag.
Und wieder kam das ganze Volk Israel angezogen. Aber diesmal ging es nicht nur einmal um die Stadt Jericho, sondern mehrere Male, zweimal, dreimal, immer wieder. *Siebenmal* im ganzen ging es um die ganze Stadt herum.
Dann blieben die Männer stehen.
Und plötzlich begannen sie alle zu rufen und zu jauchzen, als hätten sie bereits gesiegt.
So war es auch.

Denn siehe, die dicken Mauern begannen zu wackeln und zu wanken und fielen um. Das Volk Israel konnte nun einfach in die Stadt hineinstürmen.
Von all den feindseligen Bewohnern der Stadt ist dann auch nicht einer übriggeblieben.

Aber ein Stück von der Mauer war stehengeblieben. Dafür hatte Gott gesorgt.
Auf diesem Mauerstück stand ein Haus.
Und was hing aus dem Fenster des Hauses?
Ein dickes rotes Seil.
Es war Rahabs Haus. Und die beiden Männer, denen sie so gut geholfen hatte, gingen in das Haus und nahmen Rahab mit, ebenso ihren Vater und ihre Mutter, ihre Brüder und Schwestern und brachten sie sicher zum Volk Israel.

Hier sollte Rahab nun hingehören, zum Volk Gottes.
Dann zog das Volk Israel weiter ins Land hinein. Sie vertrieben alle feindseligen Menschen und nahmen ihnen alle großen Städte ab.
Dann ließen sich die Israeliten selber in dem schönen Land nieder und blieben dort wohnen.
Sie bauten dort Häuser und säten Korn und ließen ihre Kühe und Schafe auf den saftigen Weiden grasen.
Jetzt hatten sie alles, was sie wollten. Sie brauchten keinen Durst mehr zu leiden, denn sie hatten jetzt Wasser und Milch genug. Sie aßen auch kein Manna mehr, sie aßen jetzt Brot aus ihrem eigenen Korn. Und herrliche Früchte wuchsen dort, und es gab viel Honig. Ja, wie schön wohnten sie doch in diesem herrlichen Land!
Josua aber sagte: „Nun müßt ihr immer daran denken, daß Gott, der Herr, euch dies Land gegeben hat. Die feindseligen Menschen, die hier wohnten, beteten ein Bild an, das dürft ihr nicht tun. Ihr müßt zum Herrn beten und ihn immer liebhaben und ihm voll und ganz gehorchen. Wollt ihr das auch tun?"
Und sie riefen alle: „Ja, das wollen wir tun. Der *Herr* ist unser Gott."

GIDEON

Es war im Sommer.
Das Korn stand reif auf den Feldern. Überall im schönen Land Kanaan waren die Menschen fleißig dabei, das Korn zu mähen. Dann wollten sie es dreschen und mahlen. Und von dem Mehl wollten sie Brot backen, herrliches Brot aus ihrem eigenen Boden.
Aber die Menschen waren nicht froh, daß sie so viel Korn hatten. Sie hatten Sorge und Angst. Vielleicht konnten sie das Korn gar nicht mahlen, vielleicht bekamen sie überhaupt kein Brot. Denn jedes Jahr, wenn das Korn reif war, kamen Räuber. Die nahmen ihnen alles weg. Dann mußten sie Hunger leiden.
Darum schauten sie ängstlich in die Ferne und sagten: „Seht ihr die Räuber noch nicht? Sie kommen bestimmt wieder. Sieben Jahre lang sind sie nun schon gekommen, und wir können sie nicht fortjagen, denn sie sind viel zu stark. Wer wird einmal die Räuber für immer fortjagen?"
Unter ihnen war ein junger Mann. Der hieß *Gideon.* Er hatte auch Korn gemäht und stand jetzt unter einem Baum bei einem großen Trog, in den er ein wenig Korn schüttete. Dann schlug er mit einem Knüppel darauf. Da sprangen die Körner aus den Ähren. So drosch Gideon schnell ein bißchen Korn und schüttete es in einen Sack, den er in einer Höhle in den Bergen verstecken wollte. Dort würden die Räuber ihn nicht finden. Dann hatte Gideon etwas Korn, um Brot daraus zu backen.
Aber Gideon war auch traurig. Er dachte: Ach, wie elend ist doch mein Volk! Doch das ist seine eigene Schuld, denn es hat Gott nicht liebgehabt. Es ist nicht gehorsam gewesen und hat sich verleiten lassen, ein Bild anzubeten, genauso, wie es die feindseligen Menschen taten, die früher hier gewohnt haben. Darum

kommen jedes Jahr die Räuber. Gott hat sie geschickt, um das Volk Israel zu strafen. Ja, jetzt bereuen es die Menschen, jetzt beten sie wieder zu Gott, jetzt rufen sie: Herr, hilf uns! Jag doch die Räuber fort! Aber Gott hört es nicht. Sicher will er nicht mehr auf die Menschen hören, vielleicht will er überhaupt nichts mehr vom Volk Israel wissen.
So dachte Gideon, als er ganz allein unter dem Baum arbeitete.

Doch plötzlich erschrak er, denn er war nicht mehr allein. Auf einem Stein unter dem Baum saß ein Mann, der ihn anschaute und freundlich grüßte.
Wer war der Mann?
Ein Engel, der vom Himmel gekommen war, um Gideon eine Nachricht zu bringen. Gott hatte es gehört, daß das Volk zu ihm rief. Der Engel sprach: „Gideon, wenn die Räuber wiederkommen, dann mußt *du* sie wegjagen."
Gideon erschrak.
„Ich?" rief er. „Aber ich bin doch noch so jung, und die Räuber sind so stark."
Aber der Engel erwiderte: „Du wirst sie schon verjagen, Gideon, denn Gott wird dir helfen."
Als Gideon das hörte, wurde er froh. Gott würde ihm helfen? Ja, dann wollte er es ruhig wagen. Dann würde es ihm auch gelingen. Wenn Gott ihm half, dann konnte er alles.
Bald darauf kamen die Räuber. Sie ritten auf großen Kamelen, die sehr schnell laufen konnten. Sie hatten lange Speere bei sich, mit denen konnten sie gut kämpfen.

Die Menschen bekamen große Angst und verkrochen sich rasch in den Bergen. Nur Gideon nicht. Der blies auf der Posaune. Das schallte durch das ganze Land, so daß alle tapferen Männer, die es hörten, herbeigelaufen kamen, um ihm zu helfen. So bekam Gideon ein großes Heer, eine riesige Schar von Männern, die ihm alle helfen wollten.
Aber das Heer konnte die Räuber nicht verjagen, das wußte Gideon genau. Gott mußte es tun.
Gideon dachte: Ob Gott mir auch wirklich helfen wird? Ich will es ja so gern glauben, ich will es ja so gern ganz fest glauben.
Da nahm er das Fell eines Schafes. Das war wie eine Decke. Die Decke legte er aufs Gras und sagte: „Lieber Herr, jeden Morgen ist das Gras naß vom Tau. Wenn aber nun morgen früh das Gras trocken ist und die Decke naß, dann werde ich bestimmt glauben, daß du mir helfen wirst."
Dann legte er sich nieder. Am folgenden Morgen war es so: Das Gras war trocken, aber die Decke war ganz naß. Gideon konnte das Wasser herauswringen, eine ganze Schüssel voll.
Jetzt glaubte er fest, daß Gott ihm helfen werde. Aber er hätte es gern noch fester geglaubt.
Wieder legte er die Decke aufs Gras und sagte: „Lieber Herr, laß nun morgen früh das Gras naß sein und die Decke trocken."
Dann legte er sich wieder nieder. Und am folgenden Morgen war das Gras naß vom Tau, aber die Decke war ganz trocken.
Da fühlte Gideon sich stark, denn nun glaubte er ganz fest, daß Gott ihm helfen würde, die Räuber fortzujagen.
Er rief sein großes Heer zusammen und zog tapfer gegen die Räuber los.
Aber wenn Gott ihm helfen wollte, dann hatte Gideon ein solch großes Heer doch gar nicht nötig?
Gott sprach: „Gideon, du hast viel zuviel Männer bei dir. Du mußt fast alle nach Hause schicken."
Gideon tat gehorsam, was Gott sagte. So behielt er nur ein kleines Heer übrig, aber was kümmerte ihn das? Er war ganz ruhig, denn Gott würde ihm helfen.
Doch Gott sprach: „Gideon, du hast immer noch zuviel Männer bei dir, du mußt noch mehr heimschicken."
Gideon tat gehorsam, was Gott sagte. Da hatte er nur noch eine ganz kleine Schar. Ob diese kleine Schar von Männern wohl die Räuber wegjagen konnte?
Ja, das konnte sie sehr gut.
Wenn Gott ihr nur half!

Es war Nacht. Alles war still und dunkel. Die Räuber schliefen in ihren Zelten.
Da kam Gideon leise mit seinen Männern heran. Sie schlossen ganz heimlich einen Ring um die Räuber.
Sie trugen jeder eine Posaune. Jetzt bliesen sie alle darauf. Das schallte ganz schaurig in der Stille!
Sie hatten auch alle leere Krüge bei sich. Die warfen sie entzwei. Das machte einen entsetzlichen Lärm in der stillen Nacht!
Auch hatten sie alle eine Fackel bei sich, ein Stück Holz, das brannte. Damit schwenkten sie umher. Da brannten die Fackeln noch viel heller, ein grausiger Anblick in der dunklen Nacht.

Dann riefen alle Männer ganz laut: „Für den Herrn und für Gideon!" und liefen schnell auf die Räuber zu.
Wie erschraken da die Räuber! Sie hörten den Lärm und die lauten Stimmen. Sie sahen die Flammen in der Dunkelheit, einen ganzen Ring um sich herum.
Da bekamen sie schreckliche Angst, denn sie dachten, ein großes Heer wäre herangerückt, viel größer und stärker als ihres.
Sie liefen hin und her vor Schreck und Angst. Sie rannten sich gegenseitig um und stachen sich mit den eigenen Speeren. Weil es so dunkel war, sahen sie sich gegenseitig für Feinde an.
So wurden sie immer ängstlicher. Schließlich wagten sie nicht mehr dazubleiben. Sie flüchteten, so schnell sie nur konnten. Da setzte Gideon mit seinen Männern hinter ihnen her und jagte sie alle aus dem Land. Nie mehr sind die Räuber zurückgekommen.
Das Volk Israel war überaus froh.
Die Menschen kamen alle zu Gideon, um ihm zu danken.
Aber Gideon sagte: „Ihr müßt nicht mir danken, ihr müßt Gott danken. Er hat euch wieder frei und froh gemacht."

RUT

Zum Volk Israel gehörte eine Frau, die hieß *Noomi.* Sie wohnte mit ihrem Mann und ihren beiden Söhnen in *Betlehem.* Das war ein Städtchen in dem schönen Land Kanaan.
Der Mann arbeitete alle Tage auf dem Feld, dort säte er Korn. Wenn das Korn reif war, mähte er es, dann drosch er es und brachte all die schönen Körner seiner Frau Noomi. Dann ließ Noomi das Korn mahlen und buk aus dem Mehl Brot für ihren Mann und ihre Söhne.
Aber einst kam ein Jahr, da gab es kein Korn. Der Mann hatte wohl Korn gesät, aber es wollte nicht wachsen. Es starb ab. So hatte Noomi nichts zu mahlen, und deshalb hatte sie auch kein Mehl, um Brot daraus zu backen. Nun war nichts zu essen da.
Was sollte sie tun? Auch die Nachbarn hatten fast nichts. Es war niemand da, der Noomi helfen konnte. Alle Menschen im Land litten Hunger.
Da zog Noomi mit ihrem Mann und ihren beiden Söhnen fort. Sie gingen ins Land *Moab.* Dort gab es Brot genug. Dort brauchten sie keinen Hunger zu leiden.

In dem fernen Land blieb Noomi lange Zeit wohnen, aber sie fühlte sich dort nicht wohl. Sie mußte viel Leid erdulden. Zuerst starb ihr Mann. Da hatte sie nur noch ihre beiden Söhne.
Die Söhne heirateten Mädchen aus dem fremden Land. Das eine Mädchen hieß *Rut,* das andere *Orpa.*
Aber nach einer Weile wurden die beiden Söhne krank und starben auch.
Jetzt hatte Noomi niemand mehr, keinen Mann und keine Söhne, jetzt war sie eine arme, einsame Frau geworden.
Arme Noomi! Sie wurde alt und grau vor Kummer.
Sie sagte: „Nun will ich hier nicht mehr bleiben. Ich will wieder zurück in meine Heimat. Dort wird es jetzt wohl wieder Brot für mich geben."

So begab sich Noomi auf die Wanderschaft zurück nach Betlehem. Und die beiden Mädchen, ihre Schwiegertöchter Rut und Orpa, gingen mit, um sie ein Stück Weges zu begleiten.
Sie liebten Noomi sehr. Sie war ihnen eine solch liebe, gute Mutter gewesen. Sie hatte ihnen auch von Gott erzählt. Die Mädchen waren traurig, daß Noomi jetzt fortzog, und begleiteten sie ein ganzes Stück auf dem Weg.
Aber schließlich blieb Noomi stehen.
Sie sagte: „Nun müßt ihr aber wieder umkehren! Ihr seid sehr lieb zu mir gewesen. Ich hoffe, daß Gott euch behütet." Da gab Orpa der alten Noomi einen Kuß. Sie weinte zwar sehr, aber sie ging doch zurück.
Rut weinte auch, aber sie ging *nicht* zurück. Rut konnte nicht zurückgehen. Sie hatte Noomi sehr lieb und hatte auch Gott sehr lieb. Darum wollte sie nicht zurück zu ihrem Volk, weil dort niemand war, der Gott liebhatte. Sie gehörte dort nicht mehr hin. Sie wollte zu Noomis Volk gehören, zum Volk Israel. Denn dort konnte sie Gott viel besser liebhaben.
Rut sagte: „Nein, ich lasse dich nicht allein. Dein Volk ist mein Volk, und dein Gott ist mein Gott. Ich will immer bei dir bleiben, Mutter."
Da war Noomi einverstanden, daß Rut mit ihr zog. Und nach einer langen Wanderschaft kamen sie in Betlehem an. Als junge, glückliche Frau war Noomi einst fortgegangen, als alte, vergrämte Frau kam sie wieder zurück.
„Ist das Noomi?" fragten die Leute. Denn sie kannten sie fast nicht wieder, so alt und grau war sie geworden.
Und überall erzählten sie von der alten Frau, die nach so vielen Jahren wieder zurückgekommen war. Und auch von dem lieben Mädchen, das Noomi nicht hatte allein lassen wollen.

Das Haus stand noch da. Noomi zog wieder darin ein.
Korn gab es jetzt genug, denn es war Sommer. Überall waren die Menschen beim Mähen.
Aber Noomi hatte kein Korn. Niemand hatte Korn für sie gesät. Was sollte sie tun? Sie mußte doch Korn haben, um Brot zu backen.
Da sagte Rut: „Mutter, soll ich gehen und Ähren suchen auf dem Feld bei den Schnittern?"
Noomi antwortete: „Das ist gut, meine Tochter."
Rut ging zu den Mähern und fragte: „Darf ich die Ähren auflesen, die ihr habt fallen lassen?"
Das gestatteten die Schnitter gern. Arme Menschen durften das in Kanaan immer tun. Rut suchte den ganzen Morgen. Da hatte sie schon eine Menge Ähren aufgelesen.
Die Mäher waren Arbeiter eines reichen Herrn, der *Boas* hieß. Und nach einer Weile kam der reiche Herr selber auf den Acker, um nach der Arbeit zu schauen. Da sah er das Mädchen, das so emsig beim Suchen war.
Er fragte: „Wer ist das?"
Die Arbeiter antworteten: „Das ist das Mädchen, das mit Noomi aus dem fremden Land gekommen ist."
Boas war froh, daß Rut auf seinem Acker war, denn er hatte schon viel von ihr

gehört. Er ging auf sie zu und sagte: „Komm nur jeden Tag hierher und suche. Du darfst es gern tun. Meine Arbeiter sollen gut zu dir sein. Und wenn du Durst hast, sollen sie dir zu trinken geben. Geh nicht auf den Acker eines anderen."
Wie froh Rut jetzt war! Sie verbeugte sich tief vor dem guten Mann und fragte: „Warum sorgst du nur so gut für mich?" Boas antwortete: „Weil du so gut für Noomi gesorgt hast."

Dann wurde es Mittag. Die Schnitter gingen essen. Da sagte Boas: „Komm her! Iß doch auch mit!"
Und Rut bekam köstliches Brot von ihm und auch leichten, säuerlichen Wein, der gut war gegen den Durst.
Nach dem Essen machte sie sich wieder eifrig ans Ährenlesen, und Boas sagte leise zu den Mähern: „Ihr müßt dafür sorgen, daß sie viele Ähren findet. Laßt ruhig absichtlich welche fallen, dann kann Rut sie auflesen."
Wie viele Ähren Rut jetzt fand! Als es Abend wurde, ging sie zum Dreschen und kam mit einem Sack voll Korn zu Noomi zurück. Die alte Frau war sehr froh und fragte verwundert: „Wo bist du denn gewesen, mein Kind?"
Da erzählte Rut alles. Und am folgenden Tag ging sie wieder auf das Feld des guten Herrn, ebenso am übernächsten Tag. Solange die Schnitter am Mähen waren, suchte Rut Ähren auf dem Feld des Boas. Als alles Korn gemäht war, geschah etwas sehr Schönes. Da feierte der reiche Boas Hochzeit mit der armen Rut, und nach einer Weile schenkte Gott ihnen ein Kind, einen lieben kleinen Jungen.

Noomi setzte das Kind auf ihren Schoß, und alle Frauen aus der Nachbarschaft kamen herbei. Sie fragten: „Noomi, bist du noch immer traurig?"
Und Noomi sagte: „Nein, ich habe zwar viel Kummer in meinem Leben gehabt, aber der Herr hat alles gutgemacht."

SAMUEL

Es lebte einst eine Frau, die hieß *Hanna.* Sie war sehr niedergeschlagen und bekümmert, denn sie hätte so gern ein Kind gehabt. Aber sie bekam keins.
In dem Haus, in dem sie wohnte, lebte noch eine andere Frau, die quälte Hanna jeden Tag und sagte: „Du hast keine Kinder, aber ich habe welche. Gott hat dich sicher vergessen. Er liebt dich nicht, darum schenkt er dir kein Kind."
Siehst du, das war wohl das Schlimmste für Hanna, daß Gott sie anscheinend nicht liebte. Wenn sie daran dachte, mußte sie oft weinen vor Kummer.

Einmal in jedem Jahr unternahm Hanna mit ihrem Mann eine Reise. Dann wanderten sie zum Heiligtum, zum Hause Gottes, um dort dem Herrn ein Opfer darzubringen. Und dort beteten sie auch. Dann bekam Hanna immer ein Geschenk von ihrem Mann, denn er liebte sie sehr. Er wollte Hanna so gern fröhlich machen, aber er konnte es nicht. Das konnte nur Gott allein.
Einmal war Hanna wieder mit ihrem Mann zum Heiligtum gegangen. Ihre Nachbarin hatte sie gerade wieder arg gequält. Hanna konnte vor Kummer nicht mehr essen. Da dachte sie: Ich werde Gott meinen ganzen Kummer erzählen.
So ging sie ins Heiligtum und fiel nieder auf die Knie.
Sie betete: „Lieber Herr, hör doch auf mich! Vergiß mich doch nicht! Schenke mir doch ein Kind, einen lieben kleinen Jungen! Ich werde gut für ihn sorgen und ihm jeden Tag von dir erzählen. Er soll dein Diener werden, Herr, das verspreche ich dir."
Hanna sagte noch viel mehr. Sie betete sehr lange, aber sie flüsterte nur, damit niemand sie hören konnte außer Gott allein.
Bei der Tür des Heiligtums saß aber ein alter Mann in einem sehr schönen blauen Gewand. Das war der Hohepriester. Er hieß *Eli* und war der vornehmste Diener Gottes. Er war der Herr über alle andern Priester und mußte auf das Heiligtum aufpassen.
Eli sah Hanna und dachte: Wie sonderbar benimmt sich diese Frau! Sie liegt dort am Boden, und ihre Lippen bewegen sich, doch ihre Stimme höre ich nicht. Sie ist doch wohl keine schlechte Frau und etwa gar betrunken?
Da ging er zu ihr und sagte voll Zorn: „Schämst du dich nicht, betrunken in das Haus Gottes zu kommen?"
Hanna sah ihn an, die Augen voll Tränen, und sagte: „O nein, ich bin nicht betrunken, ich hatte schwere Sorgen, und die habe ich alle dem Herrn erzählt. Ich habe zu Gott gebetet!"
Da bereute Eli, daß er so zornig gewesen war, und sagte: „Geh hin in Frieden, Gott wird dein Gebet erhören."

Hanna ging zu ihrem Mann zurück, und ihr Kummer war weg. Gott würde ihr Gebet erhören, das glaubte sie.
Das hat Gott dann auch getan. Ein Jahr später bekam Hanna ein Kind, einen lieben kleinen Jungen, den sie *Samuel* nannte. Das heißt: Vom Herrn erbeten.
Im nächsten Jahr aber ging Hanna nicht mehr in das Heiligtum. Jetzt mußte sie zu Hause bleiben, um ihr Kind zu versorgen. Ein paar Jahre später ging sie zum erstenmal wieder mit. Und wer lief jetzt an ihrer Seite in einem schönen weißen Kleid? Der kleine Samuel!
Er war bereits ein tüchtiger Junge geworden, der nicht mehr jeden Tag seine Mutter brauchte. Jetzt sollte er ein kleiner Diener Gottes im Heiligtum werden. Deshalb gingen sie zusammen zu Eli.
Eli saß wieder bei der Tür des Heiligtums. Er war noch älter und grauer geworden und erkannte Hanna nicht mehr. Aber Hanna sagte: „Ich bin die Frau, die hier vor einigen Jahren um ein Kind gebetet hat. Und dies ist der Junge, den der Herr mir gegeben hat. Ich habe Gott versprochen, daß er sein Diener werden soll. Darf er hierbleiben und dir im Heiligtum helfen?"
Eli war damit sehr einverstanden.
So ging Hanna dann allein wieder nach Hause. Aber sie war deswegen nicht traurig, im Gegenteil, sie war froh, daß ihr Junge im Hause Gottes sein durfte. Sie sang vor Freude ein Lied.
Jedes Jahr ging sie mit ihrem Mann in das Heiligtum. Dann sah sie ihren lieben Samuel wieder und brachte ihm jedesmal neue Kleidung mit, jedes Jahr ein bißchen größer.
Samuel fand es herrlich, ein Diener Gottes zu sein. Er mußte allerlei kleine Handreichungen für Eli verrichten und schlief in einem eigenen Kämmerchen direkt neben dem Zimmer, in dem Eli schlief.
Eli hatte zwei Söhne, die hießen *Hofni* und *Pinhas.* Sie waren Priester und mußten Opfer im Heiligtum darbringen. Sie mußten gute Diener Gottes sein.
Doch sie waren schlechte Diener, die viel Böses taten.
Eli wußte das, aber er tat nichts dagegen. Er sagte nur: „Das dürft ihr nicht tun, ihr Jungen, das ist nicht gut." Aber er sah deswegen keinen von ihnen vorwurfsvoll an.
Eli war auch kein guter Diener Gottes. Doch Samuel, der bei den schlechten Menschen aufwuchs, behielt den Herrn lieb, auch als er größer wurde.
Er war ein guter Diener Gottes.
Eines Nachts wachte Samuel auf. Er hörte eine Stimme, die ihn rief.
„Samuel! Samuel!" rief die Stimme.
Samuel stand auf und ging in das Zimmer, in dem Eli schlief. Er sagte: „Hier bin ich, du hast mich gerufen." Aber Eli antwortete: „Nein, ich habe dich nicht gerufen. Geh nur schnell wieder ins Bett."
Samuel dachte: Ich habe mich sicher getäuscht, und legte sich wieder hin.
Doch plötzlich war die Stimme wieder da: „Samuel! Samuel!" Jetzt war Samuel sicher, daß er sich nicht getäuscht hatte. Er ging zu Eli und sagte: „Hier bin ich, jetzt hast du mich aber gerufen."
Doch Eli antwortete: „Aber nein, mein Junge, ich habe dich nicht gerufen. Du

hast sicher geträumt. Leg dich nur schnell wieder hin."
Samuel begriff das nicht, aber er ging gehorsam in sein Kämmerchen zurück. Doch kaum hatte er sich wieder hingelegt, da hörte er die Stimme zum drittenmal: „Samuel! Samuel!"
Wieder lief Samuel zu Eli und sagte: „Aber jetzt hast du mich bestimmt gerufen!" Da wußte Eli, woher die Stimme gekommen sein mußte, und er sagte: „Es war Gott, der dich rief. Geh nur zurück. Und wenn du die Stimme wieder hörst, mußt du sagen: ‚Rede, Herr, dein Diener hört.'"

Samuel ging in sein Kämmerchen zurück. Ruhig lag er da und lauschte und wartete. Sein Herz schlug vor Ehrfurcht und Angst. Ob der Herr mit ihm sprechen wollte? Das wäre das Schönste, was ihm geschehen könnte.
Horch, da war wieder die Stimme Gottes: „Samuel! Samuel!"
Samuel sagte leise: „Rede, Herr, dein Diener hört."
Und dann sprach der Herr zum kleinen Samuel. Es war herrlich, auf Gottes Stimme zu hören. Und doch war es eine traurige Nachricht, die Samuel zu hören bekam.
Gott sagte, daß er wohl gesehen habe, wie schlecht die beiden Söhne Elis seien. Und daß er sie auch schon gewarnt habe, daß sie aber nicht hören wollten. Sie nicht und auch Eli nicht. Und daß sie deshalb bestraft werden sollten: Hofni und Pinhas würden an einem Tag sterben, und auch Eli würde die verdiente Strafe empfangen.
Dann wurde es wieder still. Gottes Stimme war nicht mehr zu hören.
Aber Samuel konnte nicht mehr schlafen. Er stand bereits früh auf und ging nach draußen, um die Türen des Heiligtums zu öffnen. Das gehörte zu seinen täglichen Aufgaben.
Da rief Eli und fragte: „Was hat der Herr gesagt?"
Ja, da mußte Samuel es wohl erzählen. So traurig die Nachricht auch war, er erzählte alles.
Eli seufzte und sagte: „Es ist der Herr. Er wird tun, was sein muß."
Einige Jahre später, als Samuel schon groß geworden war, ist dann die Strafe gekommen.

Es kam Krieg ins Land. Die Männer Israels mußten gegen die Feinde kämpfen, unter ihnen auch Hofni und Pinhas.
Da schlugen die Feinde beide, Hofni und Pinhas, tot. Als der alte Eli hörte, was geschehen war, bekam er einen solchen Schreck, daß er von seinem Stuhl fiel und auch starb. Das war die Strafe für ihre schlimmen Taten. Sie waren schlechte Diener Gottes gewesen.
Wer aber würde jetzt der Diener Gottes sein? – Samuel!
Er war ein guter Diener. Er hatte den Herrn lieb. Er hörte noch oft die Stimme Gottes, die zu ihm sprach. Und was Gott sagte, das tat er getreu.

DAVID

David war ein junger Hirte. Er mußte jeden Tag für seinen Vater die Schafe hüten. Morgens, wenn die Sonne aufging, öffnete er den Stall, wo die Schafe des Nachts schliefen. Er rief die Schafe und sagte: „Kommt, wir wollen wieder saftiges Gras suchen. Dann könnt ihr euch so richtig satt fressen."
Dann gingen sie zusammen aufs Feld, und dort waren sie den ganzen Tag beieinander. Die Schafe fraßen das Gras, und David saß dabei. Er war der Hirte. Er mußte dafür sorgen, daß die Schafe genug zu fressen bekamen. Wenn sie Durst hatten, mußte er sie ans Wasser führen, damit sie trinken konnten. Denn den Schafen durfte es an nichts fehlen.
Er mußte auch aufpassen, daß keine wilden Tiere in die Nähe kamen, die den Schafen ein Leid zufügen konnten. Die mußte er mit Steinen oder mit seinem Stab wegjagen.

So war er den ganzen Tag allein mit seinen Schafen. In der Ferne standen Häuser. Dort lag die Stadt Betlehem. Dort wohnten sein Vater und seine Brüder. Er aber war immer ganz allein auf dem weiten Feld.
Doch war er deshalb nicht unzufrieden. Nein, er fühlte sich sehr wohl. Oft machte er Musik auf einem gebogenen Stab mit vielen Saiten. Das war eine Harfe. David konnte sehr schön darauf spielen. Er sang auch zuweilen dazu, und das schallte weit über das Feld.
Weißt du, warum David so zufrieden und froh war?

Weil er trotz seiner Einsamkeit doch nie allein war auf dem Feld.
Denn es war jemand bei ihm, den ganzen Tag.
Weißt du, wer das war?
Gott, der Herr.

Eines Tages geschah etwas Schreckliches. David war wieder mit seinen Schafen auf dem Feld, als plötzlich ein Löwe herankam, ein ganz gefährliches Tier mit scharfen Krallen und scharfen Zähnen. Der Löwe schlich heimlich durch die Sträucher heran und sprang dann blitzschnell auf die Schafe zu. Er brüllte fürchterlich, packte ein Schaf mit seinem Rachen und versuchte, das arme Tier in den Wald zu schleppen, um es dort aufzufressen.
Aber David war auch noch da! Er sprang auf und rannte hinter dem Löwen her. Er dachte nicht daran, wie gefährlich das war. Er dachte nicht an die Krallen und die scharfen Zähne.
Er dachte nur: Ich bin der Hirte, ich muß dem armen Schaf helfen.

Und er dachte auch: Der Herr ist mein Hirte. Der wird mir sicher auch helfen.
So hatte er gar keine Angst.
Er konnte den Löwen einholen und schlug so lange auf ihn ein, bis er das Schaf losließ. Und als der Löwe ihn anspringen wollte, griff er das rasende Tier mutig an und schlug es tot.
Da lag es nun am Boden. Jetzt konnte es nie mehr ein Schaf angreifen.
David nahm das verletzte Schaf in seine Arme und brachte es zu den andern. Der Löwe hatte dem armen Tier arg zugesetzt, aber David wusch das Blut ab und strich Salbe auf die Wunden. Er sorgte dafür, daß die Schmerzen verschwanden und daß das Schaf wieder ganz gesund wurde.

Eines Tages kam ein Arbeiter aufs Feld, um David zu sagen, daß er sofort nach Hause kommen müsse: Sein Vater Isai habe Besuch bekommen. Seine Brüder seien auch zu Hause.
David hatte sieben große Brüder. Er war der Jüngste von ihnen.
Wer war denn zu Besuch gekommen?
Ein alter Mann mit einem langen grauen Bart. Es war Samuel. Er war sehr alt geworden, aber er war noch immer ein treuer Diener Gottes. Und Gott selbst hatte ihn hierher geschickt.
Es war eine seltsame Nachricht, die Samuel überbrachte, aber es war auch eine herrliche Nachricht. Gott hatte zu ihm gesagt, daß einer von Isais Söhnen König werden sollte, König über sein Volk Israel. Zwar würde das noch nicht sogleich geschehen, aber in einiger Zeit. Denn es gab schon einen König, der hieß *Saul*. Doch Saul war kein guter König. Er war ungehorsam gewesen und wollte nicht auf Gott hören. Darum sollte ein anderer König werden, einer von Isais Söhnen.
Aber welcher von Isais Söhnen war gemeint?
Das wußte Samuel auch nicht.
Gott würde ihn selbst erwählen.
Darum mußten jetzt alle Söhne von Isai zu Samuel kommen, einer nach dem andern.
Zuerst kam der Älteste, ein großer, starker Mann. Samuel dachte: Der wird es wohl sein. Was für einen prächtigen König gäbe das!
Aber Gott sprach: „Nein, Samuel, der soll es nicht sein. Ich sehe nicht danach, ob mein König groß und stark ist. Ich sehe auf das Herz."
Da schüttelte Samuel den Kopf und sagte: „Nein, diesen hat der Herr nicht auserwählt."
Dann kam der zweite Sohn, aber Samuel schüttelte wieder den Kopf und sagte: „Nein, diesen hat der Herr auch nicht auserwählt."
So kamen alle Söhne Isais, die im Hause waren, einer nach dem andern zu Samuel. Aber der alte Diener Gottes sagte jedesmal wieder: „Nein, diesen hat der Herr nicht auserwählt."
Schließlich fragte er: „Sind das alle deine Söhne, Isai?"
Isai antwortete: „Der kleinste ist noch nicht da. Der ist auf dem Feld bei den Schafen."
„Laß ihn sofort holen", sagte Samuel. Und so mußte David nach Hause kommen, weil Samuel auf ihn wartete.
Sein Vater brachte ihn herein.

Da sprach Gott zu Samuel: „Steh auf, Samuel, denn *dieser* ist es. David soll König werden über mein Volk, denn er liebt mich mit dem Herzen."
Da holte Samuel ein Horn unter seinem Mantel hervor, das Horn einer Kuh. Das war innen hohl und gefüllt mit herrlichem Öl, Salböl, das ganz wunderbar duftete.
Dieses Öl ließ Samuel auf Davids Haupt fließen. Und er sagte: „So spricht der Herr: ‚Ich salbe dich zum König über mein Volk Israel.' Es wird noch einige Zeit dauern, aber dann soll David König sein, weil sein Herz voll ist von Liebe zu Gott."
Was für eine seltsame Nachricht war das! David war ja nur ein armer, einfacher Hirtenjunge!
Aber David glaubte es doch, denn Gott hatte es versprochen. Er war sehr froh, und sein Vater auch. Aber sie redeten mit niemandem über das, was geschehen war.

DAVID MUSS ZUM KÖNIG KOMMEN

König Saul war in seinem Palast.
Er saß auf einem sehr schönen goldenen Stuhl. Das war sein Thron.
Er hatte prächtige Kleider an und eine schwere goldene Krone auf dem Kopf.
Um ihn herum stand eine ganze Schar von Dienern, die alles tun mußten, was er sagte. König Saul war sehr reich und sehr mächtig. Er konnte alles bekommen, was er haben wollte.
Und doch war König Saul unzufrieden und verärgert.
Denn Samuel, der alte Diener Gottes, hatte ihm gesagt, daß er nicht länger König sein dürfe, weil er ein schlechter König war. Weil er den Herrn nicht liebhatte und ihm nicht gehorchen wollte.
„Ein *anderer* wird König werden", hatte Samuel gesagt. „Der Herr hat ihn selber auserwählt. Es ist jemand, der Gott liebhat mit seinem ganzen Herzen. Der soll in deinem Palast wohnen und auf deinem Thron sitzen. Der soll König sein an deiner Stelle, weil du dem Herrn nicht gehorchen willst."
Aber *wer* der andere war, das hatte Samuel nicht gesagt.
Das wußte Saul also nicht.
Aber er wußte sehr wohl, daß es so sein würde.
Denn was Gott sagt, das geschieht immer.

Nun mußte Saul die ganze Zeit daran denken, daß er nicht König bleiben sollte. Darum war er so unzufrieden und verdrießlich.
Der andere darf nicht König werden, dachte er. *Ich* will König bleiben, immer, mein ganzes Leben lang. Später muß dann mein Sohn *Jonatan* König werden und nicht der andere. Nein, der andere niemals!
Und er dachte auch: Ich möchte doch zu gern wissen, *wer* der andere ist.
Saul haßte den anderen geradezu, er hätte ihn am liebsten totgeschlagen.
Je mehr er daran dachte, um so verbitterter wurde er. Manchmal wurde er so wütend, daß seine Diener Angst vor ihm hatten. Dann bekam er wilde Anfälle. Dann schrie er und drohte mit den

Fäusten. Dann stampfte er vor Wut und Ärger auf den Boden. Er wollte alles zerreißen und kurz und klein schlagen. Seine Diener hatten Mitleid mit ihm und sagten zueinander: „Unser König ist krank, sein Herz ist krank, denn Gott hat ihn verlassen. Nun wohnt die Bosheit in seinem Herzen."
Sie waren darüber sehr bekümmert.
Sie sagten: „Können wir nicht etwas für den König tun? Können wir ihm nicht helfen, daß es besser mit ihm wird?"
Sie dachten viel darüber nach. Schließlich gingen sie zum König und sagten: „Weißt du, was du tun mußt, König? Du mußt einen Mann kommen lassen, der schöne Musik machen kann. Das wäre gut für dich. Davon würdest du bestimmt wieder gesund."
„Dann sucht mir einen solchen Mann!" erwiderte der König.
Da sprach einer der Diener: „Ich wüßte einen. Es gibt da einen Hirten in Betlehem, Isais jüngsten Sohn. Der kann

so schön auf der Harfe spielen, ganz wundervoll klingt das."
„Gut", sagte der König, „laßt ihn kommen."
Da ging einer der Diener nach Betlehem, um David zu holen.
So kam David in den Palast des Königs. Es stand gerade wieder einmal sehr schlimm um den König. Er hatte einen seiner wilden Anfälle und stampfte mit den Füßen im Zimmer umher. Vor Wut und Erregung schrie er laut auf.
In diesem Augenblick kam David leise mit seiner Harfe herein. Er ging in einen Winkel, setzte sich und spielte eines seiner Lieder, die er auch auf dem Feld bei den Schafen gespielt hatte. Es war besonders schön und klang wie das Läuten von goldenen Glocken. Wer es hörte, konnte nicht mehr verdrießlich und niedergeschlagen sein.
Der König hörte es. Er wurde still, er stampfte und schrie nicht mehr. Er lauschte der sanften Musik und vergaß all

seine Verbitterung und seinen Kummer. Er vergaß auch den anderen, an den er immer denken mußte, den anderen, der später König werden sollte.
Es wurde besser mit dem König. Die schöne Musik hatte ihn wieder gesund gemacht. Wenn er David ansah, dachte er: Das ist ein guter Junge. Ich bin froh, daß er hier ist. Er muß immer bei mir bleiben!
So begann er, David sehr gern zu haben. Aber er wußte nicht, daß David der andere war, der später König werden sollte.

DAVID UND DER RIESE GOLIAT

Eines Tages kam Krieg ins Land.
Feinde rückten heran, um die Schafe und das Korn des Volkes Israel zu rauben und im ganzen Land den Herrn zu spielen. Die fremden Krieger gehörten dem Volk der *Philister* an.
König Saul aber rief seine Soldaten zusammen und zog mit ihnen los, um die Fremdlinge fortzujagen.
Er rückte bis dicht an die Feinde heran. Dann standen sie sich gegenüber, Saul mit seinen Soldaten auf der einen Seite und die Philister auf der anderen Seite.
Aber jagten sie die Philister jetzt fort? Nein, das wagten sie nicht, denn es waren zu viele Feinde da, furchterregend und schrecklich stark.
Einer war darunter, der war der stärkste von allen. Der war fast so groß wie ein Baum. Er war ein Riese und hieß *Goliat.* Er trug eine sehr gefährliche Stange mit einer scharfen, eisernen Spitze. Das war sein Speer. Er hatte auch ein riesiges gefährliches Messer an einem Riemen um die Hüfte hängen. Das war sein Schwert. Dazu trug er einen Panzer aus Kupfer und auf dem Kopf einen kupfernen Helm. Der glänzte golden in der Sonne. Der Riese kam ganz nahe heran.
Er rief: „Nur her! Wer wagt es, mit mir zu kämpfen? Ha, ihr wagt es ja nicht! Ich bin stärker als ihr alle. Es soll nur mal einer kommen, der mit mir zu kämpfen wagt!" Dann lachte er lauthals und fluchte. Er verhöhnte Saul und die Soldaten. Er spottete über sie, aber er spottete auch über Gott. Jeden Tag kam er wieder. Aber niemand wagte es, ihn fortzujagen. König Saul nicht, und auch nicht Prinz Jonatan, sein Sohn. Es waren auch drei von Davids Brüdern dort, große, starke Soldaten. Aber sie wagten es auch nicht.
Alle hatten sie Angst vor dem Riesen. Sie zitterten geradezu vor Angst, wenn sie ihn kommen sahen.
Und David?
David war nicht dabei. Er war wieder zu Hause bei seinem Vater. Er brauchte keine Musik mehr zu machen vor dem König. Der König hatte jetzt doch keine Zeit, ihm zuzuhören.
David hütete wieder die Schafe auf dem Feld von Betlehem.
Doch eines Tages, es war an einem Abend, ließ sein Vater ihn rufen.
Er sagte: „David, du mußt morgen früh zu deinen Brüdern gehen. Sie sind Soldaten im Heer des Königs. Du mußt sehen, ob es ihnen gut geht. Und sollst auch etwas für sie mitnehmen, ein wenig Brot und Korn."

Das tat David sehr gern, denn schließlich wollte er auch etwas vom Krieg sehen.

Am folgenden Morgen machte er sich früh auf den Weg. Er mußte ein ganzes Stück laufen, aber schließlich kam er doch zu den Soldaten des Königs. Und als er gerade ankam, war auch der Riese Goliat drüben auf der anderen Seite.
Da stand er wieder und schrie. Da stand er wieder und spottete und fluchte. Jetzt hörte David es auch.
Er erschrak darüber. Der gottlose Mann verspottete nicht nur den König, sondern er verspottete auch Gott, den David so liebhatte.
David wurde zornig. Gab es hier denn niemand, der den Riesen dafür strafte? Nein, niemand wagte es.
„Dann werde *ich* es tun", sagte David.
„Bist du aber mutig!" riefen die Soldaten. „Wenn du den Riesen besiegst, bekommst du schöne Geschenke und darfst die Tochter des Königs heiraten. Das hat der König selbst gesagt."
Und sie führten David gleich zum König.
König Saul fragte: „Du willst mit dem Riesen kämpfen? Das kannst du doch gar nicht. Du bist nur ein junger Hirte, er aber ist ein starker Soldat. Er ist viel größer und stärker als du. Nein, das gibt es nicht."
Doch David antwortete: „Das kann ich bestimmt, König, denn Gott wird mir helfen. Als ich noch die Schafe hütete, habe ich einmal mit einem Löwen gekämpft, da hat Gott mir auch geholfen, und ich habe den Löwen erschlagen. Und diesen Riesen, der über Gott zu spotten wagt, werde ich genauso erschlagen. Gott, der mir gegen den Löwen geholfen hat, wird mir auch gegen Goliat helfen."
Da war der König einverstanden.

Er ließ seinen eisernen Panzer holen. Den zog er David an. Er setzte ihm seinen Helm auf den Kopf und gab ihm auch sein großes Schwert.
So wollte er aus David einen Soldaten machen.
Aber der Panzer und der Helm waren für David viel zu schwer. Er zog den Panzer schnell wieder aus und setzte den Helm wieder ab. Und das Schwert gab er auch zurück, denn damit konnte er nicht kämpfen. Nein, all diese Dinge hatte er nicht nötig. Gott würde für ihn sorgen.
So nahm er nichts anderes mit als seinen Stecken und seine Schleuder, einen Riemen, mit dem man einen Stein fortschleudern kann. Dann suchte David fünf Steine aus, schöne glatte Steine. Die steckte er in seine Tasche. Und dann lief er geradewegs auf den Riesen zu.
Der Riese Goliat sah ihn kommen. Er lachte und fluchte.
„Ha", rief er, „wer kommt da denn an? Was für ein Jüngelchen ist das? Der hat ja nicht mal ein Schwert bei sich, nur einen Stecken! Du denkst doch wohl nicht, ich sei ein Hund, den du mit einem Stock wegjagen kannst? Komm nur her, dann werde ich es dir schon zeigen! Totschlagen werde ich dich, und die wilden Tiere werden dich fressen."
Er schrie das alles aus reiner Bosheit. Jeder, der es hörte, bekam Angst vor ihm. Doch David hatte keine Angst, denn er wußte, Gott war ganz nahe bei ihm. David sagte: „Du kommst zu mir mit

einem Schwert und einem Speer, ich aber komme zu dir, weil du Gott verspottet hast, und darum will ich dich strafen."
Dann legte er einen Stein in die Schleuder, und bevor der Riese seinen Speer werfen konnte, schwang David seine Schleuder umher. Der Stein flog heraus, sauste durch die Luft und traf den Riesen direkt auf die Stirn.
Der große, starke Riese schwankte und wackelte, dann fiel er hart zu Boden. Da lag er nun.
David lief hinzu, ergriff das Schwert und schlug dem Riesen mit seinem eigenen Schwert den Kopf ab. Da war der Riese Goliat tot. Jetzt konnte er nie mehr spotten.
Seine Freunde, die Philister, erschraken sehr, als sie das sahen. Aber die Soldaten Sauls waren froh, sie jubelten und jauchzten. Jetzt hatten sie keine Angst mehr, jetzt hatten sie Mut. Denn sie waren Augenzeugen, wie Gott David geholfen hatte. Sie kamen schnell herbeigelaufen und jagten alle Feinde fort.
David mußte zum König kommen. Der Krieg war aus.
Der König sagte: „Jetzt mußt du immer bei mir bleiben. Du darfst kein Schafhirte mehr sein. Du bist so tüchtig und tapfer. Du sollst von nun an der Anführer sein über eine große Schar Soldaten. Und wenn wieder Feinde kommen, dann sollst du sie mit den Soldaten fortjagen."
Prinz *Jonatan*, der Sohn Sauls, war auch dabei.
Jonatan liebte David sehr. Er schenkte ihm viele schöne Dinge: seinen prächtigen Mantel und sein Schwert, seinen Bogen und seinen schönen Gürtel.
Jonatan fragte: „Wollen wir immer Freunde bleiben?" Das wollte David gern. Auch er liebte Jonatan sehr.
Das war ein herrlicher Tag.
Jetzt war David der Freund des Königs und der Freund des Prinzen.
Aber er war auch der Freund Gottes.
Und das war am herrlichsten von allem.

DAVID MUSS FLIEHEN

David war kein Schafhirte mehr, er war jetzt General geworden. Er führte eine große Menge Soldaten an, und wenn Feinde ins Land kamen, mußte er sie fortjagen.
Er wohnte in einem schönen Haus, ganz nahe beim Palast des Königs. Oft durfte er zum König kommen und mit ihm essen. Die Tochter des Königs war seine Frau, und der Sohn des Königs war sein Freund, sein allerbester Freund.
David war ein vornehmer Mann geworden. Die Menschen, die ihm begegneten, verbeugten sich tief vor ihm. Sie sagten: „David ist so stark und so tapfer, er ist der Tapferste und Stärkste von allen."
Aber David wurde deswegen nicht stolz und hochmütig. Er hatte Gott auch weiterhin lieb. Er dachte immer: Ich bin nicht stark, ich kann nicht viel, nur wenn Gott mir hilft, kann ich alles.

Einmal hatte es wieder Krieg gegeben, und David hatte mit seinen Soldaten alle Feinde besiegt.
Da feierte man im ganzen Land ein Fest. Als David mit seinen Soldaten zurückkam, standen die Menschen auf der

Straße und warteten auf ihn. Die Frauen und Mädchen liefen ihm in einem großen Zug entgegen. Sie waren froh, daß der Krieg zu Ende war. Sie machten Musik und sangen Lieder.
Was sangen sie?
„Saul hat tausend Feinde fortgejagt, aber David zehntausend."
So sangen sie.
Das hörte auch König Saul.
Er dachte: David hat zehntausend fortgejagt und ich nur tausend? Ist David denn mehr als ich? Es sieht ja so aus, als wäre *er* der König.
Er war gekränkt und neidisch.
Er konnte das Lied nicht mehr vergessen. Den ganzen Tag mußte er darüber nachdenken. Und des Nachts konnte er deswegen nicht schlafen.
Auch am folgenden Tag war es wieder ganz schlimm mit dem König, denn jetzt wußte er plötzlich, *wer* der andere war, der einst König an seiner Stelle werden sollte. David war es! Jetzt wußte er es genau!
Er sah es an den Menschen: Die hatten David sehr gern.
Er sah es aber auch an David: Der hatte Gott so lieb und war so tapfer.
Die Menschen wollen mich verjagen, dachte Saul, und ihn, David, wollen sie zum König machen.

Da bekam er wieder einen seiner wilden Anfälle. Er raste und schrie und stampfte

durch den Palast. Alle seine Diener bekamen Angst vor ihm.
Aber David hatte keine Angst. Er hatte Mitleid mit dem König. Leise kam er mit seiner Harfe herein, um den König mit seiner Musik wieder gesund zu machen. Er setzte sich still in eine Ecke und spielte, so schön er konnte. Denn er hätte dem armen König so gern geholfen. Aber diesmal konnte er dem König nicht helfen. Nein, jetzt wurde es nicht besser mit Saul, so schön David auch spielte. Denn nun wußte Saul, wer der andere war.
Er belauerte David und dachte: Ich werde David töten, dann kann er niemals König werden. Und gleich darauf schleuderte er seinen Speer mit aller Gewalt nach David. Aber zum Glück traf er ihn nicht. Gott sorgte dafür. Der Speer flog dicht an Davids Kopf vorbei in die Wand.
Da erschrak David sehr. Er lief schnell aus dem Palast und war dankbar, daß Gott ihn beschützt hatte. Aber er war auch betrübt, weil es jetzt so schlimm geworden war mit dem König und er ihm nicht helfen konnte.

Ach, und dann ist alles so schrecklich geworden! David konnte nicht mehr in der Nähe des Königs bleiben. Er mußte fort, ganz weit fort. Jonatan meinte das auch. Denn der König würde sicher wieder versuchen, David zu töten. David mußte sich irgendwo in den Wäldern oder in den Bergen verkriechen, wo der König ihn nicht finden konnte.
Sie kamen noch einmal zusammen, David und Jonatan, draußen vor der Stadt, auf dem weiten Feld. Dort nahmen sie Abschied voneinander, die beiden treuen Freunde. Vielleicht würden sie sich nie wiedersehen.
Sie waren sehr traurig, denn sie hingen sehr aneinander. Sie umarmten sich und weinten beide.
Jonatan sagte: „Sei nicht traurig, David. Später wirst du doch König werden. So will es Gott, und darum will ich es auch. Wirst du dann später gut sein zu mir und meinen Kindern, wenn du König bist?"
Ja, das versprach David gern. Er konnte sich fast nicht losreißen von Jonatan, seinem besten Freund.
Aber es mußte sein.
Jonatan ging in den Palast zurück, David flüchtete in die entgegengesetzte Richtung.
Wohin?
Er wußte es nicht!
Er war jetzt vogelfrei und nirgends mehr sicher. Denn der König würde bestimmt versuchen, ihn zu fangen und zu töten. Aber David wußte, der Herr würde für ihn sorgen.
Das machte ihn ruhig.

LIEBE DEINE FEINDE

David hatte jetzt keine Bleibe mehr. Er konnte nicht mehr in sein Haus zurückkehren, denn dort würde ihn der König sofort festnehmen lassen.
Er konnte aber auch nicht mehr zu seinen Eltern zurück, denn auch dort lauerten ihm die Soldaten des Königs auf.
Er mußte sich in den Wäldern verkriechen oder in der Wüste oder in den Bergen, einmal hier, einmal dort. Nir-

gends war er sicher, denn überall war der König hinter ihm her.
Wie ein Jäger hinter einem Wild her ist, so jagte König Saul mit seinen Soldaten hinter David her.
Er wollte ihn fangen, koste es, was es wolle. So suchte er das ganze Land nach ihm ab. Und einmal hätte er David beinahe gefaßt.
Aber er bekam ihn nicht.
Dafür sorgte Gott.

Eines Tages saß David in einer Höhle.
Weißt du, was das ist, eine Höhle?
Ein ganz großes dunkles Loch in einem Berg. Dahinein war David gekrochen, damit der König ihn nicht finden konnte, denn König Saul war ganz in der Nähe.
In dieser dunklen Höhle saß David jetzt und wartete, bis der König wieder fortgezogen sein würde.
Aber er saß dort nicht allein, es waren Freunde bei ihm, Männer, gegen die der König ebenfalls aufgebracht war und die deshalb vor ihm fliehen mußten.
König Saul war ein schlechter Mann. Es gab viele Menschen, die sich vor ihm fürchteten.
Still saßen die Männer da und warteten in der dunklen Höhle.
Sie wagten nicht zu sprechen.
Sie wollten sich nicht verraten, denn König Saul und seine Soldaten waren ganz nahe beim Eingang der Höhle. Aber sie wußten nicht, daß David darin saß.
Der König war sehr müde und erhitzt von seiner Suche. Als er die dunkle Höhle sah, dachte er: Drinnen ist es sicher angenehm kühl. Da will ich ein Weilchen ausruhen.
„Halt", rief er seinen Soldaten zu. Da blieben sie alle stehen. Sie sollten sich eine Weile im Schatten des Berges ausruhen. Nur König Saul ging in die Höhle, um dort zu ruhen.
David und seine Männer sahen ihn. Sie bekamen einen gewaltigen Schrecken. Ihre Herzen klopften vor Angst. Sie hielten den Atem an.
Aber zum Glück sah sie der König nicht. Er konnte sie nicht sehen, weil sie ganz hinten saßen. Und dort war es sehr dunkel. Nur vorne in der Höhle war es hell. Dort legte sich König Saul auf den Boden und ruhte sich aus. Bald darauf war er eingeschlafen.
Als Davids Freunde sahen, daß der König fest schlief, hatten sie keine Angst mehr. Sie lachten und sagten: „Jetzt haben wir ihn, unseren Feind! Geh nur hin, David! Straf ihn endlich für seine Bosheit! Schlag ihn tot! Dann kann er uns nicht länger verfolgen, dann wirst du unser König!"
Aber so wollte David nicht König werden. Er sagte: „Nein, das tue ich nicht. Ich will nicht zum Mörder werden. Gott selbst wird ihn strafen."
Aber nach einer Weile stand er doch ganz leise auf. Er ging auf den Zehenspitzen zu dem schlafenden Saul und nahm das Schwert des Königs in die Hand, das große scharfe Schwert. Und dann . . .
Schlug er dann dem König Saul den Kopf ab?
Nein, das tat David nicht. Er schnitt nur heimlich ein Stück von Sauls Mantel ab. Dann schlich er klopfenden Herzens leise wieder zu den andern zurück, den Mantelzipfel in der Hand.

Nicht lange danach wachte Saul auf. Er erhob sich und ging aus der Höhle. Er rief: „Vorwärts, marsch!" Dann zog er mit seinen Soldaten weiter.
Doch nun stand David auch auf und ging schnell nach draußen. Saul war noch nicht weit weg.
David rief: „Mein König!"
Saul sah sich um. Er war sehr erstaunt. Wo kam David plötzlich nur her?
David sagte: „Mein König, warum seid Ihr nur so böse auf mich? Ich tue Euch doch nichts. Schaut her, ich hätte Euch töten können, aber ich habe es nicht getan. Ich habe nur ein Stück von Eurem Mantel abgeschnitten."
Und er hielt den Mantelzipfel in die Höhe.
Da schämte sich Saul sehr.
Die Tränen standen ihm in den Augen. Er weinte vor Kummer und Leid und sagte: „O mein Sohn David, du bist besser als ich. Ich habe dir Böses getan, aber du hast mir Gutes getan. Ich habe dich gehaßt, aber du hast mich liebgehabt."

Dann zog er still mit seinen Soldaten davon. Er wollte David nichts Schlimmes mehr antun.

DER SPEER UND DER KRUG

Weißt du noch von der dunklen Höhle, wo König Saul sich schlafen legte und David am äußersten Ende saß und wartete?
Damals hätte er Saul leicht töten können,

aber er tat es nicht. Er schnitt nur ein Stück von Sauls Mantel ab.
David hatte seinen Feind lieb.
Deshalb schämte sich Saul und wollte David nicht mehr verfolgen.

Aber der König vergaß schnell, daß David gut zu ihm gewesen war, und jagte wieder hinter ihm her durch das ganze Land. Bei jeder Gelegenheit versuchte er, ihn zu fangen.
Einmal hatte er wieder den ganzen Tag nach David gesucht, aber er hatte ihn nicht gefunden. Da wurde es Abend. Wo sollte der König jetzt schlafen?
Nun, die Soldaten schlugen ein Zelt für den König auf. Darin legte er sich nieder. Er steckte seinen Speer mit der Spitze in den Boden, ganz nahe bei seinem Kopf. So konnte er sofort danach greifen, wenn er ihn brauchen sollte. Und einen Krug mit Wasser stellte er direkt neben sich. Daraus konnte er trinken, wenn er Durst bekam.
So legte er sich schlafen. Er war sehr müde vom Suchen. Aber erst rief er ein paar Soldaten herbei und sagte zu ihnen: „Ihr dürft *nicht* schlafen! Ihr müßt Wache halten und gut aufpassen, ob Feinde herankommen. Dann müßt ihr mich sofort wecken!"
Danach legte er sich nieder und schlief schnell ein.
Die andern Soldaten schliefen auch ein. Sie waren sehr müde.
Und die Soldaten, die Wache halten sollten?
Ach, auch sie waren sehr müde. Sie konnten nicht so lange stehen, sie legten sich auch nieder und schliefen ein.
So schliefen sie alle, König Saul und seine Soldaten.
Es war Nacht, die Sterne schienen. Es war dunkel und still.

Doch sieh, wer kam da in der stillen dunklen Nacht leise durch die Finsternis herangeschlichen? Zwei Männer waren es, jeder hatte ein Schwert. Sie kamen immer näher heran.
Es waren *David* und sein Freund *Abischai.* David hatte den König bereits gesehen, als es noch hell war. Er hatte auch gesehen, daß Saul sich hier schlafen gelegt hatte. David war wieder ganz in der Nähe gewesen.
Und jetzt kam er mit seinem Freund heran. Sie liefen auf den Zehenspitzen, Schritt für Schritt. Sie schlichen leise zwischen den schlafenden Soldaten hindurch. Oh, wenn jetzt einer der Soldaten aufwachen würde! Wenn die Soldaten David sehen würden!
Aber das geschah nicht. Die Soldaten schliefen ganz fest. David und Abischai schlichen leise an ihnen vorbei. Dann kamen sie an das Zelt des Königs. Auf den Zehenspitzen schlichen sie hinein.
Da lag der schlafende König. David und Abischai standen direkt neben ihm. Sie konnten mit ihm tun, was sie wollten. Er schlief ja.
Abischai flüsterte: „Soll ich Saul jetzt töten? Er hat es verdient, denn er will dich ja auch töten, David."
Aber David antwortete nur: „Hüte dich, so etwas zu tun! Gott will das nicht. Er hat ihn selbst zum König gemacht, er wird ihn auch strafen."
Dann nahm er Sauls Speer an sich und

auch den Krug, der neben ihm stand. Und mit dem Speer und dem Krug schlich er sich wieder fort in die Finsternis, Abischai hinter ihm her. David hatte seinen Feind immer noch lieb.

Dann wurde es Morgen. Die Sonne ging auf, die Vögel sangen. David stand an einem Berghang ganz nahe bei den Soldaten Sauls und rief ganz laut. Er weckte die Soldaten durch sein Rufen.

Er rief: „Warum bewacht ihr den König nicht besser? Er hätte tot sein können. Schaut her, hier habe ich seinen Speer und seinen Krug. Ich hätte ihn leicht umbringen können, aber ich habe es *nicht* getan."

Da wachte auch Saul auf und rief: „Ist das deine Stimme, mein Sohn David?"

„Ja, König", erwiderte David. „Warum jagst du noch immer hinter mir her? Ich habe dir doch nichts getan. Ich bin ganz dicht bei dir gewesen, aber ich habe meine Hand nicht gegen dich erhoben. Glaubst du jetzt endlich, daß ich nicht dein Feind bin?"

Da schämte der König sich wieder bis in den Grund seines Herzens. Er sagte: „Es tut mir sehr leid, David, ich bin ein schlechter Mensch. Geh ruhig mit mir in meinen Palast. Von nun an werde ich dir nie mehr etwas Böses antun."

Aber David ging nicht mit dem König. Er wagte es nicht. Er wußte zu gut, daß der König sein Versprechen wieder vergessen würde.

Ein Soldat holte den Speer und den Krug und brachte sie dem König zurück. Dann gingen sie fort, jeder in eine andere Richtung, David und Saul.

Saul kehrte in seinen Palast zurück. David ging ganz weit fort in ein anderes Land, wo der König ihn nicht finden konnte.
Sie haben sich nie mehr wiedergesehen.

DAVID WIRD KÖNIG

David wohnte in einem fernen Land, wo König Saul ihn nicht finden konnte.
Eines Tages geschah etwas sehr Trauriges für David.
Es war wieder Krieg gewesen im Land Israel. Die *Philister* waren gekommen. Saul und Jonatan und all die anderen Männer mußten verzweifelt kämpfen, um sich ihrer zu erwehren. Da erhielt David die Nachricht, Saul und Jonatan seien im Kampf gefallen.
Nun brauchte David nicht mehr in dem fremden Land zu bleiben, denn nun würde niemand mehr hinter ihm herjagen. Sein Feind war nicht mehr da.
Aber David war darüber gar nicht froh, denn er hatte Saul sehr liebgehabt. Und seinen Freund Jonatan noch viel mehr.
Er weinte den ganzen Tag und konnte weder essen noch trinken vor Leid. Und als es Abend wurde, nahm er seine Harfe. Da sang er ein Lied, ein Trauerlied um Saul und Jonatan.
„Es ist mir leid um dich, mein Bruder Jonatan."

Aber nach dem traurigen Tag kam auch wieder ein froher Tag.
Da geschah etwas sehr Schönes, etwas, das Gott schon vor langer Zeit versprochen hatte. Damals war David noch bei seinem Vater und hütete die Schafe auf dem Feld von Betlehem.
Eines Tages war Samuel gekommen. Weißt du das noch? Er hatte ein Horn mit duftendem Öl bei sich. Mit diesem Öl hatte er David gesalbt und gesagt, David solle König werden. Die Nachricht war von Gott gekommen.
Das war schon lange her!
Doch Gott hatte es nicht vergessen.
Als Saul tot war, ist David König geworden. Er wohnte in *Jerusalem* in dem prächtigen Königspalast. Jetzt war er der Herr über das ganze Land.
Er war sehr froh und dankbar.
Er dachte: Ich bin zwar König über die Menschen, aber Gott ist *mein* König. Die Menschen müssen mir gehorchen, aber ich muß Gott gehorchen.
David war ein guter König, ein Mann ganz nach dem Herzen Gottes.
David vergaß den Herrn nicht.
Er vergaß auch niemals, daß er früher nur ein armer Hirtenjunge gewesen war. Er dachte oft: Wie gut hat der Herr für mich gesorgt. Er hat mir geholfen, immer wieder. Er läßt es mir an nichts fehlen.
Und dann nahm er seine Harfe.
Dann mußte er wieder singen, genauso wie früher auf dem Feld:
„Der Herr ist mein Hirte, mir wird nichts mangeln."

PRINZ ABSCHALOM

König David hatte einen Sohn, der hieß *Abschalom.*
Abschalom war ein sehr schöner Prinz. Er hatte besonders feines Haar, prächtige

lange Locken. Auch besaß er einen schönen Wagen mit vielen starken Pferden davor.

Wenn er auf dem schönen Wagen durch die Straßen Jerusalems fuhr, flatterten die Locken um seinen Kopf. Dann blieben die Menschen stehen, sahen ihm nach und sagten: „Seht, das ist unser Prinz, unser schöner Prinz Abschalom."

Doch Abschalom war nicht nur ein schöner Prinz, er war auch stets freundlich zu den Menschen.

Darum hatten die Menschen Prinz Abschalom sehr gern und sagten: „Was für ein lieber Prinz ist er doch! Der wird einmal ein guter König sein. O ja, Abschalom muß später unser König sein."

Wenn Abschalom das hörte, war das ganz nach seinem Sinn. Er war ja nur deshalb so freundlich und nett zu den Menschen, damit sie alle sagen sollten: „Abschalom muß unser König sein."

Denn wenn er erst König wäre, dürfte er in dem schönen Palast wohnen, dann wäre er der Herr über das ganze Land, der mächtigste und reichste unter allen Menschen.

Aber sein Vater David war noch König. Der mußte erst sterben. Vorher konnte Abschalom nicht König werden.

So wartete Abschalom darauf, daß sein Vater sterben würde.

Er dachte: O wie lange das doch dauert! Ich wollte, mein Vater würde schwer krank, ich wollte, er wäre schon gestorben.

So schlecht war Abschalom, daß er den Tod seines Vaters herbeiwünschte.

Er sah sehr lieb und nett aus, aber im Herzen war er ganz anders. Doch das sahen die Menschen nicht.
Abschalom wartete schon lange darauf, endlich den Thron besteigen zu können, aber sein Vater David wurde nicht krank. Es konnte noch lange dauern, bis er sterben würde. Da dachte Abschalom: Warum soll ich noch länger warten? Ich könnte meinen Vater doch auch fortjagen. Dann könnte ich sofort König werden.
Darüber sprach er mit seinen Freunden. Die waren genauso gesinnt wie er und sagten: „Ja, tu das nur. Wir werden dir dabei helfen."
Und was tat nun der falsche Prinz?
Er ging ganz freundlich zu seinem Vater und sagte: „Vater, darf ich wohl nach *Hebron* gehen? Ich möchte Gott dort gern ein Opfer bringen."
David antwortete: „Geh nur getrost, mein Sohn."
Da ging Abschalom nach Hebron, einer Stadt, nicht weit von Jerusalem. Dort rief er alle seine Freunde zusammen, alle Menschen, die ihm helfen wollten, ein gewaltiges Heer. Und mit diesem Heer zog Abschalom nach Jerusalem zurück, um seinen Vater fortzujagen.
Seine Männer bliesen die Posaune und riefen überall aus: „Abschalom ist König in Hebron!"
Der arme Vater David! Er bekam einen gewaltigen Schrecken und konnte es nicht glauben, daß sein eigener Sohn ihm solches Leid antat.
Aber es war so. Abschalom war bereits mit seinem Heer unterwegs. Sollte David nun auch seine Diener und seine Soldaten zusammenrufen? Sollte er gegen seinen eigenen Sohn kämpfen?
Nein, das wollte er nicht. Er dachte: Ich werde vor meinem Sohn flüchten. O Abschalom, welches Leid tust du mir an! Er dachte aber auch: Gott sieht es. Er weiß alles! Wenn er es für gut findet, daß ich König bleiben soll, wird er mich schon nach Jerusalem zurückführen.
Dann ging er fort und zog weinend durch die Straßen, aber seine Freunde gingen mit ihm, ebenso seine Diener, dazu viele, viele Menschen, die ihn liebten. Es war ein großer Zug, aber auch ein sehr trauriger Zug.
Er zog aus der Stadt hinaus und durch das Land, weiter, immer weiter. Er durchquerte einen Fluß und ging über die Berge in einen fernen Winkel des Landes. Dort blieb David und wartete ab.
Aber jetzt war Abschalom in Jerusalem, jetzt wohnte er im Palast seines Vaters, jetzt war er der König. War er aber jetzt zufrieden?
Nein, er war ganz und gar nicht zufrieden, der falsche Prinz. Zwar war er jetzt König, aber er wollte es auch bleiben. Darum wollte er seinen Vater gefangennehmen, dann konnte er niemals zurückkommen, um ihn vom Thron zu verjagen.
Darum stellte Abschalom ein großes Heer auf und zog aus in den Winkel des Landes, wo sein Vater nun lebte.
Da blieb David nichts anderes übrig, als gegen seinen eigenen Sohn zu kämpfen. Er schickte sein Heer aus, aber er zog selber nicht mit. Er blieb zurück und wartete ab, tief bekümmert und voller Unruhe.
Er dachte: Hoffentlich stößt Abschalom

nichts Böses zu! Hoffentlich wird er nicht getötet!
So befahl David all seinen Soldaten: „Tut dem Jungen nur nichts an!"
So lieb hatte der Vater sein Kind.
In einem großen Wald stießen die beiden Heere dann aufeinander, Abschaloms Heer und Davids Heer.
Da eröffneten sie den Kampf.
Abschalom ritt auf einem Maultier voraus. Er kämpfte, so gut er konnte. Und seine Soldaten kämpften auch. Aber die Soldaten Davids waren stärker, denn Gott half ihnen. Und so gewannen sie. Die Soldaten Abschaloms liefen alle davon.
Auch Abschalom floh. Er hatte große Angst und ritt, so schnell er nur konnte.
Aber der Wald war sehr dicht, und die Zweige hingen tief herab, so daß Abschalom mit seinem Kopf gegen die Zweige stieß. Das Maultier lief weiter, aber Abschalom blieb hängen.
Seine schönen langen Haare hatten sich in den Zweigen des Baumes festgefangen. Da hing er nun, und so fanden ihn Davids Soldaten.
Er hatte seinen Vater fangen wollen, jetzt war er selber gefangen.
Er hatte seinen Vater töten wollen, jetzt wurde er selber getötet.

David war unruhig und wartete voller Sorgen auf Nachricht vom Kampfplatz. Da kam ein Mann herangesprengt und

rief freudig erregt: „König, wir haben gewonnen!"
Doch David war nicht froh. Er fragte nur: „Wie steht es mit meinem Sohn Abschalom?"
Der Mann antwortete: „Ich weiß es nicht."
Dann kam wieder ein Mann herangesprengt, der rief auch: „König, wir haben gewonnen!"
Und wieder fragte David: „Wie steht es mit meinem Sohn, mit Abschalom?"
Der Mann antwortete: „Abschalom ist tot!" Da brach David in Tränen aus. Er rang die Hände, er schluchzte vor Schmerz und Leid: „O mein Sohn Abschalom, mein Sohn, mein Sohn! Ich wollte, du lebtest noch und ich wäre gestorben!"
So lieb hatte der Vater sein Kind.

Bald darauf kehrte David wieder nach Jerusalem zurück. Er wohnte wieder in seinem Palast und saß wieder auf seinem Thron. Alles war wieder wie früher.
Nein, nicht alles.
Prinz Abschalom fuhr nicht mehr durch die Straßen. David hatte seinen Sohn für immer verloren.
Wenn er an ihn dachte, dann schluchzte er: „O Abschalom, mein Sohn, mein Sohn!"

KÖNIG SALOMO

Möchtest du gern ein König sein?
Dann könntest du in einem schönen Palast wohnen und hättest eine Menge Diener. Dann könntest du in einem schönen Wagen durchs Land fahren und trügest eine goldene Krone auf dem Kopf. Dann könntest du alles bekommen, was du gern haben möchtest. Wäre das nicht herrlich?
Ja, aber *kannst* du denn auch König sein? Ein König muß für alle Menschen im ganzen Land sorgen. Er muß dafür sorgen, daß alle Menschen zufrieden sind. Er muß sehr weise und verständig sein, sonst ist er kein guter König.
Wünsch dir nur nicht, ein König zu sein! Es sieht zwar sehr schön aus, aber es ist keineswegs schön. Es ist oft furchtbar schwer.

Salomo fand es auch sehr schwer.
Er war ein Sohn des Königs David, der gestorben war. Nun war *er* König geworden.
Doch Salomo war nicht froh darüber, denn er wollte so gern ein guter König sein. Er wollte gut für alle Menschen sorgen, für das ganze große Volk Israel. Doch er war noch so jung.
Salomo dachte: Das Amt ist viel zu schwer für mich. Ich bin gar nicht weise und verständig genug. Ich kann noch kein guter König sein.
So war er jeden Tag voller Sorge und Unruhe.

Aber eines Tages geschah etwas Herrliches, und danach war Salomo nicht mehr sorgenvoll und unruhig.
Salomo hatte Gott ein Opfer gebracht. Dann legte er sich nieder, und während er schlief, redete Gott mit ihm.
Gott sprach: „Salomo, ich will dir etwas geben. Du darfst dir aussuchen, was du

gern haben möchtest. Und was du wählst, das bekommst du!"

Das war Salomo sehr angenehm, doch was sollte er nur wählen? Daß er reich wäre? Oder daß er sehr stark und mächtig wäre? Oder daß er lange lebte?

Nein, nichts von alledem. Salomo dachte daran, daß er so gern ein guter König sein wollte.

So bat er: „Herr, gib mir ein weises Herz, damit ich ein guter König sein kann."

Gott sprach: „Das ist eine gute Wahl, Salomo. Ich werde dich so weise und klug machen, wie es noch nie ein Mensch gewesen ist. Und weil du so gut gewählt hast, werde ich dich auch reich und stark und mächtig machen. Und wenn du immer gehorsam bist, werde ich dir auch ein langes Leben schenken."

Da wachte Salomo auf.

Jetzt war er nicht mehr bange und unruhig.

Jetzt gefiel es ihm, daß er König war, denn jetzt wußte er, daß er ein guter König sein würde.

Eines Tages saß König Salomo in seinem Palast. Da kamen zwei Frauen herein, die miteinander Streit hatten. Jetzt sollte der König sagen, welche recht hatte.

Beide Frauen hatten ein Kind.

Das eine Kind schaute mit fröhlichen Augen in die Welt, es lebte und war gesund. Das andere Kind aber hatte die Augen geschlossen und lag still und bleich in den Armen der Frau. Das Kind war tot. „Das lebende Kind gehört mir", sagte die eine Frau.

„Das ist nicht wahr, es ist meins", erwiderte die andere.

Salomo sagte: „Erzählt mir alles."

Da erzählte eine der Frauen: „O König, sie und ich wohnen zusammen in einem Haus, und wir schlafen in einem Zimmer und haben beide ein Kind. Aber heute nacht ist ein Kind gestorben. Ihr Kind ist gestorben, König. Das tote Kind gehört ihr, und das lebende Kind gehört mir."

Doch die andere Frau sagte: „Nein, das lebende Kind gehört mir, und das tote ihr."

„*Ich* will das lebende Kind haben, denn *ich* bin die Mutter", rief die eine.

„Nein, *ich* bin die Mutter, *ich* will es haben", rief die andere.

Da standen sie nun, und niemand wußte, wer recht hatte. Salomo aber mußte es wissen. Er mußte entscheiden, wer das Kind haben sollte.

Er fragte: „Also, ihr wollt beide das lebende Kind haben?"

„Ja, König", rief die eine.

„Ja, König", sagte die andere.

Doch da sagte Salomo etwas Seltsames, worüber sie alle erschraken. Er sagte: „Nun, dann wollen wir das lebende Kind mitten durchschneiden, dann bekommt jede von euch die Hälfte."

Das meinte der König natürlich nicht so, aber er sagte es ganz ernsthaft und tat so, als ob er es auch so meinte. Er rief einen Diener mit einem großen Schwert herbei und sagte: „Schneide das Kind mittendurch." Der Diener ergriff das Kind und erhob das große Schwert, doch da begann die eine Frau fürchterlich zu weinen.

„Tu es nicht!" rief sie. „Tu dem Kind

nichts zuleide! Gib es nur der anderen Frau! Wenn mein Kind nur am Leben bleibt!"
Doch die andere Frau gab nichts um das Kind, das angeblich ihr gehörte. Sie sagte: „Gut, schneide es nur mittendurch, dann haben wir beide nichts."
Da wußte der König, wer die Mutter war. Er sagte: „Gib das Kind der ersten Frau, denn sie hat es lieb. Sie ist die Mutter." Und die Frau bekam das lebende Kind und ging beglückt damit nach Hause.
Da sagten alle Menschen: „Wie weise und verständig ist doch unser König!"

Salomo war sehr lange König. Er sorgte gut für sein Volk und machte die Menschen in seinem Land froh und zufrieden.
Er baute auch einen schönen Tempel, ein Haus für Gott, den Herrn. In diesen schönen Tempel kamen die Menschen aus dem ganzen Land, um Opfer darzubringen und zu beten.

ELIJA UND AHAB

Es lebte ein König in Israel.
Der hieß *Ahab.*
Er war ein sehr schlechter König.
Er hatte auch eine Frau, die hieß *Isebel.*
Die war noch viel schlechter als er.
Sie wohnten in einem schönen Palast im Land Israel. Sie waren König und Königin über das Volk Gottes, aber sie machten es sehr unglücklich.
Weißt du, wie sie das machten?
Sie sagten: „Wir haben unseren Gott nicht mehr lieb, wir wollen einen anderen Gott haben."
Und dann machten sie sich ein Bild, das sie Baal nannten, und sagten: „Das ist unser Gott!"
Sie knieten nieder und beteten vor dem Bild und ließen Priester kommen, die brachten Opfer dar vor dem Bild.
Sie sagten zu den Leuten: „Ihr müßt das Bild auch anbeten. Ihr müßt Gott vergessen."

Das taten auch fast alle Menschen. Sie dachten: Wenn der König es sagt, wird es wohl gut sein. Sie knieten nieder vor dem Bild und vergaßen Gott.

Eines Tages saß König Ahab in seinem Palast. Er saß auf seinem goldenen Thron und sah sehr prächtig aus.
Auf einmal ging die Tür auf, und ein fremder Mann kam herein. Er machte einen sehr ärmlichen Eindruck. Er hatte einen langen grauen Mantel an und einen Lederriemen um die Hüften. Aber er war kein bißchen verlegen in dem prächtigen Bau.

Er sah den König ernst an und sagte: „Ich bin *Elija*, der Prophet, ein Diener Gottes. Gott selbst hat mich gesandt, um dir die Strafe dafür zu bringen, daß du von ihm abgefallen bist: Es soll künftig kein Regen mehr kommen, und nachts soll auch kein Tau mehr fallen, solange nicht, bis ich es sagen werde."

Dann drehte sich Elija um und ging wieder fort. Da war es einen Augenblick ganz still im Palast. Der König und seine Diener waren erschrocken über den fremden Mann und über die seltsamen Worte. Aber dann brachen sie in lautes Gelächter aus und sagten: „Haha, was für ein törichter Mann! Als ob er die Wolken zurückhalten könnte, die den Regen bringen!"

Doch dann vergingen viele Tage, und es regnete nicht.
Es vergingen Wochen, und es regnete immer noch nicht. Jeden Tag stand die Sonne am Himmel und brannte auf die Erde nieder.
Da wurde es ganz trocken auf der Erde. Das Gras vertrocknete und verdorrte. Die Blumen verdorrten auch. Die Blätter fielen von den Bäumen, und das Korn vertrocknete und verbrannte auf den Feldern.
Aber das Korn hatten die Menschen nötig, um Brot davon zu backen. Jetzt konnten sie kein Brot mehr backen. Jetzt hatten sie kein Brot zu essen. Jetzt litten sie alle Hunger.
Da bekam der König große Angst, denn er merkte, daß Elija die Wahrheit gesprochen hatte.

Er rief: „Elija ist an allem schuld. Holt ihn her, den Elija! Sucht ihn überall!”

Ahabs Soldaten zogen durch das ganze Land und suchten und suchten. Sie suchten überall, aber sie konnten ihn nirgends finden.
Und es kam kein Regen!

Weißt du, wo Elija war?
Irgendwo zwischen den Bergen des Landes floß ein Bach. Ein kleiner, sich windender Graben, in dem noch Wasser war. Und an diesem Bach zwischen den Bergen saß Elija. Dort hatte Gott ihn vor König Ahab versteckt.
Elija hatte einen sicheren Schlupfwinkel gefunden. Die Soldaten konnten ihn hier nicht finden, und Gott sorgte gut für ihn.
Wenn es Nacht war, schlief Elija in einer Höhle.
Wenn er Durst hatte, trank er Wasser aus dem Bach.
Und Hunger brauchte er auch nicht zu leiden, denn jeden Morgen und jeden Abend schickte Gott ihm etwas zu essen.
Weißt du, wer das Essen brachte?
Die Raben. Große schwarze Vögel.
Jeden Morgen kamen sie angeflogen mit einem Stück Brot oder einem Stück Fleisch im Schnabel. Das ließen sie bei Elija fallen.
Und jeden Abend kamen sie wieder, den Schnabel voll Brot und Fleisch. Denn Gott hatte den Raben gesagt, daß sie für Elija sorgen sollten.
Das Volk Israel litt Hunger und Durst, weil es Gott vergessen hatte, aber Elija hatte genug zu essen und zu trinken, weil er ein treuer Diener Gottes war.

ELIJA BEI DER FRAU IM FERNEN LAND

Elija wohnte lange am Bach in den Bergen. Schließlich mußte er doch von dort fort, denn das Wasser ging zu Ende. Der Bach war ganz ausgetrocknet.
Gott sagte, Elija müsse in ein fernes Land gehen, dort wohne eine Frau, die für ihn sorgen würde.
Da machte sich Elija auf den Weg. Nach einer langen Wanderung kam er in das ferne Land. Elija hatte Durst von der langen Reise und auch Hunger.
Plötzlich sah er eine Frau. Sie ging unter den Bäumen und las Zweige auf. Sie hatte schon ein ganzes Bündel zusammen.
Elija fragte: „Willst du mir ein wenig Wasser holen? Ich habe solchen Durst!"
Das wollte die Frau gern tun.
Elija sagte: „Bring mir auch ein Stück Brot mit, denn ich habe auch großen Hunger!"
Doch jetzt schüttelte die Frau den Kopf und sagte: „Nein, Herr, das geht leider nicht. Ich habe kein Brot mehr, wirklich nicht. Ich habe ein Faß, in dem nur noch eine Handvoll Mehl ist, und einen Krug mit ein paar Tropfen Öl. Das ist alles. Jetzt habe ich Holz gesucht, und damit will ich ein Feuer machen. Dann kann ich mit dem bißchen Öl noch einen Kuchen backen für meinen Jungen und für mich, aber dann haben wir nichts mehr. Dann müssen wir sterben."
Wie traurig das klang! Aber Elija sah gar nicht traurig drein.
Er sagte: „Geh nur nach Hause und back den Kuchen, aber gib ihn mir! Du kannst dann für dich und dein Kind auch noch welche backen. Es wird genug übrigbleiben, denn so spricht der Herr: ‚Das Mehl im Faß soll nicht ausgehen, und das Öl im Krug soll auch nicht zu Ende gehen!' Wir werden zusammen davon essen, bis daß Regen kommt und es wieder Brot gibt." Das waren wunderliche Worte, aber die Frau glaubte daran. Sie ging nach Hause und machte ein Feuer an. Sie nahm das letzte Mehl und das letzte bißchen Öl und buk einen Kuchen daraus. Der Junge saß dabei und sah mit großen, verlangenden Augen zu.
Doch auf einmal hätte die Mutter vor Freude singen mögen, denn stell dir vor, nun war wieder Mehl im Faß, und es war auch wieder Öl im Krug.
Wer hatte das hineingetan?
Die Frau wußte es wohl. Das hatte Gott getan. Es war ein ganz großes Wunder.
Die Frau buk weiter.
Der erste Kuchen war für Elija.
Der zweite war für ihren Jungen.
Der dritte war für sie selbst.
Sie konnte backen, soviel sie wollte, jeden Tag. Elija blieb bei ihr wohnen. Und jeden Tag buk sie Kuchen für alle drei, soviel sie mochten.
Gott sorgte für sie.

Eines Tages aber geschah etwas sehr Trauriges. Der Junge wurde krank. Er atmete schwer, und schließlich atmete er überhaupt nicht mehr, er war gestorben. Die Mutter war tief betrübt. Sie saß da mit dem Kind in den Armen. Sie rief es beim Namen, aber es hörte sie nicht mehr. Ihr Kind war tot. Bald mußte es begraben werden, und dann war es fort, für immer fort.

Elija hatte großes Mitleid mit der armen Frau.
Er sagte: „Gib mir das Kind."
Er nahm den toten Jungen von ihrem Schoß, trug ihn in sein Zimmer und legte ihn auf sein Bett. Dann kniete er nieder.
Er dachte: Gott hat das Kind sterben lassen, er kann es auch wieder lebendig machen.
Dann betete er voller Ehrfurcht: „Herr, mein Gott, laß das Kind wieder lebendig werden . . ."
So betete er einige Male.
Und Gott erhörte das Gebet seines Dieners.
Das Kind wurde wieder lebendig, es begann wieder zu atmen. Es schlug die Augen auf und hob den Kopf. Elija nahm es froh in seine Arme und brachte es schnell zu seiner Mutter.
„Siehe, dein Sohn lebt!" rief er.
Die Frau konnte es fast nicht glauben, aber es war wirklich so. Das Kind streckte die Arme nach ihr aus. Sie hatte es aus dem Tod zurückbekommen. Da weinte die Frau vor Freude.
Und zu Elija sagte sie: „Nun weiß ich, daß du ein großer Prophet bist, ein echter Diener Gottes."

ELIJA UND DIE PRIESTER DES BAAL

Elija wohnte lange bei der Frau in dem fernen Land. Und während der ganzen Zeit regnete es nicht. Das war die Strafe für den König Ahab und das Volk Israel. Länger als drei Jahre dauerte die Trockenheit.
Da wuchs fast nichts mehr auf der Erde. Doch endlich sprach Gott zu Elija: „Geh jetzt zu König Ahab, denn ich will wieder regnen lassen auf Erden."
Elija tat gehorsam, was Gott sagte. Er ging zum König Ahab. Er konnte es ruhig tun, denn er wußte genau, daß Gott für ihn sorgen würde.
Der König wurde furchtbar wütend, als er Elija sah, und schrie: „So, bist du da? Du hast das Volk Israel ins Elend gebracht."
Aber Elija sagte: „Nein, König, ich habe das Volk nicht ins Elend gebracht, sondern du hast es getan, weil du Gott vergessen und das Bild Baals angebetet hast. Aber hör nun, was du tun mußt. Du mußt das ganze Volk zusammenrufen auf einen hohen Berg. Und auch alle die Priester, die dem Baal Opfer gebracht haben, müssen hinkommen. Das *mußt* du tun."
Ahab wagte nicht zu erwidern: „Das tu ich nicht."
Er mußte es eben tun.
Es sah so aus, als wäre Elija der König.

Die Menschen aus dem ganzen Land kamen auf einem hohen Berg zusammen.

Der König war dort.
Auch Elija war dort.
Und die Priester des Baal waren dort.
Neidisch schauten sie auf Elija. Sie hätten ihm gern etwas angetan, aber sie wagten es nicht.
Elija sagte zu den Menschen: „Jetzt werde ich euch zeigen, daß Gott euer Herr ist und daß ihr ihn nie mehr vergessen dürft. Gott kann alles, und Baal kann nichts.

Hört, was zu tun ist. Die Priester des Baal sollen ein Opfer bereiten, und ich werde auch ein Opfer bereiten. Aber wir werden das Opfer nicht selbst in Brand stecken. Die Priester sollen zu Baal beten, daß er *ihr* Opfer anzünden möge, und ich werde zum Herrn beten, daß er *mein* Opfer anzünden möge. Und der Gott, der das Feuer vom Himmel schicken wird, um das Opfer anzuzünden, der soll unser Gott sein."
Damit waren alle einverstanden.

Dann mußten die Priester beginnen. Zuerst häuften sie Steine aufeinander. Das war der Altar. Sie legten Holz darauf, und auf das Holz legten sie das Fleisch eines Stiers. Das war ihr Opfer.
Dann begannen sie alle zu beten und zu rufen: „O Baal, erhöre uns doch! O Baal, gib uns Feuer! O Baal, antworte uns!" Sie riefen immer lauter und wurden müde davon. Immerzu riefen und schrien sie: „O Baal, antworte uns doch!" Ihre Kehlen wurden heiser vom Rufen, aber es kam keine Antwort, es kam kein Feuer vom Himmel.

Da sagte Elija: „Nun werde *ich* beginnen." Er errichtete auch einen Altar und legte auch Holz darauf, und auf das Holz legte er das Fleisch eines Stiers. Dann grub er aber um alles einen Graben und machte alles mit Wasser naß, so daß der Graben voll Wasser lief.
Es wurde ganz still, als Elija vor seinem Opfer niederkniete. Jetzt mußte *er* beten, aber er schrie nicht wie die Priester des

Baal, er wußte, daß Gott ihn auch so hören würde.
Er betete voller Ehrfurcht: „Herr, du Gott Abrahams, Isaaks und Jakobs, zeige nun all den Menschen, daß du allein ihr Gott bist und daß ich dein Diener bin und daß dein Volk dich nie wieder vergessen darf. Antworte mir, Herr, antworte mir!"

Um mehr brauchte Elija nicht zu bitten. Plötzlich sprangen die Menschen erschreckt zurück. Denn Feuer fiel vom Himmel auf das Opfer hernieder, und es brannte mit großen, lodernden Flammen. Das Holz verbrannte, und das Fleisch verbrannte, und die Flammen leckten alles Wasser im Graben auf.
Als die Menschen das sahen, fielen sie auf die Knie und riefen: „Der Herr ist Gott! Der Herr ist Gott!"
Jetzt hatten sie gesehen, daß Gott *alles* konnte und daß Baal *nichts* konnte. Nun sahen sie ein, wie töricht es gewesen war, daß sie den allmächtigen Gott vergessen hatten.
Als die Menschen wieder fort waren, blieb Elija allein auf dem Berg. Er betete wieder, jetzt nicht um Feuer, sondern um Regen.
Gott erhörte auch dieses Gebet seines Dieners. Noch am gleichen Abend zogen schwere Wolken am Himmel herauf, und der Regen rauschte hernieder.
Da wurde das Gras wieder grün, die Blumen begannen, wieder zu blühen. Die Bäume bekamen wieder Blätter, und das Korn wuchs und wurde reif. Und die Menschen mähten es. Dann droschen sie es und mahlten es. Jetzt hatten sie wieder Mehl, um Brot zu backen.
Wer hatte ihnen das Brot gegeben?
Baal?
Nein, jetzt wußten die Menschen es genau: Baal konnte nichts, aber der Herr konnte alles.
Er allein ist Gott.

REICH UND DOCH ARM

In dem schönen Land Kanaan lebte ein Mädchen. Es wohnte bei seinem Vater und seiner Mutter.
Doch eines Tages gab es wieder Krieg. Fremde Soldaten kamen ins Land. Die stahlen und raubten und nahmen alles mit in ihr fernes Land. Sie nahmen sogar das Mädchen mit und dachten: Das ist ein schönes Geschenk für unseren General.
Der General hieß *Naaman*. Er wollte das Mädchen gern behalten und gab es seiner Frau.
Das arme Kind! Jetzt war es nicht mehr bei seinen Eltern, jetzt war es ein Hausmädchen in dem großen Haus der fremden Frau und des fremden Generals Naaman.
Aber Naaman war ein sehr guter Herr. Das Mädchen schätzte ihn sehr. Er war auch ein sehr reicher Herr, er hatte Diener und Wagen und Pferde und Geld und sehr viele schöne Dinge. Er konnte alles bekommen, was er haben wollte.
Aber er war doch zugleich ein armer und unglücklicher Mann, denn er hatte eine schreckliche Krankheit. Er war aussätzig. In seinem Gesicht waren große weiße Geschwüre, ebenso an seinen Händen und Füßen und an seinem ganzen

Körper. Niemand konnte ihn wieder gesund machen, kein Arzt und kein Heilmittel.
Es wurde immer schlimmer mit ihm. Wahrscheinlich mußte er bald sterben, denn niemand konnte ihm helfen.
Doch das Mädchen wußte Rat.
Es sagte zu seiner Herrin: „Wenn mein Herr in meiner Heimat wäre, wo meine Eltern wohnen, dann könnte er wohl wieder gesund werden. Dann würde *Elischa* ihn wieder gesund machen, der Prophet und Diener Gottes. Der kann Wunder tun."
So sprach das Mädchen zu seiner Herrin. Und die Frau erzählte es gleich ihrem Mann.
Naaman dachte: Sollte ich doch noch wieder gesund werden? Wie herrlich wäre das! So machte er sich sogleich auf den Weg in das Land Kanaan. Er fuhr in einem prächtigen Wagen, und eine ganze Schar Diener reiste mit. Die ritten neben ihm auf starken Pferden. Auch nahm er eine große Menge Geschenke mit: Gold und Silber und viele schöne Dinge. Die waren alle für Elischa, damit er Naaman wieder gesund machte.
Es war eine lange Reise. Doch schließlich kam Naaman an einen breiten Fluß, den *Jordan*. Den mußte er überqueren, dann war er im Land Kanaan. Und dann war es nur noch ein Stückchen, und er war bei Elischas Haus. Naaman dachte: Elischa wird es sicher gefallen, daß ein solch reicher Herr zu ihm kommt. Er wird sich sehr geehrt fühlen und schnell nach draußen kommen und sich tief vor mir verbeugen. Dann wird er für mich beten und mit der Hand über meinen kranken Körper streichen. Vielleicht werde ich dann wieder gesund werden.
Aber Elischa kam nicht nach draußen, es kam nur sein Gehilfe heraus und sagte: „Ihr müßt Euch siebenmal im Jordan waschen, dann werdet Ihr wieder gesund sein."
Dann wurde die Tür wieder geschlossen. Da stand Naaman nun! Wie enttäuscht und zornig er doch war!
Er sagte: „Habe ich deshalb die weite Reise gemacht, um mich im Jordan zu waschen? Das hilft ja doch nichts. Ich habe mich ja schon so oft gewaschen, und das hat auch nichts geholfen. Auf nach Hause! Zurück in meine Heimat! Ich muß wohl krank bleiben, bis ich sterbe!"
So fuhr er wieder fort, zornig und enttäuscht. Seine Diener ritten auch enttäuscht nebenher. Sie liebten Naaman sehr und wünschten, daß er wieder gesund würde.
Sie sprachen zu ihm: „Warum bist du denn so zornig und glaubst dem Propheten nicht? Du kannst es doch ruhig mal versuchen. Tu es doch! Wasch dich siebenmal im Jordan, vielleicht hilft es doch."
„Nun denn!" Naaman wollte es versuchen. Vielleicht half es doch!
Er kam an den Jordan, zog seine schönen Kleider aus und humpelte auf seinen kranken Füßen ins Wasser. Dann begann er seinen kranken Körper zu waschen, einmal, zweimal, dreimal. Es half noch nichts. Siebenmal mußte er sich waschen. Und als er das getan hatte, kam er tanzend und springend aus dem Wasser heraus. Wo waren nur seine Geschwüre geblieben? Fort, ganz und gar fort! Seine Hände

waren wieder gesund, seine Füße waren auch wieder gesund, sein ganzer Körper war wieder gesund. Welch ein Wunder! Hatte Elischa das getan?
Naaman wußte es besser. Das konnte kein Mensch tun.
Das hatte Gott getan!
Elischa war aber der Diener Gottes, und er hatte sicherlich für Naaman gebetet. Darum wollte Naaman sich sofort bei ihm bedanken.
So eilte er zurück zu Elischas Haus und holte all seine schönen Geschenke aus dem Wagen und legte sie vor Elischa nieder: Gold und Silber und schöne Kleider.
„Such nur aus", rief er, „such dir das Schönste aus! O Elischa, ich bin ja so froh! Nimm alles, was du willst!"
Doch Elischa schüttelte den Kopf und sagte: „Ich will nichts von dir, du brauchst dich auch nicht zu bedanken, denn nicht ich habe dich gesund gemacht, Gott hat dich gesund gemacht. Ihm mußt du danken."
Da antwortete Naaman: „Ich werde dem Herrn Opfer bringen. Ich will ihn immer liebhaben und ihn nie vergessen."
Dann kamen alle kostbaren Geschenke wieder in den Wagen. Elischa ging ins Haus zurück, und Naaman fuhr wieder in sein Land. Nur Elischas Gehilfe stand noch draußen.
Er stand da und sah dem Wagen nach. Er hieß *Gehasi.* Er hatte all die schönen Geschenke gesehen und hätte gern etwas davon gehabt, er wollte so gern viel Geld haben. Dann könnte er sich ein Haus kaufen und Land und Schafe und Kühe. Dann wäre er ein reicher Herr.

Gehasi dachte: Wie dumm ist doch Elischa! Er hätte so viel Geld bekommen können und viele andere schöne Dinge und läßt alles liegen. Aber *ich* lasse es nicht liegen. Ich will etwas davon haben. Elischa ist im Haus, der sieht nicht, was ich tue. Dann lief Gehasi hinter dem Wagen her und rief: „Halt, wartet doch!" Er rannte und winkte und schrie, so laut er konnte.
Der Wagen hielt. Naaman sprang heraus und fragte: „Was ist los? Ist etwas nicht in Ordnung?"
Ja, was sollte Gehasi jetzt sagen? Er mußte sich schon mit einer Lüge behelfen, dann würde er wohl etwas bekommen.
So log Gehasi: „O Herr Naaman, Elischa möchte nun doch gern ein Geschenk haben, einen Sack voll Silber und zwei schöne Mäntel, denn er hat plötzlich Besuch bekommen, versteht Ihr? Es sind zwei Männer zu ihm gekommen, und denen möchte er etwas geben."
„Schon gut", antwortete Naaman. Dann gab er Gehasi sogar zwei Säcke voll Silber und auch noch zwei schöne Mäntel und fuhr wieder weiter. Gehasi aber ging mit seinen kostbaren Geschenken zurück. Wie froh war er doch und wie schlau hatte er es angestellt! Jetzt war er reich, jetzt konnte er sich kaufen, was er wollte.
Aber zuerst wollte er alles gut verstecken, denn Elischa durfte nichts davon wissen. Danach ging er ins Haus und kam mit einem ganz unschuldigen Gesicht zu Elischa. Der fragte ihn: „Wo bist du nur gewesen, Gehasi?"

Gehasi erschrak. Was sollte er nur sagen? Jetzt mußte er wohl oder übel weiterlügen.
Gehasi antwortete: „Ich bin nirgends gewesen." Doch Elischa schüttelte traurig den Kopf und sagte: „Gehasi, Gehasi, du dachtest, niemand würde es sehen. Denkst du, das Geld wird dich glücklich machen? Jetzt wirst du erst recht unglücklich werden. Naaman ist seine Krankheit losgeworden, aber jetzt sollst du die Krankheit bekommen als Strafe für dein Unrecht und deine Lügen."
Da kamen Geschwüre in Gehasis Gesicht und auch auf seine Hände und seine Füße und seinen ganzen Körper.
Jetzt war er genauso krank, wie Naaman es gewesen war.
Das Geld durfte Gehasi behalten.
Jetzt war er reich. Er konnte sich ein Haus kaufen und Land und alles, was er wollte. Aber was hatte er jetzt davon? Er war doch arm, weil er Gott vergessen hatte! Naaman war jetzt reich, er vergaß Gott nicht mehr.

JONA

Hast du schon mal die Geschichte von *Jona* gehört?
Jona war ein Prophet, ein Diener Gottes, aber er war kein gehorsamer Diener.
Gott sprach zu ihm: „Jona, du mußt verreisen. Du mußt in die große Stadt *Ninive* gehen, denn die Menschen in Ninive tun viel Schlechtes. Du mußt ihnen sagen, daß ich ihre schlechten Taten wohl sehe und sie strafen werde, wenn sie sich nicht bessern."
Doch Jona dachte: Nein, das tue ich nicht. Ich gehe nicht nach Ninive. Sollen die Menschen dort doch ruhig Schlechtes tun, denn schließlich sind sie die Feinde meines Volkes. Ich will nicht zu den Feinden gehen.
Dann trat er zwar eine Reise an, aber er ging genau in die falsche Richtung. Er sollte nach Osten, aber er ging nach Westen. Er floh vor Gott.
Jona dachte: Ich laufe einfach fort. Ich laufe ganz weit fort, so weit, daß Gott mich nicht mehr finden kann. Dann brauche ich nicht nach Ninive zu gehen.
Und er lief und lief, bis er ans Meer kam. Da konnte er nicht weiter.

Am Ufer des Meeres lag aber ein Schiff, das wollte gerade wegfahren über das weite Meer. Jona dachte: Ich fahre mit diesem Schiff, dann komme ich noch weiter weg, dann kann Gott mich sicher nicht mehr finden.
So stieg er ins Schiff und fuhr über das weite Meer. Der Schiffer war damit einverstanden. Jona gab ihm Geld für die Fahrt.
Der Himmel war ganz blau, und die Sonne schien sehr warm. Die kleinen Wellen plätscherten lieblich gegen das Schiff. Oh, es war schön, übers Meer zu fahren.
Aber Jona fand es gar nicht schön. Er hatte nicht den Mut, oben an Deck bei den andern Männern zu bleiben, denn er befürchtete, Gott würde ihn sehen. Auch war er müde von der großen Reise. So legte er sich unten im Schiff schlafen. Da spürte er seine Müdigkeit nicht mehr, da fühlte er auch keine Furcht mehr.

Aber Gott sah Jona auch in der dunklen Kabine unten im Schiff. Er konnte seinen ungehorsamen Diener auch auf dem weiten Meer finden.
Jetzt rief Gott den Sturm herbei, der so mächtig wehen kann, und sandte ihn gegen das Schiff. Der Sturm jedoch war gehorsamer als Jona, denn er tat sofort, was Gott sagte. Er führte große schwarze Wolken mit sich. Dahinter verkroch sich die Sonne. Er blies mit Macht in die Segel, so daß das Schiff fast umschlug. Er blies gegen die kleinen Wellen, daß sie ganz groß wurden, so groß wie ein Haus. Die großen Wogen schlugen gegen das Schiff, daß es beinahe in Stücke ging.
Da bekam der Kapitän große Angst, und die Matrosen auch.
Doch Jona lag unten im Schiff und schlief seelenruhig weiter.
Ein Matrose kam zu ihm, rüttelte ihn wach und rief: „Wie kannst du jetzt nur schlafen? Steh auf und hilf uns! Bete zu Gott, daß wir nicht ertrinken!"
Da ging Jona mit an Deck des Schiffes. Er sah die hohen Wogen und den schwarzen Himmel. Er hörte den schweren Sturm, und da wußte er, daß Gott ihn doch gefunden hatte.
Er sagte: „Es ist meine Schuld, daß der Sturm gekommen ist. Gott hat ihn hinter mir hergeschickt, weil ich etwas sehr Schlimmes getan habe. Ich bin ungehorsam gewesen. Ich sollte nach Osten, aber ich ging nach Westen. Ich wollte flüchten vor Gott, aber das kann man nicht."
Nach einem kurzen Atemholen fuhr er fort: „Ergreift mich und werft mich ins Meer. Diese Strafe habe ich verdient. Dann wird das Meer sich wieder beruhigen, und Gott wird den Sturm zurückrufen."
Doch das wollten die Männer nicht. Sie ruderten, so fest sie nur konnten, um wieder ans Ufer und in Sicherheit zu kommen. Aber es gelang ihnen nicht, das Ufer zu erreichen, der Sturm tobte immer heftiger. Da wußten die Männer keinen anderen Rat mehr. Sie ergriffen Jona und warfen ihn ins Meer.
Jona war nicht mehr da.
Doch auch der Sturm war nicht mehr da. Gott rief ihn sofort zurück, und der Wind wehte nicht mehr, die Wogen schlugen nicht mehr gegen das Schiff. Die schwarzen Wolken verzogen sich wieder, der Himmel wurde wieder blau, und die Sonne kam wieder zum Vorschein. Jetzt konnte das Schiff ruhig weiterfahren auf dem glatten Meer.
Die Männer sahen es und riefen: „Wie mächtig ist doch Gott! Sogar der Wind und das Meer gehorchen ihm."

Und Jona?
War er ertrunken? War er tot?
Nein, Jona war nicht tot. Gott hatte für ihn gesorgt. Er hatte einen großen Fisch geschickt, der Jona verschluckte. Da war er im Bauch des Fisches.
Drinnen war es ganz dunkel und ganz unheimlich, doch Jona dachte: Gott sieht mich und hört mich auch hier.
Da begann Jona zu beten. Es tat ihm leid, daß er ungehorsam gewesen war, und er versprach: „Ich werde von nun an immer gehorsam sein."
Da lenkte Gott den Fisch an das Ufer des Meeres. Dort streckte der Fisch seinen

Kopf aus dem Wasser und spie Jona aus. So kam Jona wieder in sein Land zurück.

Da sprach Gott abermals: „Jona, du mußt verreisen. Du mußt in die große Stadt Ninive gehen. Was du dort verkünden sollst, werde ich dir später sagen."
Da wagte Jona es nicht mehr, ungehorsam zu sein. Jetzt schlug er den richtigen Weg ein, und nach einer langen Reise kam er in die große Stadt.
Was mußte Jona dort sagen?
Er mußte sagen: „Noch vierzig Tage, dann wird Ninive zusammenstürzen."
Ei, war das eine schöne Nachricht, fand Jona. Zusammenstürzen würde die Stadt, so wie ein Kartenhaus zusammenstürzt. Das gönnte Jona den schlechten Menschen!
Er ging durch die ganze Stadt und rief überall: „Noch vierzig Tage, dann wird Ninive zusammenstürzen!"
Die Menschen erschraken über diese Nachricht sehr. Auch der König erschrak sehr. Sie wußten sehr wohl, warum die schreckliche Strafe kommen sollte: weil sie so viel Schlechtes getan hatten.
Da bereuten sie ihre schlechten Taten, und der König sagte: „Wir müssen alle darum beten, daß Gott uns dieses Mal noch verschont, daß er uns noch einmal vergibt. Keiner von uns darf mehr etwas Schlechtes tun.
Wir müssen anderen Sinnes werden, wir

müssen uns bekehren, alle miteinander."
Das taten sie auch. Sie beteten, die Männer, die Frauen und die Kinder, alle beteten sie.
Niemand tat mehr etwas Schlechtes.
Das sah Gott, und da hatte er Mitleid und strafte die Stadt nicht.

Jona saß auf einem Berg nicht weit von der Stadt. Er saß dort und wartete, bis die Stadt zusammenstürzen würde. Das wollte er doch zu gern sehen! Er fand das sehr in Ordnung, denn die Menschen aus Ninive waren seine Feinde. Mit ihnen hatte Jona kein Mitleid.
Er wartete und wartete, doch die Strafe kam nicht. Da wurde Jona ärgerlich und zornig.
Aber Gott lehrte ihn, daß er gar keinen Grund habe, zornig zu sein.
Direkt neben Jona wuchs plötzlich ein Baum aus dem Boden, er wuchs ganz schnell. Jona sah ihn vor seinen Augen wachsen. Es wurde ein großer Baum mit Zweigen und Blättern. Da saß Jona schön im Schatten und war dankbar und froh über den Wunderbaum.
Doch am folgenden Morgen schickte Gott einen Wurm. Der biß die Wurzel des Wunderbaumes durch, und der Baum mußte sterben. Die Blätter verdorrten und fielen ab. Jetzt saß Jona nicht mehr im Schatten. Die Sonne brannte auf seinen Kopf.
Da wurde Jona wieder zornig, denn er ärgerte sich sehr, daß der Baum nicht mehr da war. Jetzt konnte Gott Jona zeigen, wie dumm er war.
Gott sprach: „Jona, du hast Mitleid mit einem Baum. Darf ich dann kein Mitleid haben mit all den Menschen und Kindern und Tieren in Ninive?"
Jona wird sich wohl sehr geschämt haben und sich gedacht haben: Wie schlecht bin ich doch und wie dumm! Doch wie weise und wie gut ist Gott! Er sorgt für alles, was lebt, und hat die Menschen und auch die Tiere lieb.

DER FROMME KÖNIG HISKIJA

Hiskija war ein junger Mann, der Gott liebhatte. Er war ein Prinz.
Als sein Vater starb, wurde Hiskija König, König über das Volk Gottes.
Doch das Volk Gottes hatte Gott vergessen. Die Menschen hatten überall Bilder gemacht und beteten sie an. An Gott dachten sie nicht mehr. Auch an das Haus Gottes, an den schönen Tempel in Jerusalem, den Salomo gebaut hatte, dachten sie nicht mehr. Niemand kam mehr in den Tempel, um dort zu beten und Opfer zu bringen. Gottlose Männer hatten sogar die Türen des Tempels zugenagelt, so daß niemand mehr hinein konnte.
Das arme Volk! Es hätte so glücklich sein können, und jetzt wurde es unglücklich. Denn jedes Jahr fielen Feinde ins Land ein, um zu rauben und zu stehlen. Das war die Strafe dafür, daß das Volk Gott vergessen hatte.
Hiskija dachte: So kann es nicht mehr weitergehen. Mein Volk muß Gott wieder liebhaben. Es muß wieder ein echtes Volk Gottes werden. Das soll meine Aufgabe sein!
Alsbald machte Hiskija sich ans Werk.

Er ließ alle Bilder im Land in Stücke schlagen und den Tempel wieder aufbrechen und ganz neu ausschmücken. Dann schickte er seine Boten durchs Land und ließ die Menschen nach Jerusalem rufen.
Er sagte: „Jetzt werden wir miteinander Opfer bringen in dem schönen Tempel und Gott bitten, daß er euch alles Schlechte vergibt."
Das haben sie dann auch getan, und sie haben auch zusammen ein Fest gefeiert. Danach ist eine herrliche Zeit für das Volk Israel gekommen. Da es Gott wieder liebhaben wollte, wurde es wieder stark und froh. Es wurde wieder das Volk Gottes.
Auch litt es nicht mehr unter seinen Feinden, denn Hiskija zog aus und trieb alle Feinde fort.
Doch Hiskija war noch nicht zufrieden. Sein Werk war noch nicht zu Ende, sein Volk sollte Gott noch mehr liebhaben. Auch gab es noch mehr Feinde, gegen die er noch kämpfen wollte. Er wollte sein Volk noch stärker und noch zufriedener machen.

Doch mitten in seinem Werk wurde Hiskija sehr krank; kein Arzt konnte ihm helfen. Es wurde immer schlimmer mit ihm.

Hiskija war sehr betrübt. Er fand es schrecklich, krank zu sein, und dachte: Wie sehr wünschte ich mir, schnell wieder gesund zu werden.
Da ging die Tür des Zimmers auf.
Und wer kam da herein?
Es war *Jesaja,* der Prophet und Diener Gottes. Er hatte eine Nachricht von Gott an den König, aber es war eine sehr traurige Nachricht.
Er sagte: „König, du mußt deiner Familie und deinen Freunden Lebewohl sagen, denn du mußt sterben."

O wie erschrak Hiskija da! Nein, er hatte keine Angst vor dem Tod. Er hatte Gott sehr lieb, aber er hatte noch so viel zu tun für sein Volk. Sein Werk, sein großes Werk war noch nicht fertig.
Als Jesaja wieder fortgegangen war, drehte Hiskija sich in seinem Bett um, kehrte das Gesicht zur Wand und weinte vor großem Leid. Seine Kissen wurden naß vor Tränen.
„O Herr", flehte er, „laß mich doch noch eine Weile leben! Laß mich doch noch eine Weile wirken für mein Volk! Ich möchte mein Volk noch stärker und zufriedener machen."
Das Gebet stieg zum Himmel auf. Und siehe, nach einiger Zeit öffnete sich wieder die Tür.
Wieder war es Jesaja, der Prophet, doch jetzt hatte er eine frohe Botschaft für den König.
Er sagte: „Hör zu, König! So spricht der Herr: ‚Ich habe dein Gebet gehört und deine Tränen gesehen. Ich werde dich wieder gesund machen. Du sollst noch eine ganze Weile leben, noch fünfzehn Jahre, und ich werde dir helfen gegen deine Feinde.'"
Hiskija konnte es fast nicht glauben, so herrlich war die Nachricht. Aber weil Gott es gesagt hatte, glaubte er es doch.
Drei Tage später war der König wieder gesund.
Da ging er zum erstenmal wieder aus.
Und wohin ging er wohl?
Natürlich in den Tempel, in das Haus Gottes.
Gott hatte ein solch großes Wunder an ihm getan! Jetzt wollte er Gott auch dafür danken. Doch ein paar Jahre später hat Gott ein noch viel größeres Wunder an Hiskija getan.
Da kam ein fremder König mit einem sehr großen Heer von Soldaten ins Land. Das waren Feinde des Volkes Israel. Die wollten nach Jerusalem und alles stehlen und die Häuser niederbrennen und Hiskija gefangennehmen.
Doch rund um Jerusalem war eine große Mauer, die die Feinde nicht übersteigen konnten. In der Mauer gab es zwar Tore, doch die verschlossen die Menschen schnell. So konnten die Feinde nicht hindurch, aber sie gingen auch nicht fort. Sie bildeten einen großen Ring um die ganze Stadt, und jetzt warteten sie, immerzu warteten sie. Denn jetzt konnte kein Mensch mehr aus der Stadt, und es konnte auch kein Mensch hinein. Jetzt konnte auch niemand mehr Nahrung in die Stadt bringen. Dort gab es zwar noch Vorräte, aber die würden bald verbraucht sein. Dann würden die Menschen Hunger bekommen und müßten die Tore der Stadt doch öffnen.
Da bekamen es die Menschen in der Stadt mit der Angst zu tun. Auch Hiskija bekam Angst. Er dachte: Jetzt gibt es nur noch einen, der uns helfen kann. Er ging in den Tempel und betete: „O Herr, hilf uns!"
Als er gebetet hatte, kam Jesaja und sagte: „Hab keine Angst, König, denn Gott sagt: ‚Ich werde dir helfen, der fremde König soll nicht in die Stadt eindringen.'"
Da schrieb der fremde König einen Brief an Hiskija, einen ganz gottlosen Brief.
Darin stand: „Glaub doch nicht, daß Gott dir helfen wird. Das tut Gott nicht, das kann er gar nicht, denn ich bin viel

mächtiger als Gott! Laß dich doch nicht länger durch Gott betrügen!"
Was aber tat Hiskija mit dem Brief?
Er ging damit in den Tempel. Dort legte er ihn nieder und dachte: Gott selbst muß den Brief lesen. Gott selbst muß dem gottlosen König eine Antwort geben.
Und das tat Gott auch.
Als es Nacht wurde, kam ein Engel vom Himmel, der durch das Heer des Feindes schritt. Der Engel brachte die Antwort des Herrn auf den gottlosen Brief. Er brachte eine schreckliche Strafe. Als es Morgen wurde, lagen Tausende von Soldaten des fremden Königs tot am Boden. Und die andern, die noch übriggeblieben waren, erschraken so sehr darüber, daß sie schnell wegliefen, zurück in ihr Land. Nie wagten sie es, wiederzukommen. Solche Angst hatten sie vor Hiskijas Gott. Solange Hiskija lebte, ist kein Feind mehr im Land gewesen.

IM LAND BABEL

Weißt du noch, wer Hiskija war?
Das war der König, der Gott liebhatte und das Volk Israel stark und froh machte. Das war eine herrliche Zeit.
Doch als Hiskija gestorben war, ging es bergab mit dem Volk Israel. Es kamen neue Könige, die Gott nicht liebhatten und wieder Bilder anbeteten. Auch das Volk Israel begann wieder damit. Die Menschen vergaßen Gott ganz und gar.
Er hatte so lange Geduld gehabt mit seinemVolk und es oft gewarnt, aber es wollte nicht auf ihn hören. Dann kam eine fürchterliche Heimsuchung.
Fremde Soldaten fielen ins Land ein. Sie verwüsteten die Stadt Jerusalem und verbrannten den schönen Tempel. Alle Bewohner wurden von den Soldaten mitgenommen in das ferne Land, aus dem die Soldaten kamen. Dort mußten sie für einen fremden König arbeiten. Und dort mußten sie sehr lange bleiben, bis Gott sie wieder in ihre Heimat zurückführte.

Das ferne Land hieß *Babel.*
Der fremde König hieß *Nebukadnezzar.*
Er war ein sehr reicher und mächtiger König und herrschte über die halbe Welt. Er wohnte in einem prächtigen Palast und hatte eine große Schar von Dienern. Aber das waren keine gewöhnlichen Diener, das waren lauter Prinzen. Denn der König hielt sich für so vornehm, daß er auch nur ganz vornehme Diener haben wollte.
Es waren auch vier Prinzen aus dem Volk Israel darunter. Einer von den vieren hieß *Daniel.*
Es war aber sehr mühselig und gefährlich, ein Diener Nebukadnezzars zu sein, denn der König war sehr hochmütig und streng. Wenn ein Diener etwas falsch machte, ließ ihm der König sofort den Kopf abschlagen.
Aber Daniel und seine drei Freunde fürchteten sich nicht, sie hatten Gott lieb und dachten: Gott wird immer für uns sorgen.
Es war Nacht, die Menschen lagen in tiefem Schlaf.
Auch König Nebukadnezzar schlief. Da hatte er einen seltsamen Traum, er wachte vor Schreck auf, so seltsam war

der Traum. Doch als er wach war, hatte er ganz vergessen, was er geträumt hatte. Aber sein Herz schlug noch wild von seinem Traum, so daß er nicht mehr schlafen konnte. Es war gewiß, daß der Traum etwas zu sagen hatte.

Da ließ er seine Diener rufen, seine weisen Diener, die sehr viele dicke Bücher gelesen hatten und behaupteten, sie wüßten alles. Als sie vor ihm standen, sagte der König: „Ich habe einen Traum gehabt und will wissen, was der Traum bedeutet."

Die weisen Diener verbeugten sich tief und sagten: „O König, erzählt uns nur, was Ihr geträumt habt, dann werden wir Euch sagen, was es bedeutet."

Aber der König erwiderte: „Nein, ihr müßt mir erzählen, was ich geträumt habe. Wenn ihr das könnt, werde ich euch viel Geld geben, aber wenn ihr es nicht könnt, lasse ich euch allen den Kopf abschlagen."

Da bekamen die Weisen große Angst.

„Aber König", riefen sie, „wie sollen wir denn wissen, was Ihr geträumt habt? Es gibt keinen Menschen auf der Welt, der Euch das sagen kann."

Da wurde der König sehr aufgebracht und rief: „Betrüger seid ihr alle miteinander. Ihr sagt, daß ihr alles wißt, aber ihr wißt gar nichts."

Er rief seine Soldaten herbei und sagte, sie sollten allen Weisen des Landes den Kopf abschlagen.

Die Soldaten gingen mit ihren scharfen Schwertern durchs Land und kamen auch zu Daniel. Daniel und seine Freunde waren auch weise Diener. Auch sie sollten getötet werden.

Aber Daniel ging sofort zum König. „König", fragte er, „wollt Ihr bis morgen warten? Wahrscheinlich werde ich Euch morgen sagen können, was Ihr neulich geträumt habt."

Der König war damit einverstanden. Da ging Daniel zu seinen Freunden und sagte: „Es gibt nur einen, der weiß, was der König geträumt hat. Das ist Gott. Wir müssen ihn bitten, daß er es uns sagt."

Das taten die Freunde. Als es Nacht war, träumte Daniel denselben Traum, den der König geträumt hatte, und Gott sagte ihm auch, was der Traum bedeutete.

Wie froh war Daniel! Er dankte Gott und ging schnell zum König.

Der König fragte: „Kannst du mir mit Sicherheit sagen, was ich neulich in der Nacht geträumt habe?"

„Nein, König", sagte Daniel, „*ich* kann es nicht. Kein Mensch kann es. Aber es gibt einen Gott im Himmel, und der weiß alles. Der hat es mir gesagt."

Dann erzählte er den Traum.

Er sagte: „Ihr saht ein ganz großes Bild, König, so groß, daß Ihr davor erschrakt. Der Kopf des Bildes war aus Gold und die Brust aus Silber. Der Bauch war aus Kupfer, die Beine waren aus Eisen und die Füße aus Eisen und Ton. In der Nähe aber gab es einen Berg. Und von diesem Berg rollte ein Stein herab. Der rollte gegen die Füße des Bildes, so daß das Bild umfiel und der Stein es ganz und gar zerstörte. Nichts blieb mehr davon übrig. Doch der Stein wurde immer größer und größer. Er wurde schließlich so groß wie die ganze Welt.

Das war Euer Traum, mein König. Und wißt Ihr, was der Traum bedeutet?

Der Stein war stärker als das ganze Bild. So ist auch Gott stärker als alle Königreiche der ganzen Welt. Das bedeutet der Traum."
König Nebukadnezzar war im höchsten Maße verwundert, denn jetzt wußte er es auf einmal wieder: Genauso war sein Traum gewesen.
Er sagte: „O Daniel, wie mächtig ist doch dein Gott."
Er gab Daniel viele schöne und kostbare Dinge. Von nun an sollte Daniel sein vornehmster Diener sein, der Herr über all seine anderen Diener.
Auch seine Freunde wurden belohnt.
Sie hatten Gott lieb, und darum sorgte er für sie.

IM FEURIGEN OFEN

Die drei Freunde Daniels fürchteten sich vor nichts, nicht einmal vor dem König, der so hochmütig und streng war.
Das kam, weil sie wußten, daß Gott sie liebhatte und immer für sie da sein würde.

Einmal ließ König Nebukadnezzar ein ganz großes Bild machen, fast genau so ein Bild wie das, von dem er geträumt hatte, aber ganz aus Gold. Und neben dem Bild ließ er einen Ofen bauen, einen ganz großen Ofen aus Stein, in dem man ein besonders großes Feuer machen konnte.
Dann ließ er alle seine vornehmen Diener aus dem ganzen Land zusammenrufen, wohl an die tausend! Und er sagte: „Hört alle gut zu! Gleich wird die Musik spielen, und dann müßt ihr vor dem großen Bild, das ich habe machen lassen, auf die Knie fallen. Habt ihr mich verstanden? Jeder soll niederknien und das Bild anbeten. Wer es nicht tut, wird in den feurigen Ofen geworfen."
Es wurde ganz still. Man konnte die Flammen des großen Feuers knistern hören, und der Rauch stieg in großen schwarzen Wolken aus dem Ofen hoch. Da bekamen sie alle große Angst. Doch als die Musik zu spielen begann, taten sie, was der König verlangt hatte. Sie fielen auf die Knie und beteten das Bild an.

Nein, nicht alle. Drei junge Männer blieben aufrecht stehen, die drei Freunde Daniels. Sie knieten nicht.
Sie mußten sofort zum König kommen. Der König war wütend und sagte: „Habt ihr das absichtlich getan? Ich will es noch einmal mit euch versuchen. Wenn ihr dann nicht niederkniet, lasse ich euch alle drei in den feurigen Ofen werfen. Dann kann euch keiner helfen. Dann müßt ihr bei lebendigem Leib verbrennen."
Aber die drei Freunde sagten: „König, wir knien nicht vor einem Bild. Das dürfen wir nicht, Gott will es nicht. Und darum tun wir es auch nicht. Und wenn Ihr uns ins Feuer werft, Gott kann uns dennoch helfen."
Da wurde der König rot vor Zorn und befahl, das Feuer im Ofen noch viel heißer zu machen, noch siebenmal so heiß.
Dann rief er die stärksten Soldaten herbei, die er hatte, und befahl ihnen, die drei Freunde ins Feuer zu werfen.
Das taten die Soldaten. Doch das Feuer war so heiß, daß sie tot davor niederfielen.

Aber das kümmerte den König wenig. Er sah nicht auf die Soldaten, er sah nur aufs Feuer und auf die drei Männer, die mitten hineingeworfen worden waren.
Plötzlich aber erschrak er sehr. Er rief seinen Dienern zu: „Wurden nicht drei Männer ins Feuer geworfen?"
„Ja, gewiß, König", antworteten sie.
„Aber nun sind es vier", rief der König. „Schaut nur, eins, zwei, drei, vier! Sie gehen hin und her im Feuer. Und der vierte, das ist überhaupt kein Mensch, der sieht aus wie ein Engel."
Der König ging noch ein bißchen näher ans Feuer und rief: „Ihr Diener Gottes, kommt heraus, kommt hierher, ich bin euch nicht mehr böse."
Die drei Freunde gehorchten und liefen

durch das Feuer, als wäre es überhaupt nicht heiß, und kamen zum König. Der Engel war nicht mehr da. Er war nur gekommen, um die Freunde zu beschützen. Nicht ein einziges Haar auf ihren Köpfen war verbrannt. An ihren Kleidern konnte man nicht riechen, daß sie im Feuer gewesen waren.
Die drei Freunde hatten Gott vertraut, und Gott hatte ihnen geholfen.
Der hochmütige König aber hatte gelernt, daß es doch einen gab, der mächtiger war als er.

DANIEL IN DER LÖWENGRUBE

Daniel war ein alter Mann geworden. Sein Haar und sein Bart waren grau.
Doch er wohnte noch immer im fernen Land Babel. Er war dort ein vornehmer Diener des Königs.
Aber Nebukadnezzar war nicht mehr König. Er war schon lange tot.
Nun regierte ein anderer König, und der hieß *Darius.*
König Darius hatte Daniel gern und sagte: „Daniel ist der beste Diener von allen, ich will ihn noch viel vornehmer machen. Ich will ihn zum Vizekönig befördern. Dann soll er Herr sein über mein ganzes Königreich und über alle meine andern Diener."
Als die andern Diener das hörten, wurden sie sehr neidisch.
Sie sagten: „Er soll der Allervornehmste sein? Das darf nicht geschehen, *wir* wollen die Vornehmsten sein. Wir werden gut aufpassen, ob Daniel am Ende nicht etwas Falsches tut. Dann werden wir es schnell dem König erzählen, dann wird er schon nicht mehr so viel von Daniel halten."
Von da an gingen sie jeden Tag hin und lauerten darauf, ob Daniel wohl etwas Falsches täte. Aber Daniel tat nichts Falsches, er tat seine Arbeit, so gut er konnte. Und dreimal am Tag betete er.
Wenn Daniel betete, kniete er in seinem Zimmer bei offenem Fenster. Weit in der Ferne lag Jerusalem. Dort hatte der schöne Tempel gestanden, der jetzt abgebrannt war. Aber dort würde das Volk Daniels einmal wieder wohnen. Und dort würde einst wieder ein Tempel stehen, wenn die Heimsuchung des Volkes vorbei war.
Daniel sah in die Ferne, dorthin, wo Jerusalem lag, und betete: „Herr, laß mein Volk doch bald wieder zurückkehren in seine Heimat."
Das Beten vergaß Daniel nie. Er tat es getreulich dreimal am Tag. Die andern Diener sahen das, und da machten die falschen Männer einen Plan, um Daniel ins Unglück zu stürzen und dafür zu sorgen, daß er nicht mehr der Vornehmste war.

Sie gingen zum König und verbeugten sich tief. Sie waren sehr höflich und freundlich und sagten: „O König, wir wissen etwas Schönes. Wißt Ihr, was Ihr tun müßt? Ihr müßt befehlen, daß die Menschen in Eurem Land von niemandem mehr etwas erbitten, von den Menschen nicht und auch von Gott nicht, einen ganzen Monat lang. Nur von Euch dürfen sie etwas erbitten, weil Ihr unser mächtiger König seid."

Das war dem König ganz nach dem Sinn gesprochen.
„Ja, das will ich", sagte er.
„Und wer ungehorsam ist, muß streng bestraft werden", sagten die verschlagenen Männer. „Der soll in die tiefe Grube geworfen werden, wo die Löwen sind."
„Ja, das ist gut", antwortete der König.
Daraufhin ließ er seine Boten durchs Land gehen. Die riefen überall aus, daß niemand mehr beten dürfe und auch niemand etwas erbitten dürfe als allein vom König, einen ganzen Monat lang.
Das hörten alle Menschen. Auch Daniel hörte es. Er begriff sehr bald, wer den bösen Plan ausgedacht hatte. Das hatten seine Feinde getan, die wollten ihn ins Unglück stürzen.
Was sollte Daniel tun?
Gott hatte gesagt, daß jeder, der ihn liebhabe, auch zu ihm beten müsse.
Aber der König sagte, daß er das nicht dürfe, daß Daniel Gott vergessen müsse.
Wem sollte Daniel jetzt gehorchen?
Gott natürlich. So kniete Daniel trotzdem nieder, dreimal täglich am offenen Fenster.
Am Fenster aber standen seine Feinde auf der Lauer. Und als sie sahen, daß Daniel auch jetzt noch betete, liefen sie schnell zum König.
„König", sagten sie, „habt Ihr nicht gesagt, daß niemand etwas erbitten darf, außer von Euch, einen ganzen Monat lang?"
„Ja", erwiderte der König, „das habe ich gesagt."
„Und wenn jemand ungehorsam ist, soll er dann nicht in die Löwengrube geworfen werden?"
„Ja", sagte der König, „so soll es sein."
„O König", riefen sie, „dann muß Daniel in die Löwengrube geworfen werden. Er ist ungehorsam gewesen. Er betet zu seinem Gott, dreimal am Tag."
Da erschrak der König. Er merkte, wie falsch die Männer waren.
„Daniel nicht", rief er, „nein, Daniel nicht!"
Doch die Männer meinten: „Ihr habt es gesagt, König, nun müßt Ihr es auch tun."
Ja, das war nun einmal so in diesem Land: Was der König gesagt hatte, das mußte er auch tun. Er hätte Daniel so gern geholfen, aber er konnte es nicht.
Als der Abend nahte, wurde Daniel zur Löwengrube gebracht.
Der König war sehr betrübt und rief: „Daniel, ich kann dir nicht helfen, aber ich hoffe, dein Gott wird dir helfen."
Dann wurde Daniel in die Grube geworfen.
Es wurde Nacht, aber der König konnte nicht schlafen. Er war sehr traurig und mußte immerzu an Daniel denken. Ob sein Gott ihm helfen würde?
Früh am andern Morgen stand er auf und ging nach draußen. Mit klopfendem Herzen kam er zur Löwengrube.
„Daniel", rief er, „Daniel, hat Gott dir geholfen?"
Gleich darauf hätte der König vor Freude tanzen mögen, denn aus der tiefen Grube antwortete eine Stimme: „Ja, König, Gott hat mir geholfen. Er hat seinen Engel geschickt, und der hat dafür gesorgt, daß die Löwen mir nichts Böses antun konnten, weil ich auch nichts Böses getan habe."
Da war der König sehr froh.

„Holt ihn heraus!" rief er. „Zieht Daniel schnell aus der Grube!"
Rasch kamen Männer herbei mit einem dicken Seil. Das ließen sie in die Grube hinab und zogen Daniel nach oben. Da stand er wieder vor dem König, lebendig und gesund. Er war die ganze Nacht bei den wilden Löwen gewesen, aber sie hatten ihm nichts getan.
Welch ein großes Wunder war das! Und wie froh war der König, daß er Daniel zurückhatte.
Doch dann dachte er an die falschen Männer, die Daniel hatten töten wollen. Er schickte seine Soldaten aus, um sie zu holen, und dann ließ er sie auch in die Löwengrube werfen.
Jetzt war aber kein Engel da, der ihnen half. Sie wurden alle von den Löwen gefressen.
Daniel aber wurde wieder der vornehmste Diener des Königs, der allervornehmste im ganzen Land.
Und der König befahl, alle Menschen im Land sollten dem Gott Daniels dienen.

DAS VOLK ISRAEL KEHRT HEIM

Das Volk Israel mußte noch lange im fernen Land Babel bleiben. Dort mußte es arbeiten für einen fremden König. Und wie sehr sich die Menschen auch nach ihrer schönen Heimat sehnten, sie durften nicht hin. Sie saßen gefangen im Lande Babel.
Das war ihre Heimsuchung, weil sie Gott vergessen hatten.
Aber endlich, endlich war die schwere Heimsuchung vorüber. Da durften sie wieder zurück in das schöne Land Kanaan. Wie froh waren sie! Sofort machten sie sich in einem großen Zug auf den Weg, und nach einer langen Reise kamen sie wieder in ihre Heimat zurück.
Aber ihre Häuser waren niedergebrannt, und die Mauer um die Stadt Jerusalem war zerbrochen.
Auch der schöne Tempel Salomos war ausgebrannt und verwüstet. Nichts als ein Haufen Steine war davon übriggeblieben.
Doch das Volk Israel machte sich alsbald ans Werk. Es baute wieder neue Häuser und auch einen neuen Tempel und errichtete auch wieder eine hohe Mauer um die Stadt. Und als das alles fertig war, wohnten die Menschen wieder zufrieden und froh im eigenen Land. Aber jetzt wollten sie Gott nicht mehr vergessen. Nur ihn allein beteten sie an, und im Tempel brachten sie ihm Opfer dar.
Sie lasen auch in den Büchern Gottes.
Darin standen all die schönen Geschichten von Adam und Eva und von Abraham, von David und von den Propheten. Weißt du, was noch darin stand?
Daß einmal etwas sehr Schönes geschehen würde.

Weißt du, was das war?
Daß einst ein Kind geboren werden sollte, das die Menschen ganz glücklich machen würde. Dieses Kind sollte der Heiland sein. Auf ihn hatten die Menschen schon lange gewartet. Und er war noch immer nicht gekommen.
Aber er würde bestimmt kommen, denn Gott hatte es ja versprochen. Und was Gott versprochen hat, das hält er auch.

Es stand sehr viel über den Heiland in den Büchern Gottes. Sie waren voll davon.
Es hieß, er solle in Betlehem geboren werden, wo auch David geboren war. Und er solle später König werden, nicht nur über das Volk Israel, sondern über die ganze Welt.
Aber wann er kommen sollte, das stand nicht darin.
Und die Menschen warteten und warteten, aber der Heiland kam nicht.
Weißt du, wer jetzt kam?
Es kamen die Römer.
Das waren Feinde des Volkes Israel.
Sie kamen und spielten die Herren im Lande und unterdrückten seine Menschen.
Da hatten sie noch viel größere Sehnsucht nach dem Heiland.
Sie dachten: Ach, würde er doch jetzt geboren!
Und endlich – nach sehr langer Zeit – kam der Heiland.
Er wurde in Betlehem geboren, so wie es in den Büchern Gottes stand.
Und weißt du, wie er hieß?
Jesus.

DAS NEUE TESTAMENT

VON EINEM MANN, DER EINE FROHE BOTSCHAFT ERHIELT

Irgendwo in einem Häuschen in den Bergen wohnten ein alter Mann und eine alte Frau. Sie hießen *Zacharias* und *Elisabet.*
Zacharias war ein Priester. Er mußte den Menschen von Gott erzählen und auch für sie beten und Opfer darbringen.
Es waren zwei gute alte Menschen, die den Herrn liebhatten. Sie lebten still und zufrieden in ihrem Häuschen, nur manchmal hatten sie ein wenig Kummer, denn es war so einsam in ihren vier Wänden. Sie hätten so gern ein Kind gehabt, hatten aber nie eins bekommen. Früher, als sie noch jung waren, hatten sie oft um ein Kind gebetet, aber es sah so aus, als hörte der Herr nicht auf sie.
Jetzt waren sie schon sehr alt, darum glaubten sie nicht mehr, daß das Kind noch kommen werde. Sie rechneten nicht mehr damit.

Eines Tages unternahm Zacharias eine Reise. Er mußte nach Jerusalem. Das war eine große Stadt, die größte des Landes. Er zog sein schönes weißes Priestergewand an und machte sich auf den Weg. Es war eine lange Reise. Doch endlich kam Zacharias auf einen hohen Berg und konnte von dort aus die Stadt liegen sehen: viele schöne weiße Häuser mit grünen Bäumen dazwischen, darunter ein besonders großes Haus, viel größer als die anderen. Das war auch weiß, aber das Dach war von Gold. Das glänzte gar schön in der Sonne.
Das große Haus war der Tempel, das Haus Gottes. Dort kamen die Menschen aus dem ganzen Land zusammen, um Opfer darzubringen. Da mußte Zacharias auch hingehen.
Vor dem Tempel war ein großer Platz. Der hieß der Vorhof. Dorthin brachten die Menschen ihr Opfer. Sie kauften ein Schaf und gaben es den Priestern. Die schlachteten es und legten es aufs Feuer. Das war ein Brandopfer. Das Fleisch des Schafes verbrannte, und der Rauch stieg auf zum Himmel. Das bedeutete: Gott, wir haben dich lieb. Wir möchten dir so gern etwas schenken.
Und Gott verstand das gut.
Wer aber sollte jetzt in den schönen Tempel hineingehen? Denn dort mußte auch ein Opfer dargebracht werden. Das durfte nur einer der Priester tun. Und für jeden Priester war das ein großes Erlebnis.
So zogen sie das Los. Und wer gewann diesmal? – Zacharias!
Alle Menschen mußten draußen bleiben, er aber betrat ehrfürchtig das Haus Gottes.
Er kam in einen großen Raum mit Wänden aus Gold. Dort brannten zehn goldene Leuchter. Die Wände funkelten, und die Leuchter auch. Und es war sehr still, denn Zacharias war ganz allein.
Jetzt mußte er das Opfer darbringen. Im Tempel stand eine goldene Schale mit einem Kohlenfeuer.
Darauf streute Zacharias kleine Körner, Weihrauchkörner. Das roch herrlich. Das war ein Rauchopfer. Und während Zacharias dort allein mit dem Rauchopfer beschäftigt war, betete er leise für die Menschen, die draußen standen.

Doch plötzlich hielt er mitten im Gebet inne, denn er war nicht mehr allein. Es stand jemand bei ihm in einem weißen Kleid, ein Engel, ein Bote Gottes.
Zacharias sprang erschreckt zurück und zitterte am ganzen Leib.
Doch der Engel sprach: „Fürchte dich nicht, Zacharias, denn ich komme, um dir etwas Schönes zu sagen. Dein Gebet ist erhört worden. Deine Frau Elisabet wird einen Sohn bekommen, den sollst du *Johannes* nennen."
Anscheinend hatte Zacharias nichts davon verstanden, denn er sah gar nicht froh aus. Er stand da und schüttelte immerzu den Kopf, als glaube er es nicht.
War das Gebet um ein Kind jetzt doch noch erhört worden? Das Gebet, das Zacharias schon beinahe vergessen hatte? Das war doch nicht möglich! Nein, eine alte Frau wie Elisabet bekam keine Kinder mehr.
„Das Kind wird dich sehr froh machen", sprach der Engel. „Aber nicht nur dich, sondern auch noch viele andere Menschen. Denn es wird ein Diener Gottes sein, und wenn es groß ist, wird es allen Menschen verkünden, daß der Heiland bald kommen wird."
Der Engel hatte erwartet, daß Zacharias jetzt sehr froh sein würde. Aber Zacharias schüttelte immer noch den Kopf. Er konnte es einfach nicht glauben.
„Nein", sagte er, „das kann nicht sein. Ich bin alt, und meine Frau ist auch alt. Wie soll ich das glauben? Das müßte ja ein Wunder sein!"
Aber der Engel sprach: „Weißt du nicht, wer ich bin, Zacharias? Ich bin *Gabriel*, und ich wohne bei Gott im Himmel. Gott selbst hat mich gesandt, um es dir zu sagen. Glaubst du ihm denn nicht mehr? Dann werde ich dir zeigen, daß Gott sehr wohl noch ein Wunder tun kann. Und zugleich werde ich dich strafen, weil du meinen Worten nicht geglaubt hast. Siehe, du wirst stumm sein, du wirst nicht mehr sprechen können, bis alles genauso geschehen ist, wie ich es gesagt habe."
Dann war der Engel plötzlich fort.
Zacharias war wieder allein.
Und draußen vor dem Tempel, im Vorhof, standen die Menschen und warteten. Sie dachten: Warum bleibt der alte Priester nur so lange im Tempel?
Aber endlich sahen sie ihn kommen. Sie warteten, bis er sagen würde: „Der Herr segne euch." Das sagte jeder Priester, wenn er aus dem Tempel kam.
Aber Zacharias sagte nichts. Er konnte nicht mehr sprechen. Er war stumm geworden.
Die Menschen dachten: Was mag wohl mit ihm geschehen sein? Was wird er im Tempel gesehen haben?
Aber so sehr er sich auch mühte, er konnte es ihnen nicht sagen.
Als sein Dienst im Tempel getan war, ging Zacharias wieder nach Hause. Er beeilte sich, um schnell wieder bei seiner Frau zu sein, denn sie sollte es auch wissen, daß Gott ihr Gebet erhört hatte.
Ja, Zacharias glaubte es jetzt. Denn wenn er wieder sagen wollte: „Es kann nicht sein", dann konnte er es nicht mehr sagen. Dann wußte er wieder, daß Gott doch Wunder tun konnte.
Da wurde er sehr froh, da hätte er singen können vor Freude, aber singen konnte er auch nicht mehr.

Als er nach Hause kam, nahm er eine Tafel und schrieb alles auf, was geschehen war. So konnte Elisabet es lesen.
„Johannes soll sein Name sein!" Das stand auch auf der Tafel.
Johannes ... Weißt du, was das bedeutet? Gott erhört Gebete.
Kaum ein Jahr später ist dann das Wunder geschehen. Da bekamen Zacharias und Elisabet ein Kind, einen Jungen. Die Nachbarn und Freunde hörten davon und freuten sich alle. Und als das Kind acht Tage alt war, kamen sie zu Besuch. Denn jetzt war ein Fest, jetzt sollte das Kind einen Namen bekommen.
Sie dachten, es solle Zacharias heißen, genauso wie sein Vater.
Aber Elisabet sagte: „Nein, es soll Johannes heißen."
„Johannes?" fragten die Menschen. „Das kann doch nicht sein. Das ist ja solch ein seltsamer Name. Wir wollen einmal seinen Vater fragen, der wird es besser wissen."
So fragten sie Zacharias: „Wie soll das Kind heißen?"
Zacharias wollte es sagen, aber er konnte noch immer nicht sprechen. Er nahm seine Tafel und schrieb darauf: „Johannes ist sein Name."
Die Menschen aber schüttelten alle verwundert den Kopf, denn das konnten sie einfach nicht verstehen.
Doch plötzlich konnte Zacharias wieder sprechen, denn jetzt war alles geschehen, was der Engel gesagt hatte.
„Ja", rief er, „Johannes soll er heißen, denn Gott erhört Gebete!"
Dann begann er zu singen, so froh war er. Er sang ein schönes Lied, das er selber gemacht hatte, ein Lied zu Ehren Gottes.
Die Menschen dachten: Wie wunderlich ist doch das alles mit diesem Kind! Es ist bestimmt kein gewöhnliches Kind.
Und überall, wohin sie kamen, erzählten sie von Zacharias und Elisabet und dem kleinen Jungen, der Johannes hieß.

DER ENGEL KOMMT ZU MARIA

Weißt du noch vom alten Zacharias, der eine frohe Botschaft erhielt?
Die wurde ihm von einem Engel überbracht, als er im Tempel war. Er hieß Gabriel.
Jetzt mußte er wieder eine Nachricht auf die Erde bringen.
Doch jetzt ging er nicht in die große Stadt Jerusalem, jetzt ging er nach *Nazaret*, einer kleinen Stadt, ganz am Rande des Landes.
Dorthin, in ein kleines, armseliges Haus brachte der Engel die schönste Botschaft, die jemals auf Erden überbracht wurde.
In dem kleinen Haus wohnte ein Mädchen. Das hieß *Maria*.
Maria war noch verwandt mit David, der vor langer Zeit König gewesen war. Aber davon wußte kaum mehr ein Mensch in Nazaret.
In der Nähe von Maria wohnte ein Zimmermann. Der hieß *Josef*. Auch Josef war mit dem König David verwandt. Aber das wußte auch fast niemand mehr.
Josef war arm, genauso arm wie Maria. Er mußte schwer arbeiten, um sein tägliches Brot zu verdienen.
Josef und Maria liebten sich sehr, sie wollten bald heiraten. Sie würden aber

nicht in einem Palast wohnen, sondern in dem kleinen Zimmermannshaus des Josef. Es gab zwar einen Palast im Land. Der stand in Jerusalem, aber darin wohnte ein fremder König. Der hieß *Herodes* und war ein ganz schlechter Mensch. Fremde Soldaten spielten die Herren im Land. Das waren die Römer, die die Bewohner unterdrückten und quälten.

Es war eine aufregende Zeit. Die Menschen waren sehr unzufrieden.

Doch einst sollte wieder eine bessere Zeit kommen. Gott hatte es versprochen. Einst sollte ein Kind geboren werden, und wenn es groß sein würde, sollte es König werden und die Menschen wieder frei und zufrieden machen.

Aber wer sollte für das Kind sorgen, wenn es geboren wurde?

Wer sollte seine Mutter sein?

Eines Tages war Maria allein zu Hause. Da sprach eine Stimme: „Sei gegrüßt, Maria! Du bist die gesegnetste Frau auf Erden!"

Und als Maria aufsah, stand ein Engel vor ihr. Es war der Engel Gabriel. Er hatte ein weißes Kleid an, das glänzte sehr schön. Er sah sie ganz freundlich an, aber Maria erschrak doch ein wenig und dachte: Was hat er wohl gemeint? Die gesegnetste Frau auf Erden? Soll *ich* das sein?

Aber der Engel sprach: „Hab keine Angst, Maria. Ich bin gekommen, um dir eine frohe Botschaft zu bringen. Gott hat mich gesandt. Es soll nicht mehr lange dauern, dann wirst du einen Sohn bekommen, und den sollst du *Jesus* nennen. Wenn das Kind groß ist, wird es König werden, genauso wie David es war. Doch dein Sohn wird immer König bleiben."

Als Maria das hörte, wurde sie sehr froh. Denn jetzt verstand sie es: Das Kind würde der Heiland sein, der die Menschen froh und glücklich machen sollte. Und sie würde die Mutter des Kindes sein! Ja, dann stimmte es, dann war sie gewiß die gesegnetste Frau auf Erden.

Maria fragte: „Aber wer soll dann der Vater des Kindes sein? Denn ich bin ja noch nicht verheiratet?"

Da antwortete der Engel: „Der Vater wird Gott selbst sein. Darum wird es auch kein gewöhnliches Kind sein, es wird Gottes Sohn genannt werden."

Da beugte Maria voll Ehrfurcht den Kopf. Gott selbst wollte der Vater sein? O ja, dann wollte sie gern die Mutter sein.

Und sie sagte: „Ich bin die Magd des Herrn. Alles soll geschehen, wie du es sagst."

Dann ging der Engel wieder.

Er hatte sein Werk getan.

Er hatte in das kleine Haus die schönste Botschaft gebracht, die je auf Erden überbracht wurde.

DAS KIND IN DER KRIPPE

Zwei Menschen gingen eine Straße entlang, ein Mann und eine Frau.

Sie gingen nur langsam.

Sie waren schrecklich müde, denn sie hatten eine weite Reise hinter sich.

Es waren *Maria* und *Josef.*

Sie mußten nach *Betlehem.*

Das war die Stadt, in der König David früher gewohnt hatte. Dort mußten sie

ihre Namen aufschreiben lassen. Das hatte der Kaiser in Rom befohlen, und was der Kaiser befohlen hatte, das mußte getan werden, denn er beherrschte fast die ganze Welt.
Der Kaiser wollte wissen, wieviel Menschen im Land wohnten. Darum mußten alle Bewohner ihre Namen aufschreiben lassen, jeder in seiner eigenen Stadt. Und darum mußten Josef und Maria nach Betlehem, denn das war *ihre* Stadt. Dort hatten ihre Familien früher gewohnt.
Es war eine sehr weite Reise nach Betlehem. Sie konnten nicht mit dem Wagen oder der Bahn hinfahren, denn damals gab es noch keine Autos und keine Eisenbahn. Sie konnten auch nicht auf einem Esel reiten, denn sie waren sehr arm. Sie hatten kein Geld, um sich einen Esel zu kaufen.
So mußten sie den ganzen Weg zu Fuß laufen. Das dauerte sehr lange, und sie wurden sehr müde davon, vor allem Maria.
Aber endlich sahen sie doch die weißen Häuser Betlehems.
Inzwischen war es Abend geworden. Die Sonne ging schon unter. Josef sagte: „Komm nur, Maria! Nun sind wir bald da. Dann wollen wir uns schnell einen Platz suchen, wo wir heute nacht schlafen können."
Dann gingen sie zusammen weiter und kamen bald nach Betlehem. Aber jetzt war es schon fast dunkel.
Sie gingen zu einem großen Haus. Das war ein Gasthaus. Dort konnte man schlafen, wenn man auf Reisen war. Dort würde es auch ein Bett für Maria geben, in dem sie sich endlich ausruhen konnte.
Aber es waren noch viel mehr Menschen unterwegs, und die wollten auch alle dort schlafen. Das ganze Haus war voll. Josef und Maria fragten umher, aber es war kein Fleckchen mehr frei.
Es war überhaupt kein Platz mehr für sie in dem Gasthaus.

Was sollten sie jetzt tun?
Mußten sie draußen unter freiem Himmel schlafen?
Nein, zum Glück nicht.
Sie fanden schließlich doch noch etwas.
Sie fanden einen Stall und gingen hinein.
Die Schafe waren nicht da, die waren draußen auf dem Feld. Es lag wenigstens Stroh in dem Stall, und eine Krippe stand auch dort. Das war ein hölzerner Trog, ein Futtertrog, aus dem sonst die Schafe fraßen.
Da machte Josef ein Bett aus Stroh. Darauf konnte Maria gut schlafen. Dann dankten sie Gott dafür, daß sie doch noch eine Bleibe gefunden hatten.
„Schlaf gut, Maria."
„Schlaf gut, Josef."
Dann wurde es still.
Draußen war es ganz dunkel. Die Sterne leuchteten am hohen Himmel, es war Nacht in Betlehem.

Und in dieser stillen, dunklen Nacht, in dem ärmlichen Stall von Betlehem, ist dann etwas ganz Wunderbares geschehen, das Wunderbarste, was auf Erden geschehen konnte.
Dort hat Maria das Kind bekommen, von dem ihr der Engel vor langer Zeit erzählt hatte.
Es war ein ganz kleines Kind, genauso

klein und hilflos wie alle neugeborenen Kinder.
Es sah aus wie ein gewöhnliches Kind, aber es war ein heiliges Kind, es war der Sohn Gottes!
Wenn es groß sein würde, sollte es alle Menschen froh machen. Das hatte der Engel gesagt.
Maria freute sich so über ihr Kind. Sie nahm es in die Arme und küßte es zärtlich.
Josef war auch froh. Er streichelte das Kind mit seiner großen, rauhen Hand.
Maria hatte keine Kleider, aber sie hatte Tücher, und dahinein wickelte sie das Kind.
Sie hatte auch keine Wiege, aber Josef nahm die Krippe und machte darin ein Bettchen aus Stroh. Dann legte Maria ihr Kind in die Krippe.
„Es soll *Jesus* heißen", sagte Maria, „das hat der Engel gesagt."
Da lag nun der kleine König in einem Futtertrog für die Tiere.
Der Sohn Gottes war in einem Stall geboren, und niemand sonst wußte davon.

DIE HIRTEN VON BETLEHEM

Es war noch mitten in der Nacht.
Die Menschen von Betlehem schliefen.
Sie wußten noch nicht, daß Jesus geboren war.
Aber draußen auf dem Feld von Betlehem waren Hirten. Die schliefen nicht, die mußten die Schafe hüten.
Sie hatten ein Feuer angezündet und saßen still darum herum. Die Schafe lagen nahe bei ihnen und schliefen. Über ihren Köpfen schimmerten die Sterne, und der Wind rauschte leise im Gras.

Alles war ganz ruhig, doch plötzlich erschraken die Hirten sehr, denn es war so, als sei auf einmal die Sonne aufgegangen, so hell wurde es. Und in dem weißen Licht stand ein Engel. Der war vom Himmel gekommen.

Die Hirten bekamen große Angst.
Doch der Engel sprach: „Fürchtet euch nicht, denn ich habe euch etwas zu sagen, worüber ihr euch sehr freuen werdet! Heute ist euch der Heiland geboren, auf den ihr schon so lange gewartet habt. Es ist Christus, der Herr. In Betlehem ist es geschehen. Geht eiligst hin! Ihr könnt es nicht verfehlen, denn ihr werdet das Kind in Windeln gewickelt finden und in einer Krippe liegend."

Dann kamen plötzlich noch mehr Engel, wohl an die tausend. Die ganze Luft war voll von Engeln. Die sangen zusammen ein Lied, so schön, wie es die Hirten noch nie gehört hatten:

„Ehre sei Gott in der Höhe
und Friede auf Erden
bei den Menschen
seines Wohlgefallens."

So sangen die Engel, und dann schwebten sie singend wieder in den Himmel.
Danach wurde es wieder still auf dem Feld von Betlehem.
Aber die Hirten setzten sich nicht wieder ans Feuer.

Sie sagten zueinander: „Kommt schnell, wir wollen nach Betlehem gehen. Dann wollen wir sehen, was dort geschehen ist, wovon der Engel uns erzählt hat."
Da liefen sie schnell über das dunkle Feld. Sie ließen ihre Schafe allein. Für sie würde Gott schon sorgen.

Sie kamen nach Betlehem und fanden den Stall. Ganz leise gingen sie hinein. Da sahen sie Maria und Josef, zwei arme Menschen, wie sie selber auch waren. Und sie sahen ein Kind, wie sie es schon öfter gesehen hatten.
Aber sie wußten, daß es kein gewöhnliches Kind war, denn es lag in einer Krippe und war in Windeln gewickelt, genau so, wie es der Engel gesagt hatte. Sie konnten sich nicht irren: Dies war das Kind, das der Engel gemeint hatte. Dies war der Heiland, der die Menschen froh machen sollte.

Die Hirten knieten an der Krippe nieder und beteten das Kind an.
„Lieber Jesus", sagten sie, „lieber Heiland, wie herrlich, daß du gekommen bist. Wir können dir nichts geben. Wir sind nur arme Hirten, aber wir wollen immer an dich denken. Wir wollen dich liebhaben."
Dann erzählten sie Maria alles, was auf dem Feld geschehen war. Dann aber mußten sie wieder zurück zu den Schafen. Sie gingen über das dunkle Feld und sangen ein Lied miteinander:

„Ehre sei Gott in der Höhe
und Friede auf Erden
bei den Menschen
seines Wohlgefallens."

Sie konnten es nicht so schön wie die Engel, aber sie sangen es sehr andächtig und voll Freude.

DAS KIND IM TEMPEL

Josef und Maria blieben noch eine Zeitlang in Betlehem. Eines Tages machten sie zum erstenmal mit ihrem kleinen Sohn einen Ausflug.
Sie gingen nach *Jerusalem*, in die große Stadt, wo der schöne Tempel stand.

Der Tempel war das Haus Gottes. Dorthin wollten Josef und Maria gehen. Sie wollten Gott sagen, wie froh sie waren über das Kind. Und sie wollten ihn auch darum bitten, daß *er* es segne und für das Kind sorge.

Das war damals Brauch, wenn ein Vater und eine Mutter einen Sohn bekommen hatten. Sie brachten dann auch ein Opfer dar. Wenn sie reich waren, ein Lamm, und wenn sie arm waren, ein paar Tauben.
Maria trug Jesus durch die Straßen. Da gingen viele Menschen, aber niemand sah sich nach dem Kind um, und niemand grüßte es.
Denn sie wußten ja nicht, daß dies der Heiland war, auf den sie schon so lange warteten.

Im Tempel waren auch viele Menschen, aber auch hier beachtete niemand das Kind.
Josef brachte Gott ein Opfer. Da er arm war, konnte er kein Lamm kaufen. So kaufte er zwei Tauben und gab sie dem Priester. Und der Priester hielt seine Hände über das Kind und sagte: „Der Herr segne dich." Aber der Priester wußte nicht, wer das Kind war, das er segnete.

Da kam ein alter Mann in den Tempel und ging geradewegs auf Maria zu. Er war so froh, als er das Kind sah. Die Tränen rollten ihm über die Backen, so froh war er. Er hieß *Simeon*, und er wußte, wer das Kind war. Gott hatte es ihm gesagt.

Simeon hatte sich so sehr nach dem Heiland gesehnt. Er war oft so traurig gewesen, weil es so lange dauerte, bis er kam. Aber dann hatte Gott zu ihm gesagt: „Sei nicht traurig, Simeon. Bevor du stirbst, wirst du den Heiland gesehen haben."

Und jetzt war das Kind gekommen, auf das Simeon so lange gewartet hatte. Wie glücklich war er! Er nahm das kleine Kind in die Arme und sagte: „Jetzt will ich gern sterben, Herr, denn jetzt bin ich beruhigt. Meine Augen haben den Heiland gesehen."

Und vor Freude sang er ein Lied.

Dann kam auch eine alte Frau angehumpelt. Sie hieß *Hanna* und war bereits vierundachtzig Jahre alt. Auch die alte Hanna wußte, wer das Kind war. Sie stellte sich zu ihm und rief: „Das ist der Heiland. Ist er also doch gekommen? Oh, wie ich mich freue!"

Dann humpelte sie die Straße hinauf und erzählte überall, sie habe den Heiland gesehen.

Josef und Maria aber gingen tief bewegt mit dem Kind wieder nach Betlehem zurück.

DIE WEISEN AUS DEM MORGENLAND

Weißt du auch, wo morgens die Sonne aufgeht?
Ja, dort drüben, ganz weit fort, im Osten. Und dort im Osten wohnten damals ein paar alte weise Männer.
Sie hatten viele dicke Bücher gelesen und waren weiser und klüger als alle andern Menschen.
Aber am liebsten sahen sie sich nachts die Sterne an. Sie sagten: „Die Sterne sind so schön. Die hat Gott gemacht, und er läßt sie jede Nacht leuchten. Gott ist weiser als alle Menschen."

Eines Nachts saßen sie wieder beisammen und sahen sich die Sterne an. Und da entdeckten sie plötzlich einen neuen Stern, den sie noch nie zuvor gesehen hatten. Was für ein schöner, großer Stern war das! Und wie prächtig er strahlte! Er sah aus, als sei er der König über alle anderen Sterne.
Die weisen Männer saßen da und schauten voll Freude.
„Ein neuer Stern", sagten sie. „Wißt ihr, was das bedeutet? Das bedeutet, daß irgendwo ein Kind geboren ist. Aber ein solch schöner Stern, das bedeutet auch, daß es ein ganz reiches und vornehmes Kind ist, ein Königskind!"
Sie sahen lange nach dem schönen Stern und sprachen noch lange über das Königskind. Sie dachten an nichts anderes mehr.

Schließlich sagte einer von ihnen: „Wißt ihr, was wir tun? Wir wollen den kleinen König suchen. Und wenn wir ihn finden, wollen wir vor ihm niederknien. Denn so reich und mächtig, wie *er* später einmal werden wird, ist sicher noch nie ein König auf Erden gewesen."
Das taten sie dann auch. Sie machten sich auf den Weg, um das Königskind zu suchen. Zuerst ließen sie ihre Kamele aus dem Stall holen. Das sind große Tiere, noch größer als Pferde. Auf denen kann man gut reiten. Dann nahmen sie Geschenke mit für den jungen König, ganz schöne, kostbare Geschenke. Ein Kästchen voll Gold war auch darunter.
Dann stiegen sie auf ihre Kamele und ritten fort in die weite Welt hinein. Sie ritten in die Richtung, in der sie damals den schönen Stern gesehen hatten. Denn dort irgendwo mußte der kleine König zur Welt gekommen sein.
Es war eine lange Reise.
Sie kamen durch große Wälder und an hohen Bergen vorbei.
Sie kamen durch fremde Länder, in denen sie noch nie zuvor gewesen waren. Immer weiter ritten sie, immer noch weiter, bis sie schließlich nach *Judäa* kamen. In diesem Land mußte der junge König leben.
Aber wie sollten sie ihn finden?
Die Weisen ritten durch Judäa und kamen nach Jerusalem, in die größte Stadt des Landes.
Sie fragten die Menschen: „Wo ist der König der Juden, der vor kurzem geboren wurde? Denn wir haben seinen Stern im Osten gesehen und sind gekommen, um vor ihm niederzuknien."
Doch die Menschen wußten es nicht.
Die Weisen gingen durch die ganze Stadt und kamen auch zum Palast. Ob dort

vielleicht der junge König sein würde?
Nein, ein junger König war da nicht, wohl aber ein alter König. Der hieß *Herodes*, und der war ein gefährlicher Mann.
König Herodes hörte auch, was die Weisen fragten, und erschrak darüber.
Den König der Juden suchten sie?
Das bin *ich,* dachte Herodes, und ich will es auch bleiben. Aber mich suchen sie natürlich nicht. Sollte vielleicht noch ein König da sein? Ein junger König, der eben erst geboren ist? Das darf nicht sein. Ich will allein König sein.
Oder sollte gar der Heiland geboren sein, auf den die Menschen schon so lange warten? dachte Herodes. Dann müßte ich unbedingt wissen, wo ich das Kind finden kann. Dann müßte ich es töten. Das Kind darf nicht König werden. *Ich* will König bleiben.
Da ließ König Herodes die Schriftgelehrten kommen. Das waren Männer, die alles aus der Bibel wußten. Er fragte sie: „Wißt ihr, wo der Heiland geboren werden soll?"
O ja, das wußten sie.
Sie antworteten: „In Betlehem, König. So steht es in der Bibel."
„Gut", sagte der König, „vielen Dank, ich werde es mir merken."

Dann ließ der König die Weisen heimlich zu sich rufen.
Er tat ganz freundlich und fragte: „Wann habt ihr den schönen Stern gesehen?"
„O König, schon vor einiger Zeit", erwiderten sie, „als wir noch in unserem fernen Land waren. Und jetzt suchen wir schon so lange nach dem jungen König, aber wir können ihn nicht finden."
„Dann werde ich euch helfen", sagte der König. „Vielleicht ist er in Betlehem. Geht nur schnell dorthin und sucht gut. Und wenn ihr ihn gefunden habt, müßt ihr zu mir kommen und mir davon erzählen. Dann will ich auch hingehen und vor ihm niederknien."
So ein Lügner!
„Dann will ich auch vor ihm niederknien", sagte er.
In Wirklichkeit aber wollte er das Kind töten.
Die Weisen wußten nicht, daß der König so schlecht war. Sie machten sich sofort auf den Weg nach Betlehem.
Es war Abend geworden. Die Sonne war schon untergegangen, und die Sterne begannen zu leuchten. Die Weisen ritten noch weiter.
Und auf einmal, da sahen sie den Stern! Wie sehr sie sich freuten! Der gleiche schöne, große Stern, den sie auch im Osten gesehen hatten, stand vor ihnen am Himmel und zeigte ihnen den Weg nach Betlehem.
Sie ritten dem Stern nach, und als er stehenblieb, stiegen sie ab.
Sie standen vor einem Stall. Der Stern stand über dem Dach des Stalls. Da gingen die Weisen hinein.
Weißt du noch, wer in dem Stall wohnte? Das Jesuskind mit Maria und Josef. Es sah aus wie ein gewöhnliches kleines Kind, aber die Weisen wußten genau, daß es kein gewöhnliches Kind war. Es war der junge König, den sie so lange gesucht hatten, der einmal der reichste und mächtigste König der ganzen Welt werden sollte. Da knieten sie ehrfürchtig vor ihm nieder.

„O König Jesus", sagten sie, „wie froh sind wir, daß wir dich gefunden haben." Dann holten sie ihre Geschenke hervor und legten sie vor ihm nieder: ein Kästchen mit Gold, einen Krug mit Weihrauch und eine Dose mit Myrrhe. Das waren sehr schöne, kostbare Dinge. Die Weisen schliefen die Nacht in Betlehem und hatten alle denselben Traum.

Sie hörten eine Stimme, die sprach zu ihnen: „Hört genau zu! Ihr sollt nicht mehr zurückgehen zum König Herodes. Der will das Kind gar nicht anbeten, der will ihm etwas antun."

Es war die Stimme Gottes, die so sprach,

und die Weisen hörten auf die Stimme. Sie gingen nicht zum König zurück, sondern ließen ihn einfach warten. Auf einem andern Weg kehrten sie dann wieder in ihr Land zurück.

KÖNIG HERODES

Es war mitten in der Nacht.
Alle Menschen schliefen.
Nur König Herodes in seinem Palast war voller Unruhe und konnte nicht schlafen.
Er mußte immer an die Weisen denken. Wo blieben die Männer nur! Er hatte jetzt schon so lange auf sie gewartet, aber sie waren immer noch nicht gekommen.
Er mußte auch immerzu an das Kind denken, an den jungen König, der in Betlehem geboren sein sollte. Es ließ ihm keine Ruhe, er wollte das Kind finden und dafür sorgen, daß es nie König werden würde.
Er konnte es nicht abwarten, dem Kind ein Leid anzutun.

Doch das Jesuskind war noch in Betlehem.
Es lag ruhig in Marias Armen und schlief. Josef, Marias Mann, schlief auch.
Da hatte er einen Traum.
Er sah einen schönen, strahlenden Engel. Der schaute ihn an und sprach: „Josef, steh auf, nimm das Kind und seine Mutter und geh schnell von hier fort. Geh nach Ägypten und bleib dort, bis ich dir etwas andres sage. Denn Herodes setzt alles daran, das Kind zu töten."
Da wachte Josef auf. Er war über den seltsamen Traum erschrocken. Er weckte Maria und erzählte ihr, was der Engel gesagt hatte. Es war eine Nachricht von Gott, das war ihnen klar.
Und noch in derselben Nacht flohen sie eilig davon in die dunkle Welt.
Es war eine lange Reise nach Ägypten. Aber Maria brauchte jetzt nicht mehr zu Fuß zu gehen. Sie saß auf einem Esel, das Jesuskind in den Armen. Und Josef lief nebenher und hielt den Esel an einem Strick.
So kamen sie nach Ägypten.
Dort waren sie sicher.
Dort konnte der König Herodes dem Kind kein Leid antun.
Doch der König Herodes wußte nichts davon.
Er dachte, das Kind sei immer noch in Betlehem.
So wartete er immer noch darauf, daß die Weisen zurückkehren würden.
Aber er wartete umsonst. Niemand kam! Da ging ihm die Geduld aus. Er rief einen Boten herbei und sagte: „Lauf schnell nach Betlehem und sieh nach, wo die Weisen bleiben."
Das tat der Bote.
Und er war schon bald wieder zurück.
Er sagte: „O König, die Weisen sind nicht mehr da. Sie sind schon längst in ihr Land zurückgekehrt. Sie sind heimlich auf einem andern Weg zurückgegangen und nicht wieder durch Jerusalem gekommen."
Da wurde Herodes sehr zornig.
„Sie haben mich natürlich betrogen!" rief er. „Sie haben den jungen König gefunden und wollten es mir nicht sagen. Aber ich werde ihn trotzdem finden, ganz sicher!"

Und jetzt tat Herodes etwas ganz Schreckliches.
Er rief seine Soldaten herbei und befahl: „Geht sofort nach Betlehem und ergreift alle Jungen, die noch nicht zwei Jahre alt sind, und bringt sie um."
Die Soldaten zögerten keinen Augenblick, den furchtbaren Befehl ihres Königs auszuführen.
Herodes saß derweil in seinem Palast und glaubte, das Kind sei tot. Er sagte: „Ich habe gewonnen! Jetzt ist der kleine König nicht mehr da. Jetzt bin ich wieder allein König und kann es immer bleiben."
Aber das Jesuskind war nicht tot. Es lebte im fernen Land Ägypten bei Maria und Josef. Dort sollte es bleiben, bis Josef vom Engel wieder zurückgerufen wurde.
„Ich habe gewonnen!" sagte Herodes. „Ich kann immer König bleiben!"
Aber er war nur noch eine ganz kurze Zeit König.
Dann wurde er krank, und es gab niemand, der ihm helfen konnte.
Bald darauf ist er gestorben.

Nach dem Tode des Herodes kam der Engel zu Josef nach Ägypten und sprach: „Geh nun mit dem Kind wieder zurück, denn Herodes ist tot!"
Da machten Josef und Maria sich wieder auf die lange Reise und kehrten zurück in ihr Land. Doch sie wohnten nicht mehr in Betlehem, sondern in Josefs kleinem Haus in *Nazaret.*
Josef arbeitete wieder als Zimmermann. Er mußte Geld für das Essen und Trinken und die Kleidung der Familie verdienen. Maria machte die Hausarbeit und sorgte für das Kind.

ALS JESUS NOCH EIN KIND WAR

Als Jesus noch ein Kind war, wohnte er im Hause Josefs, des Zimmermanns, in der kleinen Stadt Nazaret.
Josef arbeitete für ihn, und Maria kochte das Essen für ihn. Und er wuchs heran und wurde ein großer Junge.
Alle Menschen hatten ihn gern, auch die Kinder.
Er sah so aus wie jeder andere, wie alle Jungen in Nazaret. Aber er war doch anders.
Er tat nie etwas Böses, er war ein heiliges Kind, der Sohn Gottes. Gott im Himmel war sein Vater.
Doch das wußten die Menschen nicht, sie dachten, Josef sei sein Vater.
Jedes Jahr machten Josef und Maria eine Reise. Dann gingen sie nach Jerusalem, wo der schöne Tempel stand. Dort wurde dann ein Fest gefeiert, das *Paschafest.* Alle Menschen im Land Israel gingen dorthin.
Aber als Jesus zwölf Jahre alt war, durfte er zum erstenmal mit nach Jerusalem.
Es war eine schöne Reise. Es ging bergauf und bergab, und es waren sehr viele Menschen unterwegs zum Paschafest. Und alle Menschen sangen, ein Lied nach dem andern. Singend zogen sie ihres Wegs.
So kamen sie auf einen hohen Berg und sahen von dort oben auf die weißen Häuser Jerusalems. Wie froh waren sie da! Sie sahen auch den schönen Tempel. Der war auch weiß, aber sein Dach war aus Gold. Es war das schönste Haus in der ganzen Stadt. Es war ja auch das Haus Gottes!
Sie gingen in den schönen Tempel, denn dort wurde das Fest gefeiert. Sie brachten ein Opfer dar und beteten.
Jesus betete auch. Er sprach mit seinem Vater im Himmel.
Er fand es herrlich im Tempel und dachte: Hierhin gehöre ich eigentlich, in das Haus meines Vaters. Hier möchte ich immer wohnen.
Er hoffte, das Fest werde recht lange dauern.

Das Fest dauerte sieben Tage, dann war es zu Ende. Jetzt gingen die Menschen wieder nach Hause.
Josef und Maria kehrten auch wieder zurück. Sie sahen ihren Jungen nicht in der Menge, aber sie waren deswegen nicht beunruhigt. Sie dachten: Er ist so gehorsam und verständig, er macht nie dumme Streiche. Sicher ist er schon mit den andern Kindern vorausgegangen. Wir werden ihn unterwegs schon sehen.
So paßten sie gut auf, ob sie ihn irgendwo trafen. Aber sie sahen ihn nirgends.
Da fragten sie die andern Menschen: „Habt ihr unseren Jungen nicht gesehen?” Aber niemand wußte, wo er war.
Es wurde bereits Abend, und sie hatten ihn immer noch nicht gefunden. Da wurden Josef und Maria sehr unruhig. Sie trauten sich nicht, weiter nach Hause zu gehen, sondern sie gingen zurück und dachten: Dann muß er noch in Jerusalem sein.
Sie liefen durch die Straßen und suchten überall, aber sie sahen ihn nirgends.
Maria fragte die Leute: „Habt ihr meinen Jungen nicht gesehen? Ich habe ihn verloren.”

Aber die Leute schüttelten alle den Kopf. Sie kannten Jesus nicht.
Maria lief weinend umher. Sie hatte solche Angst. Wo war ihr Junge nur hingegangen?
Warum war er nicht bei ihr geblieben? Er war doch sonst immer so gehorsam!
So suchten sie weiter. Drei Tage lang suchten sie schon nach Jesus und hatten ihn noch immer nicht gefunden.
Am dritten Tag aber kamen sie wieder in den Tempel. Da war es jetzt still. Die Menschen waren fast alle fort, nur die Priester waren noch da und andere weise Männer, die den Menschen von Gott erzählten.
Doch als Maria umherschaute, entdeckte sie plötzlich ihren Sohn. Da saß Jesus ganz ruhig zwischen all den großen, weisen Männern und hörte zu, was sie sagten, und stellte ihnen allerlei Fragen. Und sie waren alle verwundert, denn sie hatten noch nie einen Jungen gesehen, der so verständig war und solch gute Antworten geben konnte.
Maria eilte auf ihn zu.
„Mein Kind", rief sie, „warum bist du hiergeblieben? Dein Vater und ich waren

voller Sorge und Unruhe, wir haben dich überall gesucht."

„Dein Vater und ich", sagte Maria.

War Josef denn sein Vater?

Jesus antwortete: „Warum habt ihr nach mir gesucht? Wißt ihr denn nicht, daß ich im Haus meines Vaters sein muß?"

Da wußte Maria, daß Jesus nicht ungehorsam gewesen war.

Sie hatte sich so geängstigt, aber das war nicht Jesu Schuld, das war ihre eigene Schuld.

Sie hatte vergessen, daß Gott sein Vater war.

Dann gingen sie nach Hause zurück, und Jesus ging gehorsam mit.

So kamen sie wieder nach Nazaret.

Dort wohnte Jesus bei Josef und Maria, bis er groß war.

Jedes Jahr zog er mit nach Jerusalem zum Paschafest.

Doch Maria war seinetwegen nie mehr beunruhigt.

JOHANNES DER TÄUFER

Weißt du noch, wer Johannes war?

Erinnerst du dich noch an den alten Priester, der eine wunderbare Botschaft von Gott bekam?

Er war im Tempel, und da kam ein Engel. Der erzählte ihm, daß er und seine alte Frau noch ein Kind bekommen würden.

Und das ist dann auch geschehen.

Der alte Mann hieß Zacharias.

Seine Frau hieß Elisabet.

Und das Kind hieß Johannes.

Weißt du auch noch, was Johannes später tun sollte? Er sollte den Menschen erzählen, daß der Heiland bald kommen werde. Er sollte ein Bote des Heilands sein.

Als Johannes ein großer Junge geworden war, sagte ihm sein Vater das alles.

Johannes wollte gern ein Bote des Heilands sein und das Werk für ihn tun.

Aber *wie*?

Und wann und wo sollte er damit anfangen?

Das wollte Johannes gern wissen, aber das konnte ihm sein Vater nicht sagen.

Das wußte nur Gott.

Darum ging Johannes, als er ein großer Mann geworden war, aus seinem Elternhaus fort.

Er ging in die Wüste. Dort wohnten keine Menschen, dort gab es nur Berge und Steine und Sand.

Aber Gott war auch in der Wüste. Gott ist überall. Johannes war dort mit Gott allein und hörte auf jedes Wort, das Gott ihm sagte.

Ein Haus gab es dort nicht für Johannes. Er wohnte in einer Höhle. Auch Brot konnte man dort nicht kaufen. Wenn Johannes Hunger hatte, suchte er Heuschrecken, kleine Tiere, die man essen konnte. Manchmal fand er auch Honig im Nest der wilden Bienen. Den Honig konnte man ebenfalls essen, der schmeckte wunderbar süß.

Heuschrecken und Honig, mehr hatte Johannes nicht nötig. Und schöne Kleider brauchte er auch nicht. Ein langer grauer Mantel war alles, was er hatte. Den band er mit einem Lederriemen fest um die Hüfte.

Johannes wohnte lange in der stillen

Wüste. Dort erzählte Gott ihm alles, was er für sein Werk wissen mußte.
Er sagte Johannes, der Heiland solle König sein, kein gewöhnlicher König, sondern ein himmlischer König.
Kein kämpferischer König, der Krieg brachte, sondern ein Friedenskönig, dessen Königreich „Himmelreich" genannt werden sollte.
Wer sollte zu diesem Königreich gehören? Jeder, der den Heiland liebhaben wollte. Aber der mußte dann auch nach dem Willen Gottes leben. Der mußte sich bekehren und ein anderer, ein neuer Mensch werden, der Gott mit dem Herzen liebte.
Und schließlich sprach Gott: „Jetzt ist es Zeit, Johannes, jetzt mußt du zu den Menschen gehen und ihnen sagen, daß das Königreich der Himmel nahe herbeigekommen ist."
Da ging Johannes zum *Jordan.* Das war ein großer Fluß, an dem alle Menschen vorbeigehen mußten, die nach Jerusalem wollten.
Dort stand Johannes mit bloßem Kopf und im langen Mantel und rief: „Bekehrt euch, denn das Königreich der Himmel ist nahe herbeigekommen!"
Die Menschen blieben stehen, um ihm zuzuhören. Von allen Seiten kamen sie herbeigeeilt.
„Bekehrt euch!" rief Johannes. „Denn der Heiland kommt. Es wird nicht mehr lange dauern."
Da wurden die Menschen froh, denn sie hatten so lange auf den Heiland gewartet. Aber zugleich erschraken sie auch, denn sie dachten daran, daß sie soviel Schlechtes getan hatten.
Sie kamen zu Johannes und sagten: „O Johannes, wir haben eigentlich Angst vor dem Heiland. Denn wir sind Menschen mit vielen Fehlern und unreinen Herzens."
Johannes fragte: „Bereut ihr eure Lieblosigkeit und wollt ihr andere, neue Menschen werden, die Gott liebhaben?"
Ja, das wollten sie schon.
„Dann wird er euch auch nicht zürnen", sagte Johannes. „Dann wird er euch eure Lieblosigkeit vergeben und eure finsteren Herzen wieder hell machen."

Und dann tat Johannes etwas, um den Menschen zu zeigen, daß Gott ihnen ein reines Herz geben wollte.
Er nahm sie mit ins Wasser und taufte sie. Er tauchte sie kurz unter.
Das bedeutete: So wie das Wasser euren Körper reinigt, so will Gott euer Herz rein machen und alle Lieblosigkeit wegwaschen.
Das verstanden die Menschen gut. Sie wollten alle getauft werden und ein reines Herz haben. Sie hatten Johannes gern.
Doch wenn Menschen kamen, die ihr bisheriges Leben nicht ernsthaft bereuten, dann taufte er sie nicht. Dann wurde er zornig und sagte ihnen tüchtig die Wahrheit.
„Geht fort", rief er dann, „ihr falschen Menschen! Ihr tut so, als wolltet auch ihr Gott liebhaben, aber ihr meint es gar nicht so. Ihr tut, als wäre euer Herz rein, aber es ist schwarz vor Lieblosigkeit."
Da mochten die Menschen Johannes noch viel mehr, weil er so mutig war.
Sie sagten: „Vielleicht ist er selber der Heiland."

Doch als Johannes das hörte, erschrak er sehr darüber.
Er rief: „Nein, ich bin nicht der Heiland! Ich bin nur sein Bote. Der Heiland ist viel mehr als ich, und er wird nun sehr bald kommen."
Kurz darauf geschah es dann, da kam der Heiland selbst.
Er kam zu Johannes, als dieser am Jordan stand, und als Johannes ihn sah, wurde er sehr froh.
Da kam Jesus auf ihn zu. Johannes war sich ganz sicher, daß er der Heiland war, aber was Jesus dann sagte, verstand er nicht.
Er sagte, er wolle auch getauft werden, geradeso wie die andern Menschen.
Aber das war doch nicht nötig! Jesus hatte doch ein reines Herz, er hatte ja nie etwas Schlechtes getan!
Johannes schüttelte den Kopf, er wollte es nicht tun.
Aber Jesus sagte, es müsse geschehen. „Und Gott will es auch", sprach er. „Du mußt es tun, Johannes."
Da gingen sie zusammen ins Wasser, und dort wurde Jesus getauft, genauso wie die andern Menschen mit ihren unreinen Herzen.
Und als Jesus wieder aus dem Wasser kam, geschah etwas Wunderbares.
Der Himmel öffnete sich, und eine Stimme sprach: „Dies ist mein Sohn, den ich liebhabe." Und dann schwebte etwas auf den Kopf Jesu hernieder. Es sah aus wie eine weiße Taube, aber es war der heilige Geist.
Da wußte Johannes es ganz sicher: Jesus ist der Heiland, der gekommen war, um die Menschen neu und froh zu machen.

Als Jesus wieder fortgegangen war, rief Johannes den Menschen zu: „Bekehrt euch, denn das Königreich der Himmel ist gekommen!" Und er dachte: Jetzt ist mein Werk bald getan, jetzt sollen die Menschen nicht mehr auf mich hören, sondern zu Jesus gehen. Mich müssen sie vergessen, denn ich bin nur ein Bote, Jesus aber ist der König. Ihn dürfen sie nie mehr vergessen.

DIE ERSTEN JÜNGER

Hast du schon einmal das Meer gesehen? Das ist eine gewaltige Wasserfläche, so groß, daß du nicht darüber hinwegsehen kannst. Erst wenn du mit einem Schiff darüber fährst, kannst du erkennen, wie groß es ist.
Die Wellen rauschen und rollen eilends oder bedächtig über den Strand. Es ist schön, am Ufer des Meeres zu sein.

Eines Tages ging auch Jesus am Meer entlang.
Da sah er ein kleines Schiff, das nahe am Ufer fuhr. Es waren zwei Männer darin, zwei Brüder, die sich *Petrus* und *Andreas* nannten. Sie waren Fischer.
Sie hatten ein großes Netz und warfen es ins Wasser. Das war ein Fischernetz, mit dem sie Fische fangen wollten. Das ist eine schwierige, aber schöne Arbeit.
Jesus blieb stehen und schaute den Fischern zu, und die Fischer sahen zu ihm hin. Sie wurden sehr froh, als sie ihn sahen, denn sie kannten Jesus.
Jesus sprach: „Kommt mit mir, dann werde ich euch noch etwas viel Schöneres beibringen. Ich werde euch zeigen, wie man die Menschen froh und zufrieden macht. Kommt nur, ihr sollt meine Freunde werden, meine Jünger, und ihr dürft immer bei mir bleiben."
Die beiden Männer sagten: „Gern, Herr, wir kommen schon."
Sie ließen ihr Schiff und ihre Netze am Meeresufer zurück.
Ein Stückchen weiter lag wieder ein Boot. Es lag fest am Ufer, und eine Schar Männer saß darin, die damit beschäftigt waren, die Netze zu flicken. Denn die rissen häufig beim Fischen.
Ein alter Mann war dabei, dem gehörte das Boot, und zwei junge Männer, seine Söhne. Der eine hieß *Jakobus* und der andere *Johannes.*
Das war nicht Johannes der Täufer, sondern ein anderer Johannes.
Und dann waren auch noch ein paar Arbeiter im Schiff, die auch beim Flicken der Netze halfen.
Aber dann kam Jesus vorbei, rief Jakobus und Johannes an und sprach: „Kommt, ihr sollt auch meine Jünger werden."
Auch sie gingen sofort mit. Ihr Vater und die Arbeiter konnten mit den Netzen schon allein weitermachen.
Jetzt hatte Jesus bereits vier Jünger.
Einige Zeit später hat er dann noch mehr Männer zu sich gerufen, die seine Jünger werden sollten. Schließlich hatte er zwölf, zwölf Freunde, die immer bei ihm bleiben und das schöne Werk lernen wollten, wie man die Menschen froh und zufrieden macht.
Sie zogen mit Jesus durch das ganze Land und liebten ihn sehr.
Sie wollten gern seine Freunde sein.

JESUS AUF DER HOCHZEIT

Ein junger Mann und eine junge Frau wollten heiraten. Sie waren Braut und Bräutigam. So nennt man zwei Menschen, die heiraten wollen: Braut und Bräutigam.

Die beiden waren sehr froh, und sie wollten auch andere Menschen froh machen. Darum bereiteten sie ein Fest, ein Hochzeitsfest. Sie fragten alle ihre Verwandten, Freunde und Bekannten: „Kommt ihr auch zu unserm Fest?"
Ja, sie kamen alle, und auch Jesus kam mit einigen seiner Jünger. Er war auch eingeladen worden.
Maria, die Mutter Jesu, war auch da.

Die Gäste ließen es sich schmecken und tranken herrlichen Wein. Den schenkten die Diener aus. Man konnte essen und trinken, soviel man wollte, und es wurde Musik gemacht und gesungen. Alle waren munter und fröhlich.
Aber mitten in dem schönen Fest geschah etwas Peinliches.
Das merkten aber die Gäste nicht, das merkten nur die Diener und der Bräutigam.
Weißt du, was passiert war?
Der Wein war ausgegangen. Es gab nichts mehr zu trinken. Was würden die Gäste wohl dazu sagen?
Der Bräutigam saß verlegen da und machte ein verdrießliches Gesicht, aber niemand wußte, warum.

Nur Maria hatte mitbekommen, was los war. Sie wollte gern helfen, aber sie konnte es nicht.
Da ging sie zu Jesus und sagte leise: „Sie haben keinen Wein mehr. Hilf ihnen doch, den armen Menschen!"
Jesus antwortete: „Jetzt noch nicht."
Er wollte schon helfen, aber erst dann, wenn er den rechten Augenblick für gekommen hielt.
Maria ging zu den Dienern und sagte: „Was Jesus euch sagen wird, das tut sofort."
„Es ist gut", erwiderten die Diener.
Nach einer Weile ging Jesus zu den Dienern, bei denen sechs große Krüge aus Stein standen, Wasserkrüge, denn man brauchte viel Wasser bei dem Fest, um alle Schüsseln und Becher zu waschen.
Jesus sprach zu den Dienern: „Füllt die Krüge mit Wasser!"
Das taten die Diener. Sie dachten daran, was Maria gesagt hatte. Sie machten die Krüge bis zum Rand voll.

Jesus sprach: „Schöpft etwas daraus und bringt es dem Speisemeister!" Das taten die Diener auch. Sie brachten einen Becher voll Wasser zum Speisemeister, dem obersten Diener, der dafür sorgen mußte, daß bei dem Fest alles klappte. Der nahm den Becher und probierte den Inhalt.
„Ah", rief er, „wie schmeckt das köstlich! Das ist aber einmal ein guter Wein!"
Dann rief er den Bräutigam und sagte: „Welch herrlichen Wein wir jetzt haben! Der ist noch besser als der Wein, den wir zuerst getrunken haben. Du hast den besten Wein für zuletzt aufgehoben."
Aber der Bräutigam hatte keinen Wein aufgehoben. Er begriff nicht, woher der herrliche Wein kam.
Die Diener begriffen es aber. Wasser hatten sie in die Krüge geschüttet, und Wein hatten sie herausgeschöpft. Jesus hatte das Wasser in Wein verwandelt.
Da wurde das Fest noch schöner und fröhlicher als vorher. Die Menschen tranken von dem herrlichen Wein und schauten auf Jesus. Sie dachten: Kann er solch große Wunder tun? Wer ist er nur? Ist er denn kein gewöhnlicher Mensch?
Die Jünger aber wußten es jetzt ganz sicher, daß Jesus der Heiland war.
Sie glaubten an ihn.

DER WUNDERBARE FISCHFANG

Jesus zog mit seinen Jüngern durch das Land. Wo bedrückte Menschen waren, ging er hin und machte sie wieder froh.
Manchmal sah er Menschen, die verzweifelt waren, weil sie nicht mehr gehen konnten. Sie hatten kranke Füße. Dann nahm Jesus sie an der Hand und stellte sie wieder auf die Füße. Da wurden sie auf einmal gesund und konnten wieder gehen und springen. Wie froh waren sie darüber!
Manchmal kam einer, der unglücklich war, weil er nicht sehen konnte. Er hatte kranke Augen, er war blind und mußte immer im Finstern leben. Da strich Jesus mit der Hand über die kranken Augen, und auf einmal waren sie wieder gesund. Der Mann konnte wieder sehen und freute sich seines Lebens.

Aber die meisten Menschen waren darüber bekümmert, daß sie ein unreines Herz hatten und Gott sie dafür strafen würde. Jesus sagte ihnen, daß Gott sie dennoch liebhabe, wenn sie nur ihre schlechten Taten bereuten. Das war eine frohe Botschaft für die Menschen. Wer sie hörte, brauchte nicht mehr verzweifelt zu sein.
Jesus sprach: „Kommet her zu mir alle, die ihr mühselig und beladen seid, ich will euch erquicken."
Da kamen immer mehr Menschen, die die frohe Botschaft hören wollten.
Eines Tages kam Jesus wieder an den See.
Da dachte Petrus: Jetzt kann ich gut ein wenig fischen.
Sein Schiff lag noch am Ufer, und als es Abend wurde, stieg er mit seinem Bruder ins Schiff, und sie fuhren zusammen auf den See hinaus. Sie warfen das Netz ins Wasser und fischten die ganze Nacht. Die Nacht ist nämlich die beste Zeit, um zu fischen.
Als es aber Morgen wurde, hatten sie noch nichts gefangen. Da machten sie ihr Schiff wieder am Ufer fest und säuberten die Netze, die voller Wasserpflanzen und Muscheln waren.
Da kam Jesus, gefolgt von einer großen Menschenmenge. Jesus stellte sich ans Ufer des Sees, um den Menschen die frohe Botschaft zu verkünden, daß Gott die Menschen liebhat.
Sie wollten alle in seiner Nähe stehen und drängelten, um nach vorn zu kommen.
Da stieg Jesus in das Boot des Petrus und sagte: „Würdest du ein Stückchen vom Ufer wegfahren, Petrus?"
Das tat Petrus natürlich gern.
Jetzt konnten alle Jesus gut sehen und gut hören. Und die Menschen saßen ganz still und lauschten am Ufer des Sees.
Darüber wurde es Mittag, und es wurde warm. Die Sonne brannte vom Himmel herunter.

Da sprach Jesus zu Petrus: „Fahr jetzt auf den See hinaus und wirf dein Netz ins Wasser. Dann werden wir Fische fangen."
Petrus sah ihn erstaunt an. Jetzt? Mitten am Tag? Das war keine gute Zeit zum Fischen.
Er sagte: „Meister, wir haben die ganze Nacht gefischt und überhaupt nichts gefangen. Aber weil du es sagst, werde ich es tun."
Dann steuerte er sein Schiff auf den See hinaus, und dort warfen sie noch einmal das Netz aus.
Sie warteten eine Weile, und Petrus dachte: Jetzt sollen Fische ins Netz gehen? Das ist doch unmöglich.
Doch wie sehr täuschte er sich, denn als sie das Netz wieder ins Schiff ziehen wollten, konnten sie es nicht, so schwer war es. Es war voller Fische, so daß es zerriß.
Wie sollten sie nun all die Fische ins Boot bekommen?
Doch Jakobus und Johannes waren mit ihrem Schiff in der Nähe. Die riefen sie schnell herbei. Alle zusammen zogen sie das Netz aus dem Wasser und warfen die Fische in die Boote. Die wurden voll mit Fischen, so voll, daß sie beinahe sanken.
Als Petrus das sah, schämte er sich sehr, denn er hatte ja gedacht, sie würden nichts fangen. Eigentlich hatte er Jesus nicht geglaubt.

Wie schlecht bin ich doch, dachte Petrus, und wie gütig und mächtig ist Jesus! Ich bin viel zu schlecht, um sein Freund zu sein!
Da fiel er nieder auf die Knie und sagte: „Ach Herr, geh fort von mir! Laß mich allein, denn ich habe ein unreines Herz.“
Aber Jesus erwiderte freundlich: „Fürchte dich nicht, von nun an sollst du Menschenfischer sein!“ Petrus sollte wie sein Herr die Menschen zu Gott führen.

EIN ARMER KRANKER MANN

Es war einmal ein sehr unglücklicher Mann, der ganz allein in einer Hütte wohnte, irgendwo draußen vor der Stadt auf dem Feld. Er mußte dort wohnen, die Menschen hatten ihn dorthin vertrieben, denn alle ekelten sie sich vor ihm.
Er war aussätzig. Sein Kopf war voll von eitrigen Geschwüren, und seine Hände und seine Füße ebenfalls. Sein ganzer Körper war krank, und wenn man ihn berührte, konnte man sich anstecken und die gefährliche Krankheit auch bekommen.
Darum kam niemand in seine Nähe. Einige Menschen mußten ihm zwar etwas zu essen bringen, aber das setzten sie in der Nähe seiner Hütte ab und liefen dann schnell wieder weg.
Andere Menschen begegneten ihm zuweilen, wenn er ein Stückchen den Weg entlanghumpelte. Dann hörten sie ihn rufen: „Aussätzig, aussätzig!" Das mußte der Mann rufen, um die Menschen zu warnen. Dann machten die Leute einen großen Bogen um ihn. Sie dachten: Was tut der eklige Mann da auf dem Weg?
Der arme Mann litt sehr an seiner Krankheit, er hatte immer Schmerzen, an den Händen, an den Füßen, überall. Niemand konnte ihm helfen, und alle Menschen waren böse und unfreundlich zu ihm.
Doch eines Tages kam Jesus in die Nähe der Stadt.
Der arme Mann kannte Jesus nicht, aber er hörte, daß die Menschen viel über ihn redeten. Die Menschen nämlich, die ihm zu essen brachten, und jene, die auf dem Weg vorbeigingen.
„Jesus kann alles", sagten sie. „Er macht alle kranken Menschen wieder gesund."
Als der kranke Mann das hörte, dachte er: Dann muß ich zu Jesus. Dann kann er auch mich wieder gesund machen.
Er ging sogleich los, um Jesus zu suchen, und humpelte auf seinen kranken Füßen den Weg entlang, so schnell er nur konnte. Wenn Leute herankamen, rief er: „Aussätzig, aussätzig!"
Dann machten die Menschen einen Bogen um ihn und sahen ihn unfreundlich an. Sie ekelten sich vor ihm.
Der arme Mann dachte: Hoffentlich ekelt sich nicht auch Jesus vor mir! Hoffentlich jagt er mich nicht fort! Wenn er mich nur gesund machen will!
Da traute er sich fast nicht mehr weiter. Sollte er wieder zurückgehen und wieder in seine Hütte kriechen und immer Schmerzen haben und dahinsiechen? Nein, er mußte weiter, denn Jesus konnte ihn gesund machen, wenn er es wollte!
Da humpelte der Mann hastig weiter. Er suchte und schaute überall umher. Endlich sah er Jesus. Eine große Menschenmenge war bei ihm.
Da lief der Mann, so schnell er konnte, auf Jesus zu. Die Menschen sprangen erschreckt zurück, als sie ihn sahen. Sie riefen zornig: „Geh doch weg! Was tust du hier?"
Aber der Mann war schon bei Jesus. Er fiel vor ihm nieder auf die Knie und streckte seine schmerzenden Hände nach ihm aus und rief: „O Herr, willst du mich bitte wieder gesund machen? Du kannst es, wenn du nur willst."

Jesus jagte den Mann nicht fort, er hatte keine Angst vor den ekligen Geschwüren. Er hatte Erbarmen mit dem armen Mann.
Er ging auf ihn zu. Die Menschen erschraken sehr darüber, denn er legte seine Hände leicht auf den wunden Kopf und sprach: „Ich will, daß du gesund wirst."
Und siehe, mit einem Mal waren die Geschwüre fort.
Und fort waren alle Schmerzen!
Der Mann war wieder völlig gesund.
Er weinte vor Freude und wußte nicht, wie er Jesus danken sollte.
Aber Jesus ging schon wieder weiter. Es waren noch so viele arme, unglückliche Menschen da, die auf ihn warteten.
Der Mann kehrte nach Hause zurück.
Nein, nicht wieder in die häßliche Hütte. Er ging in die Stadt, in sein Haus, in dem er früher gewohnt hatte, als er noch nicht krank war. Er durfte wieder überall hingehen und brauchte nicht mehr zu rufen: „Aussätzig, aussätzig", um die Menschen zu warnen. Und niemand war mehr unfreundlich zu ihm.
Vor kurzem war er noch so unglücklich gewesen, aber jetzt war er ein starker und fröhlicher Mann geworden.
Das hatte Jesus getan.

DER MANN, DER GELÄHMT WAR

Es gingen vier Männer die Straße entlang. Sie trugen eine Decke, auf der ein Mann lag.
Der Mann konnte nicht gehen, er konnte nicht einmal seine Füße bewegen, und

seine Hände auch nicht. Er konnte nichts tun, denn er war gelähmt.
Die Decke war sein Bett. Darauf mußte er immer liegen, und wenn es Zeit zum Essen war, mußte er gefüttert werden wie ein Kind.
Der Mann war aber nicht nur körperlich krank, er hatte auch ein krankes, unreines Herz. Er hatte ein schlechtes Leben geführt und fürchtete sich vor Gott.

Aber jetzt war Jesus in die Stadt gekommen, und zu ihm brachten seine vier Freunde den gelähmten Mann.
Sie sagten: „Nur Jesus kann dir helfen. Er wird dich sicher wieder gesund machen."
Doch Jesus war in einem Haus, und es standen so viele Menschen da, die zu ihm wollten. Das ganze Haus war schon voll, auch der Flur war schon überfüllt, und an der Tür stand noch eine große Menschenmenge und drängte hinein. Niemand wollte ein bißchen zur Seite rücken.
All die Menschen wollten zu Jesus.
Wie sollten die vier Männer jetzt mit ihrem kranken Freund zu ihm kommen? Sollten sie etwa wieder nach Hause gehen und ihren Freund auf sein Krankenbett zurückbringen?
Nein, das wollten sie nicht.
Sie wollten ihren Freund zu Jesus bringen.
Plötzlich fiel ihnen etwas ein. Sie hatten einen guten Plan: An der Wand des Hauses war eine Treppe. Wenn man die

hinaufging, kam man aufs Dach. Es war ein flaches Dach, auf dem man gehen konnte wie auf einem gewöhnlichen Fußboden.
Da trugen die vier Männer ihren Freund vorsichtig die Treppe hinauf und legten ihn aufs Dach. Dann machten sie ein Loch ins Dach und sahen hindurch nach unten. Jetzt konnten sie ohne weiteres ins Haus schauen. Ja, da sahen sie Jesus. Er stand im Haus und sprach. Er erzählte den Menschen etwas. Da machten die vier Männer das Loch noch größer, so groß, daß ihr Freund hindurchgelassen werden konnte. Sie knüpften vier starke Stricke an die vier Ecken der Decke.
„Achtung!" riefen sie.
Dann ließen sie ihren Freund nach unten gleiten. Sie hielten die Stricke gut fest, und der kranke Mann glitt ganz langsam nach unten, tiefer, immer tiefer, und direkt vor Jesus kam er ganz sachte auf den Boden.
Da lag er jetzt. Er hatte so viel zu fragen, aber er brachte kein einziges Wort über die Lippen. Er sah Jesus nur an.
Jesus merkte genau, wie unglücklich der Mann war. Er sah den kranken Körper, aber auch das kranke, unreine Herz.
Da sprach er: „Fürchte dich nicht, denn deine Sünden sind dir vergeben."
Wie froh wurde der Mann da! Gott war nicht mehr böse auf ihn, sein krankes Herz war wieder gesund.
Doch dann sprach Jesus noch ein weiteres Wort: „Steh auf, nimm dein Bett und geh in dein Haus."
Und siehe, da war auch der Körper des Mannes wieder gesund. Er konnte seine Beine wieder bewegen und auch seine Hände. Er war wieder ein starker, gesunder Mann geworden. Er stand auf und nahm die Decke über die Schulter. Und er lachte und jubelte und rief: „O Herr, ich danke dir!"

DER JÜNGLING ZU NAIN

Eines Tages kam Jesus mit seinen Jüngern in eine Stadt, die hieß *Nain*. Um die Stadt war eine Mauer, und in der Mauer war eine große Tür, das Stadttor. Und aus dem Stadttor kam eine große Menschenmenge heraus. Es war ein langer Trauerzug auf dem Weg zu einer Beerdigung.
Eine alte Mutter war auch dabei. Die weinte sehr, denn es war ihr Sohn, der begraben werden sollte, ihr einziger Sohn! Er lag auf einer Bahre, und vier Männer trugen ihn fort.
Er lag still und bleich da und sah aus, als ob er schliefe. Aber er würde nie wieder aufwachen.
Wenn die alte Mutter nach der Beerdigung wieder nach Hause kam, dann hatte sie niemand mehr, keinen Mann und keine Kinder.
Die arme Frau war tief betrübt, und all die andern Menschen auch. Sie hatten großes Mitleid mit der alten Frau, darum gingen sie mit ihr. Aber es gab niemand, der ihr helfen konnte.
Auf einmal sprach eine Stimme: „Weine nicht!"
Die Mutter sah auf, und all die anderen Menschen sahen auch ganz verwundert auf.
Wer war das, der so sprach?

Es war Jesus. Er hatte auch Mitleid mit der alten Mutter, mehr als alle andern. Er ging auf die Bahre zu und legte seine Hand darauf.
Die Träger blieben stehen, und all die andern Menschen blieben auch stehen und sahen erstaunt auf.
Was wollte Jesus?
Er sah auf den jungen Mann, der auf der Bahre lag. Der war tot.

Der konnte nicht mehr hören und nicht mehr sehen, doch Jesus sprach: „Jüngling, ich sage dir, stehe auf!"
Und siehe, diese Worte hörte der Tote!
Als Jesus zu ihm sprach, konnte er auf einmal wieder hören.
Er schlug die Augen auf und setzte sich aufrecht und begann zu reden. Und Jesus nahm ihn bei der Hand und brachte ihn zu seiner Mutter.

Die alte Mutter flog auf ihren Jungen zu und umschlang ihn mit den Armen.

Noch nie war sie so froh gewesen. Sie hatte ihren Sohn wieder. Sie konnte es fast nicht glauben, aber es war doch wahr. Er war tot gewesen, aber Jesus hatte ihn wieder lebendig gemacht.

Alle Menschen dachten: Wie gut ist Gott zu uns, daß er uns Jesus gesandt hat.
Und im ganzen Land erzählten sie, wie mächtig Jesus war und daß er sogar einen Toten wieder lebendig gemacht hatte.

IN SICHERER HUT

Wieder einmal kam Jesus an den See. Da waren so viele von Not und Sorgen bedrängte Menschen, die er alle froh machen wollte.
Er redete mit ihnen und erzählte von Gott, der sie liebhatte. Er machte die Kranken gesund und setzte sich wieder in das Schiff des Petrus, um zu den Menschen zu sprechen.

Als es aber Abend wurde, war Jesus müde von all seiner Arbeit, doch immer noch kamen Menschen zu ihm. Die wußten nicht, daß Jesus so müde war. Sie ließen ihm keine Ruhe.
Da sprach Jesus zu Petrus: „Wir wollen ans andere Ufer des Sees segeln."
Dort, am gegenüberliegenden Ufer, wohnten keine Menschen. Dort gab es nur Berge, dort konnte Jesus sich gut ausruhen.

Das Schiff fuhr auf den großen See hinaus. Jesus legte sich hinten im Schiff zum Schlafen nieder, mit dem Kopf auf einem Kissen. Die Jünger sprachen ganz leise, um ihn nicht aufzuwecken.
Anfangs war es sehr schönes Wetter. Ein ruhiger, stiller Abend. Die Sterne schienen am hohen Himmel, der Wind blies ganz leicht ins Segel und trieb das Schiff vorwärts. Leise schlugen die Wellen gegen das Schiff, als wollten sie mit ihm spielen.
Als sie aber mitten auf dem See waren, wurde es anders.
Die Sterne verschwanden, der ganze Himmel verfinsterte sich. Und der Wind begann, kräftig zu wehen. Die kleinen Wellen wurden riesengroß.
Sie spielten jetzt nicht mehr mit dem Schiff, sie schlugen dagegen, als wollten sie mit ihm kämpfen, als wollten sie das arme Schiff entzweischlagen.
Und der Wind packte das Schiff und schob es vor sich her. Dann jagte er das kleine Schiff über den See, daß es auf den Wellen auf und nieder tanzte und fast umschlug.
Die Jünger bekamen Angst, denn die Wellen schlugen schon über das Schiff hinweg. Zuweilen war es fast ganz unter Wasser. Es sah beinahe aus, als würde es gleich sinken. Dann mußten sie alle ertrinken in dem tiefen Wasser.
Doch was war mit Jesus?
Wo war er?
Lag er immer noch hinten im Schiff und schlief? War es ihm gleichgültig, daß sie alle ertrinken mußten?
Die Jünger gingen zu ihm, sie weckten ihn und riefen: „O Meister, hilf uns doch! Meister, wir ertrinken! Ist es dir denn einerlei, wenn wir alle ertrinken?"
Da wachte Jesus auf. Er hörte den Wind heulen und die Wogen brausen, aber er erschrak überhaupt nicht.
Er fragte: „Warum seid ihr denn so ängstlich? Ich werde euch doch nicht ertrinken lassen!"
Dann stand er auf. Er stand aufrecht im Schiff und schaute den See und den Wind befehlend an.
Er sprach: „Still, Wind! Still, See! Schweigt, sage ich euch!"
Und siehe, da wurde es auf einmal still, wunderbar still. Der Wind wagte nicht mehr zu wehen, und die Wellen wagten

nicht mehr, gegen das Schiff zu schlagen. Sie legten sich gehorsam vor Jesus nieder und mußten alles tun, was er sagte.
Dann fragte Jesus die Jünger: „Seht ihr nun, daß ihr bei mir immer sicher seid?"
Die Jünger wagten nicht, etwas zu sagen. Sie schämten sich sehr.
Als sie dann weiterfuhren über den schönen, stillen See, flüsterten sie einander zu: „Wie ist es nur möglich, daß sogar der Wind und die Wellen ihm gehorchen?"

DAS TÖCHTERLEIN DES JAIRUS

In *Kafarnaum* wohnten ein Vater und eine Mutter. Die hatten nur ein Kind, ein Mädchen von ungefähr zwölf Jahren. Der Vater hieß *Jairus.*
Kafarnaum war eine Stadt in der Nähe des Sees. Dort wohnte Jairus in einem großen Haus, denn er war ein reicher Mann. Er liebte seine Frau und seine Tochter sehr.
Eines Tages aber wurde das Mädchen krank, so krank, daß es nicht wieder gesund werden konnte.
Es lag bleich und still in seinem Bett. Es war sehr schwach und konnte fast nicht mehr sprechen.
Der Arzt sagte zu Jairus: „Deine Tochter wird bald sterben. Ihr kann niemand mehr helfen."
Wie schrecklich war das! Vater und Mutter wußten sich vor Kummer keinen Rat mehr, denn es war ihr einziges Kind. Wenn ihr Mädchen sterben sollte, wäre alle ihre Freude dahin.
Aber da dachte der Vater an Jesus, von dem er so viel gehört hatte. Der könnte sein liebes Mädchen sicher wieder gesund machen.
Jesus war ganz in der Nähe, direkt am See. Wenn er doch nur bald käme, bevor das Mädchen sterben, bevor es zu spät sein würde!
Der Vater stürzte aus der Tür und lief schnell durch die Straßen, bis er an den See kam. Da sah er eine große Menschenmenge, und mitten unter den Menschen war Jesus.
Der Vater zwängte sich zwischen den Menschen hindurch, fiel vor Jesus nieder auf die Knie und rief: „O Meister, komm doch bitte sofort mit mir! Mein Töchterchen ist sehr krank, es kann jeden Augenblick sterben. Nur du kannst es wieder gesund machen. Wenn du die Hand auf seinen Kopf legst, wird es wieder besser mit ihm werden."
Jesus ging gleich mit Jairus mit. Aber sie kamen nur langsam voran, denn es waren so viele Menschen da, die alle mitwollten. Sie mußten sich zwischen den Menschen hindurchzwängen. So dauerte es sehr lange, bis sie da waren!
Dann kam auch noch eine kranke Frau hinter Jesus her, die gern wieder gesund werden wollte. Mit der sprach Jesus ein Weilchen, und da dauerte es noch viel länger.
Oh, oh, dachte Jairus, wenn wir jetzt nur nicht zu spät kommen!
Aber es war schon zu spät. Ein Diener des Jairus kam herbeigelaufen. Er machte ein trauriges Gesicht und sagte: „Deine Tochter ist schon gestorben. Jesus braucht nicht mehr zu kommen. Jetzt kann er doch nicht mehr helfen!"

Jesus sprach: „Hab keine Angst, Jairus. Glaube nur, daß ich noch helfen kann!" Da war Jairus nicht mehr so verzweifelt. Er glaubte dem Herrn und dachte: Wie es geschehen soll, weiß ich zwar nicht, aber Jesus kann machen, daß doch noch alles gut wird.
Sie kamen zum Haus des Jairus.
Die Menschen mußten draußen bleiben, auch die meisten Jünger. Nur drei von ihnen durften mit hineingehen: Petrus, Jakobus und Johannes.
Aber im Haus waren schon viele Menschen, die bereits gehört hatten, daß das Mädchen tot war. Sie standen alle umher und weinten und jammerten.
Jesus sprach: „Warum steht ihr hier und weint? Das Kind ist nicht gestorben, sondern es schläft!"
Dann schickte er sie alle hinaus.

Nun wurde es ganz still im Haus.
Jesus aber ging in das Zimmer. Nur die drei Jünger durften mit, der Vater und die Mutter auch.
Da lag das Mädchen in seinem Bett. Seine Augen waren geschlossen, es sah aus, als ob es schliefe.
Aber es war tot. Es atmete nicht mehr, und sein Herz schlug nicht mehr. Jetzt würde es nicht mehr hören, wenn die Mutter es rief.
Doch als Jesus es rief, da hörte es das Mädchen sogleich. Jesus nahm es bei der Hand und sprach freundlich: „Mägdlein, ich sage dir, stehe auf!"
Und siehe da, seine Augen öffneten sich, und sein Herz begann wieder zu schlagen. Das Mädchen setzte sich hin, stand auf und ging durch das Zimmer zu seiner Mutter.
Es war nicht mehr tot, es war auch nicht mehr krank. Jesus hatte es wieder ganz gesund gemacht.
Die Mutter eilte auf ihre Tochter zu und schloß sie froh in die Arme. Der Vater kam auch herbei, um sie zu küssen.
Doch Jesus sprach: „Ihr müßt ihr zuerst etwas zu essen geben."
So sorgte er für das Kind.

DAS BROTWUNDER

Jesus war in den Bergen am gegenüberliegenden Ufer des Sees, und seine Jünger waren bei ihm.
Sie waren mit dem Schiff des Petrus dorthin gefahren, um eine Weile auszuruhen, denn sie waren alle sehr müde von der Arbeit.
Doch die Menschen hatten gesehen, wohin Jesus gefahren war. So kamen sie doch wieder zu ihm. Sie hatten auch Kranke bei sich und wollten gern, daß Jesus sie wieder gesund machte.
Es kamen immer mehr Menschen herbeigeeilt, wohl an die fünftausend.
Was sollte Jesus da machen?
Sollte er sie alle fortschicken und sagen: Geht nach Hause, ich bin zu müde?
Nein, das tat er nicht!
Jesus hat nie jemand weggeschickt, der ihn brauchte.
Er ging wieder ans Werk und redete mit den Menschen, um sie froh zu machen. Auch heilte er alle ihre Kranken.

Aber dann begann es Abend zu werden. Die Sonne stand schon tief am Himmel. Noch ein Weilchen, dann würde es dunkel sein.
Wo sollten dann all die Menschen bleiben? Wo sollten sie etwas zu essen finden? Denn hier waren keine Häuser, hier konnte man nichts zu essen kaufen. Man mußte erst ein gutes Stück laufen, bis man in ein Dorf oder in eine Stadt kam.
Die Menschen dachten nicht ans Essen, sie saßen still und hörten Jesus zu. Es sah so aus, als dächte Jesus auch nicht daran.
Die Jünger kamen zu ihm und sagten: „Schick die Menschen jetzt weg, dann können sie sich noch etwas zu essen kaufen."
Aber das war dumm, denn es gab ja keine Läden in der Nähe.
Auch waren so viele arme Menschen darunter, die kein Geld hatten. Sollten sie etwa Hunger leiden?

Jesus sprach: „*Ihr* müßt ihnen zu essen geben."
Die Jünger sahen ihn verwundert an. Sollten sie all den Menschen zu essen geben? Das konnten sie ja gar nicht! Es waren viel zuviel Menschen da.
Doch Jesus sprach: „Seht einmal nach, wie viele Brote da sind."
Da machten sich die Jünger auf die Suche und fanden einen Jungen, der auch hergelaufen war und der einen Korb bei sich trug mit fünf Broten und zwei Fischen.
Aber das war ja längst nicht genug.
Die Jünger kamen wieder und sagten: „Es sind nur fünf Brote da und zwei Fische."
Jesus erwiderte: „Bringt sie mir her!"
Das taten sie. Der Junge war gern damit einverstanden.
Jesus sprach: „Jetzt sollen sich alle Menschen ins Gras setzen."
Dann nahm er die fünf kleinen Brote und die zwei kleinen Fische und legte sie vor sich hin.
Er schaute auf zum Himmel und dankte seinem Vater für das Brot und für die Fische. Er breitete seine Hände über das Essen und segnete es.
Da geschah ein ganz großes Wunder. Jesus nahm die Brote und brach sie in Stücke, ebenso die Fische. Die Stücke legte er in einen Korb, und sie füllten den ganzen Korb. Und dann noch einen Korb, und noch einen, und noch viele mehr.
Die Jünger brachten die Körbe zu den Menschen.
Körbe voll Brot und Körbe voll Fisch.
Die Menschen konnten essen, soviel sie wollten. Aber woher kam all das herrliche Essen?
Es kam alles aus den Händen Jesu. Die hatten das große Wunder getan.
Als alle Menschen genug gegessen hatten, sprach Jesus: „Geht nun und lest die Brocken auf, die übriggeblieben sind, denn es darf nichts verlorengehen. Mit Brot müßt ihr immer achtsam umgehen."
Da sammelten die Jünger alles ein.
Und wieviel war es?
Zwölf Körbe voll waren übriggeblieben. Jetzt war noch viel mehr da als zu Anfang. Und doch hatten so viele Menschen davon gegessen. An die fünftausend, und alle waren satt geworden!

Die Menschen konnten es fast nicht glauben, daß Jesus so mächtig war.
Sie sagten: „Jesus kann alles, er ist der Heiland. Wißt ihr, was wir tun müssen? Wir müssen ihn zum König machen. Dann muß er in einem schönen Palast wohnen und alle unsere Feinde fortjagen, denn das kann er bestimmt auch, und sicherlich kann er auch kämpfen. O ja, Jesus muß unser König sein."
Aber das wollte Jesus nicht. Er wollte kein Kriegskönig sein.
Erst später, wenn sein Werk auf Erden vollendet sein würde, wollte er König werden.
Kein König, der Krieg machte, sondern ein Friedenskönig! Und kein König, der über ein Königreich auf Erden herrschte, sondern über das Königreich der Himmel.

Da schickte er die Menschen alle fort, weil sie ihn zum König machen wollten.
Auch die Jünger schickte er weg.

Er sprach: „Geht in das Schiff und fahrt zum andern Ufer des Sees hinüber. Ich komme später nach."
Die Jünger taten es nicht gern, aber sie mußten es, sie mußten Jesus gehorchen.
Er blieb allein zurück.
Es wurde dunkel und still.
Es wurde Nacht.

Da stieg Jesus auf einen Berg und kniete dort nieder.
Er betete, er sprach mit seinem Vater im Himmel.

JESUS WANDELT AUF DEM SEE

Es fuhr ein Schiff auf dem See. Darin saßen zwölf Männer.
Es waren die Jünger Jesu.
Er hatte sie weggeschickt und ihnen gesagt: „Fahrt zum andern Ufer hinüber. Ich komme später nach."
Als sie fortgingen, war es Abend. Jetzt war es Nacht geworden, es war stockdunkel. Dabei mußten sie gegen den Wind fahren.
Sie mußten angestrengt rudern, um vorwärtszukommen.
Der Wind begann, immer heftiger zu wehen, und die Jünger ruderten, so fest sie nur konnten. Doch sie kamen nicht vorwärts. Sie konnten auch gar nicht vorankommen, denn der Wind und die Wellen standen ihnen entgegen.
Die hohen Wellen klatschten gegen die Schiffswand, und das kleine Schiff krachte in allen Fugen. Es tanzte und schlingerte wie toll auf den hohen Wellen des Sees. Wie leicht konnte es in Stücke geschlagen werden, und dann mußten sie alle ertrinken.
Da bekamen die Jünger große Angst.
Sie dachten: Jetzt sind wir ganz allein mitten auf dem gefährlichen See. Jetzt ist Jesus nicht bei uns wie beim letzten Mal, als es auch so schlimm war. Jetzt kann er uns nicht helfen. Er weiß nicht einmal, wie schlimm es um uns steht. Er kann uns ja nicht sehen. Jetzt müssen wir vielleicht alle ertrinken.
Aber Jesus wußte es doch.
Er sah seine Jünger wohl.

Er war noch im Gebirge, ganz allein in der Dunkelheit. Er war auf einen Berg gestiegen, um dort zu beten.
Aber er hatte seine Jünger nicht vergessen und sah sie auch im Dunkeln.
Er sah, wie mühsam sie ruderten, um das Schiff vorwärtszubringen. Er sah auch, wie ängstlich sie waren und wie sehr sie ihn herbeisehnten. Da ging er zu ihnen.
Nicht mit einem Schiff!
Das war nicht nötig, denn das Wasser konnte Jesus nicht aufhalten.
Es mußte ihm gehorchen. Jesus ging einfach über das Wasser zum Schiff seiner Jünger, und das Wasser trug ihn.
Sie ruderten und ruderten und hatten solche Angst vor dem Ertrinken. Da sahen sie auf einmal etwas Weißes, das auf dem Wasser ging.
Sie erschraken sehr darüber.
„Ein Gespenst, ein Gespenst!" riefen sie.
Aber da hörten sie die Stimme Jesu. Die sprach: „Erschreckt nicht, denn ich bin es."
Wie froh wurden sie da! Jesus kam wieder zu ihnen, er hatte sie nicht vergessen!

Petrus rief: „Herr, bist du es? Darf ich zu dir kommen? Darf ich auch auf dem Wasser gehen?"
Jesus antwortete: „Komm!"
Da stieg Petrus aus dem Schiff und setzte seine Füße aufs Wasser. Und siehe da, das Wasser trug auch ihn. Er sank nicht unter, er lief übers Wasser auf Jesus zu. Und er hatte überhaupt keine Angst, denn er sah auf Jesus.
Aber der Wind wehte so heftig, und die Wellen schäumten so unter seinen Füßen! Das Wasser war so finster und so tief!
Als Petrus das sah, bekam er doch Angst. Er vergaß seinen Herrn, und plötzlich sank er in die Tiefe.
„Herr, hilf mir!" rief Petrus.
Aber Jesus faßte ihn bei der Hand. Er zog Petrus aus dem Wasser und sprach: „Kleingläubiger, warum hast du mich vergessen?"
Mit Petrus an der Hand ging er zum Schiff.
Dann stiegen beide ein, und siehe, auf einmal wurde es ganz still!
Der Wind wehte nicht mehr.
Die Wellen schlugen nicht mehr gegen das Schiff.
Der Wind und die Wellen wußten, wer jetzt im Schiff war.
Und die Jünger wußten es auch.
Sie fielen vor Jesus auf die Knie nieder und sagten ganz andächtig: „O Herr, wie mächtig bist du! Du bist der Sohn des lebendigen Gottes."

DER MANN, DER NICHT VERGEBEN WOLLTE

Wenn dir ein anderes Kind etwas Böses getan hat, was tust du dann?
Schlägst du dann gleich wieder zurück? Schimpfst du den andern aus und sagst häßliche Dinge? Tust du dem andern möglichst viel zuleide?

Das tut Jesus nie. Wenn wir ihm Kummer bereiten, vergibt er es uns immer wieder. Er will uns trotz allem bei sich im Himmel haben.
Er hat gesagt: „Ihr müßt genauso handeln wie ich. Ihr müßt einander das Böse auch vergeben. Denn wenn ihr das nicht tut, dann wird Gott es auch nicht tun.
Als Jesus mit seinen Jüngern unterwegs war, erzählte er ihnen einmal die Geschichte von dem Mann, der nicht vergeben wollte.

Es war einmal ein König, der hatte viele Knechte. Und einer der Knechte mußte ihm viel, viel Geld bezahlen, fast einen ganzen Wagen voll.
Eines Tages ließ ihn der König zu sich kommen und sagte: „Gib mir jetzt all das Geld zurück, das ich noch von dir zu bekommen habe."
Da wurde der Knecht sehr ängstlich und verlegen, denn er hatte kein Geld mehr. Er konnte die Schuld nicht zurückzahlen.
Der König sagte: „Dann werft ihn ins Gefängnis!"
Wie erschrak da der Knecht! Er fiel vor dem König auf die Knie, weinte und rief: „O König, hab doch Mitleid mit mir! Steck mich bitte nicht ins Gefängnis! Ich werde dir auch später alles zurückzahlen!"
Ach, er würde es ja nie ganz bezahlen können, es war viel zuviel. Aber der König war ein guter König. Er hatte Mitleid mit dem weinenden Knecht und sagte: „Geh nach Hause. Du brauchst mir überhaupt nichts mehr zu zahlen. Ich habe dir alle Schulden erlassen."
Wie glücklich war da der Knecht! Er ging fröhlich aus dem Palast des Königs und hätte springen und tanzen mögen vor Freude. Jetzt brauchte er nicht ins Gefängnis und brauchte nichts mehr zu zahlen. Wie gut war doch der König zu ihm gewesen!
Als er aber auf die Straße kam, sah er einen andern Knecht des Königs daherkommen, der ihm noch Geld schuldete. Nicht viel, nur eine Handvoll, aber bezahlen mußte er es doch.
Der erste Knecht sprang auf den andern zu, packte ihn am Arm und sagte: „Jetzt hab' ich dich! Wirst du mir mal gleich das Geld zurückzahlen, das ich noch von dir zu bekommen habe? Sonst lasse ich dich ins Gefängnis werfen."
Da wurde dem zweiten Knecht ganz angst und bange.
Er fiel auf die Knie, weinte und rief: „Ach, hab doch Mitleid mit mir! Ich werde es ganz bestimmt zurückzahlen. Laß mir noch ein wenig Zeit. Ich habe es jetzt nicht, aber wirf mich nicht ins Gefängnis!"
Aber der erste Knecht hatte kein Mitleid. Der König war so gut zu ihm gewesen, doch er war nicht gut zu dem andern.
Er schleppte den Mitknecht über die Straße und ließ ihn dort ins Gefängnis werfen.

Der König hatte dem ersten Knecht alle Schuld erlassen, der aber wollte seinem Mitknecht nichts erlassen.
Doch die Menschen auf der Straße hatten alles gesehen.
Sie gingen zum König und erzählten ihm, was geschehen war.
Da wurde der gute König sehr zornig und ließ den ersten Knecht noch einmal zu sich kommen und sagte: „Du schlechter, du böser Knecht! Ich habe dir alles erlassen. Mußtest du da nicht auch dem andern alles erlassen?"
Jetzt konnte der Mann weinen, soviel er wollte, der König hatte mit ihm kein Mitleid mehr. Jetzt wurde auch er ins Gefängnis geworfen.

Als Jesus diese Geschichte beendet hatte, sprach er: „So wird mein Vater im Himmel auch mit euch tun, wenn ihr einem andern nicht alles vergebt!"

DER GUTE HIRTE

Dies ist auch eine Geschichte, die Jesus erzählt hat.
Es war einmal ein kleines Schaf.
Das wohnte in einem Stall. Dort lebten

noch viel mehr Schafe, wohl an die hundert. Das war eine ganze Menge, eine große Herde.
Während der Nacht war die Tür des Stalls verschlossen. Dann schliefen alle Schafe im warmen Stroh.
Wenn es Morgen wurde, kam der gute Hirte. Er öffnete die Tür des Stalls und rief alle Schafe beim Namen.
Die Schafe kannten den guten Hirten genau, sie kannten seine Stimme und kamen alle nach draußen!
Der gute Hirte sagte: „Nur immer schön dicht bei mir geblieben!" Dann zogen sie zusammen los.

Der gute Hirte ging voraus, die Schafe liefen hinter ihm her. Es ging an tiefen Schluchten vorbei und über hohe Berge. Es ging auch über ganz schmale Pfade. Der Weg war oft gefährlich.
Aber die Schafe blieben dicht beim guten Hirten, und dann ging auch alles gut. Sie konnten sich nicht verlaufen. Der gute Hirte wußte den Weg, und nach einer Weile kamen sie auf die Weide.
Dort war es herrlich, dort wuchs saftiges Gras. Die Schafe durften fressen, soviel sie wollten, aber sie durften nicht fortlaufen. Dann rief der gute Hirte sie zurück. Er hütete seine Tiere gut.
Einmal war das kleine Schaf ein wenig vom Weg abgekommen. Da kam ein wildes Tier herangeschlichen. Das lauerte dem Schäfchen auf und wollte es packen und auffressen.

Aber der gute Hirte sah es wohl und kam schnell herbeigelaufen. Er hatte keine Angst vor dem gefährlichen Tier. Er jagte es mit seinem Stab fort und sagte zu dem Schäfchen: „Bleib immer ganz dicht bei mir! Bei mir bist du immer sicher!"
Aber das kleine Schaf hatte das wilde Tier schnell vergessen und dachte: Ich kann gut auf mich selbst aufpassen. Ich bin schon groß genug.
Da lief es wieder fort und ging seinen eigenen Weg. Es dachte nicht mehr an die Herde. So kam es immer mehr von der Herde und vom guten Hirten ab.

Darüber wurde es Abend, und da wollte es wieder zurück.
Es suchte die andern Schafe, aber es konnte sie nirgends finden. Es blökte ganz laut, aber es bekam keine Antwort. Das kleine Schaf bekam große Angst, denn jetzt war es ganz allein auf dem weiten, dunklen Feld. Es konnte den guten Hirten nirgends finden.
Es lief und suchte und irrte umher, aber es war jetzt ganz finster geworden. Es waren viele Gruben auf dem Feld.

Das kleine Schaf konnte nicht mehr sehen, wohin es lief, und plötzlich, da fiel es in solch eine Grube.
Da lag das Tierchen nun. Es jammerte und weinte und hatte sich seinen Fuß so weh getan.
Das Schäfchen versuchte aufzustehen, aber es ging nicht. Es blökte ganz laut, aber niemand hörte es.

Der gute Hirte war schon nach Hause gegangen. Er stand am Stall und ließ die Schafe hinein.
Dabei zählte er sie: „Eins, zwei, drei, vier . . ., zwanzig . . ., sechzig . . ., hundert!"

Nein, es waren keine hundert. Ein Schaf war zuwenig. Und dann sah er es: Das kleinste Schäfchen war nicht da.
Der gute Hirte war traurig, denn er liebte das ungehorsame Schäfchen sehr. So müde er auch war nach dem langen Tag, er ging nicht nach Hause, um sich auszuruhen.
Er ging sofort wieder aufs dunkle Feld hinaus, um das verlorene Schäfchen zu suchen. Er ging immer weiter, nur manchmal blieb er stehen und rief seinen Namen.
Auf einmal hörte er etwas.
Ein ganz schwaches Stimmchen gab Antwort.
Der gute Hirte lief schnell darauf zu. Dann sah er das verlorene Schäfchen, einen kleinen weißen Fleck in der Dunkelheit.
Wie froh war er da! Er nahm das Tierchen in seine starken Arme und trug es durch die Dunkelheit nach Hause.
Es legte sein Köpfchen an die Brust des guten Hirten und dachte: Nun bin ich geborgen. Der gute Hirte sorgt für mich.

So kamen sie zum Stall. Der gute Hirte legte das kleine Schaf ins Stroh und gab ihm Wasser gegen den Durst. Er band einen Lappen um seinen verletzten Fuß, und erst dann ging er selber fort, um zu essen und zu ruhen.
Er war sehr froh, weil er sein verlorenes Schäfchen wiedergefunden hatte.

Als Jesus die Geschichte beendet hatte, sprach er noch: „Ich bin der gute Hirte! Der gute Hirte läßt sein Leben für die Schafe."

DER BARMHERZIGE SAMARITER

Ein Mann mußte auf Reisen gehen. Er wohnte in Jerusalem und mußte in eine andere Stadt, nach Jericho.
Es war ein einsamer und gefährlicher Weg, den er entlangziehen mußte. Dort stand kein Haus, dort wohnte kein Mensch, ringsum gab es nur Hügel und Büsche.

In den Büschen saßen Räuber auf der Lauer. Sie sahen den Mann kommen, und als er nahe heran war, stürzten sie sich auf ihn. Sie ergriffen ihn, nahmen ihm all sein Geld ab und rissen ihm die Kleidung vom Leib. Sie schlugen ihn so lange, bis er zu Boden fiel.
Dann machten sie schnell, daß sie wegkamen.
Da lag der arme Mann nun halbtot am Wegrand. Laufen konnte er nicht mehr, er wimmerte und dachte: Wenn niemand kommt, der mir hilft, muß ich hier wohl sterben.
Als er eine Weile gelegen hatte - stapf, stapf, stapf -, da hörte er jemand herankommen.
Es war ein Mann in einem weißen Kleid, ein Priester, der im Tempel gebetet hatte, ein Diener Gottes. Der würde wohl Mitleid haben mit dem armen Mann und ihm helfen.
Der arme Mann hob den Kopf ein wenig und rief: „Hilf mir, hilf mir doch!"
Aber der Priester tat so, als hörte er ihn nicht. Er hatte kein Mitleid mit dem Hilflosen, sondern ließ ihn achtlos liegen und ging schnell auf der andern Seite des Weges vorüber.

Der unglückliche Mann aber war wieder allein und jammerte und litt.
Aber horch!
Stapf, stapf, stapf . . .
Da kam wieder jemand an. Jetzt war es ein Levit, ein Gehilfe des Priesters. Der war auch im Tempel gewesen und war auch ein Diener Gottes. Ob der vielleicht mehr Mitleid hatte?
„Hilf mir, hilf mir!" rief der arme Mann.
Aber der Levit war auch kein guter Diener Gottes. Der wollte dem Verletzten auch nicht helfen. Er schaute nicht einmal hin und ging vorbei wie der Priester.
Der Verletzte war wieder allein. Sein Kopf tat ihm so schrecklich weh und sein ganzer Körper auch. Es wurde immer schlimmer.
Er seufzte und wimmerte.
Niemand hatte Mitleid mit ihm. Er dachte: Jetzt muß ich bestimmt hier sterben!

Aber horch, kam da nicht wieder jemand? Trappel, trappel, trappel . . . machte es. Ein Esel trottete langsam daher.
Auf dem Esel saß ein Mann. Ob der wohl helfen würde?
Nein, der tat es sicher nicht. Das war ein Samariter, ein Mann aus einem fremden Land, ein Feind der Juden. Der würde lachen und sagen: „Ha, liegst du da? Das geschieht dir recht."
Der arme Mann am Wegrand schloß die Augen und verhielt sich ganz still, damit der Samariter ihn nicht bemerkte.
Aber horch, der Esel blieb stehen. Schritte kamen näher, und eine Stimme sagte: „Ach, armer Mann, was hat man dir getan? Kannst du nicht mehr gehen? Komm, ich werde dir helfen!"
Dann kniete der Samariter bei dem Mann nieder, wusch das Blut ab und legte einen Lappen um den schmerzenden Kopf. Dann hob er den Verletzten ganz vorsichtig auf und setzte ihn auf seinen Esel und ging selbst nebenher, um aufzupassen, daß der Mann nicht herunterfiel.
Er dachte nicht daran, daß der Mann ein Feind war. Das kümmerte ihn nicht. Er hatte seinen Feind lieb und hatte Mitleid mit ihm. Er war ein barmherziger Samariter. So gingen sie langsam den Weg entlang, bis sie an eine Herberge kamen. Das war ein großes Haus, in dem man übernachten konnte, wenn man auf Reisen war. Aber man mußte Geld dafür bezahlen.
Der Samariter trug den Mann ins Haus, brachte ihn in ein Bett und pflegte und versorgte ihn. Und als er am folgenden Morgen weiterreisen mußte, rief er den Besitzer der Herberge zu sich und gab ihm Geld und sagte: „Das ist für dich, du mußt aber gut für den armen Mann sorgen. Du darfst ihn erst wegschicken, wenn er wieder gesund ist. Und falls du noch mehr Geld brauchst, so werde ich es dir geben, wenn ich zurückkomme."
Auch diese Geschichte hat Jesus selbst erzählt, und als er sie beendet hatte, fragte er seine Zuhörer: „Wer von den dreien hat nun getan, was Gott wollte? Der Priester, der Levit oder der Samariter?"
Das war keine schwierige Frage. Die konnten die Menschen leicht beantworten. Und Jesus sprach: „Dann müßt ihr ebenso handeln."

DER VERLORENE SOHN

Ein Vater hatte zwei Söhne. Er wohnte in einem schönen Haus, denn er war sehr reich. Er sorgte gut für seine Kinder und gab beiden schöne Kleider und einen goldenen Ring an den Finger. Er gab auch jedem ein Kamel, auf dem sie reiten konnten.
Der ältere Sohn war ein gehorsamer Junge, der alle Tage seine Arbeit treu verrichtete. Der Vater hatte ihn sehr lieb. Der jüngere Sohn dagegen machte seinem Vater viel Kummer, aber der Vater liebte auch ihn sehr. Er hatte seine beiden Kinder gleich lieb.

Einmal stand der jüngere Sohn auf einem Hügel. Von dort konnte er ganz weit ins Land hineinsehen. Er dachte: Dort hinten, ganz weit weg, ist es sicher noch viel schöner als hier. Dort will ich hin, ich will in die weite Welt.
Da ging er zu seinem Vater und sagte: „Vater, gib mir einen Sack voll Geld, ich will nicht mehr bei dir bleiben, ich will fort in die weite Welt."
Da war der alte Vater tief bekümmert und sagte: „Mein Kind, tu das doch nicht, tu mir doch nicht solchen Kummer an. Bleib bei mir!"
Aber der Sohn wollte nicht hören, sondern zog seine schönsten Kleider an, stieg auf sein Kamel und sagte: „Vater, gib mir mein Geld. Ich gehe weg, ich will in die weite Welt."
Da gab der Vater ihm das Geld, und der Sohn ritt fröhlich fort. Er sah sich nicht einmal mehr um und dachte nicht mehr an seinen alten Vater.
Doch der Vater dachte trotzdem an seinen Sohn, er stand vor dem Haus und sah ihm nach, solange er konnte.
Er war sehr traurig, denn jetzt hatte er nur noch einen Sohn, den anderen hatte er verloren.

Der Sohn ging in die weite Welt und fand das Reisen sehr schön. In den Städten gab es viele Läden, wo man schöne und kostbare Dinge kaufen konnte.
Der Sohn kaufte sehr viel, er hatte ja Geld genug!
Er hatte auch eine Menge Freunde, mit denen er Feste feierte. Das kostete alles viel Geld, aber das machte dem Sohn nichts aus. Er dachte, sein Geld würde nie zu Ende gehen.
Aber sein Geld ging bald zu Ende. Zuletzt war der Sack ganz leer.
Da verkaufte er sein Kamel. Dafür bekam er viel Geld, aber dieses Geld war auch bald wieder verbraucht.
Jetzt verkaufte er seinen goldenen Ring. Dafür bekam er viel Geld, aber das Geld war auch bald wieder verbraucht.
Jetzt hatte der einst so reiche Sohn kein Geld mehr. Er konnte keine schönen Dinge mehr kaufen und keine Feste mehr feiern. Doch jetzt wollten seine Freunde nichts mehr von ihm wissen. Sie liefen alle fort und ließen ihn allein.
Er bekam großen Hunger, doch er hatte kein Geld, um sich Brot zu kaufen.
Er bettelte an den Türen um ein Stückchen Brot, aber die Menschen gaben ihm nichts. Es gab fast kein Brot im Land, es war Hungersnot.
Schließlich kam er zu einem Bauern, der sagte: „Du kannst Knecht bei mir

werden. Dann mußt du die Schweine hüten." Der junge Mann erwiderte: „Es ist gut." Er dachte: Dann bekomme ich wenigstens zu essen.

So wurde er Knecht bei dem Bauern. Da saß er nun bei den dicken Schweinen. Seine Kleider waren alt und zerrissen, doch er konnte sich keine neuen kaufen. Und er hatte schrecklichen Hunger, denn der Bauer gab ihm fast nichts zu essen. Der junge Mann hätte gern das Futter von den Schweinen gegessen, solchen Hunger hatte er, aber das ließ der Bauer nicht zu.

Es ging ihm wirklich sehr schlecht in der weiten Welt. Sein Vater hatte doch recht gehabt.
Als der junge Mann sich an seinen Vater erinnerte, wurde er sehr traurig und dachte: Mein Vater war so gut zu mir, ich wollte, ich wäre nie fortgegangen. Mein Vater hat Brot genug, und ich muß hier bald vor Hunger sterben.

Er begann vor Reue zu weinen und schluchzte: „Ich will zu meinem Vater."
Schließlich stand er auf und machte sich auf den Weg zu seinem Vater.
Er dachte: Mein Vater wird sicher sehr böse auf mich sein, aber ich gehe doch zu ihm. Ich werde sagen: Vater, ich bin ein Taugenichts, ich bin viel zu schlecht, um noch dein Sohn zu sein. Laß mich wenigstens Knecht bei dir sein.

Schließlich kam der Sohn in die Nähe seines Vaterhauses. Er sah es schon von ferne.

Als reicher Herr war er fortgegangen, als armer Bettler kehrte er zurück.
Die Menschen kannten ihn fast nicht mehr. Sie dachten: Wer ist bloß dieser schmutzige Bettler?
Der Junge traute sich fast nicht weiterzugehen.
Doch wer stand dort vor dem Haus und sah den Weg entlang?
Wer kam da so rasch angelaufen?
Das war der Vater!
Er erkannte seinen Sohn gleich wieder. Er hatte die ganze Zeit auf ihn gewartet, und er war nicht böse. Er nahm seinen Sohn in die Arme, küßte ihn und rief: „O mein Kind, mein Kind, wie froh bin ich, daß du wieder zurückgekommen bist!"
Der Junge sagte: „Vater, ich bin so ungehorsam gewesen, ich bin viel zu schlecht, um dein Sohn zu sein."
Doch der Vater antwortete: „Du bist doch mein Sohn. Ich habe dich auch jetzt noch lieb."

Er rief seinen Arbeitern zu: „Holt schnell schöne Kleider für meinen Sohn und auch neue Schuhe. Gebt ihm auch einen neuen goldenen Ring an den Finger."
Dann ließ der Vater Fleisch braten und köstliche Kuchen backen, und er sagte: „Nun laßt uns essen und ein Fest feiern, denn ich war lange Zeit ohne diesen meinen Sohn, aber jetzt habe ich ihn wieder. Er war verloren, aber jetzt hat er zurückgefunden!" So lieb hatte der Vater sein Kind.

DIE AUFERWECKUNG DES LAZARUS

Jesus ging gern nach *Betanien*, einem kleinen Dorf in der Nähe von Jerusalem. Dort wohnten Freunde.
Es waren zwei Schwestern und ein Bruder, die zusammen in einem Haus wohnten. Sie hießen *Maria* und *Marta* und *Lazarus*.
Sie fanden es herrlich, daß Jesus ihr Freund war, und freuten sich immer sehr, wenn er kam.
Dann lief Marta emsig hin und her, um etwas besonders Gutes zu kochen. Sie sorgte so gern für Jesus, aber Maria setzte sich nahe zu Jesus und hörte zu, was er erzählte. Sie hörte Jesus so gern zu.
Dann sprach Jesus: „Marta, nun setz du dich auch einmal zu uns. Du mußt nicht so emsig sein, wenn ich hier bin, das ist nicht nötig."
Es war wunderbar, wenn sie dann zu dritt bei Jesus saßen!
Sie waren treue Freunde. Jesus kam oft zu ihnen. Er hatte Maria und Marta und Lazarus lieb.

Doch eines Tages wurde Lazarus krank, so krank, daß es aussah, als müsse er sterben.
„Ach", sagten Marta und Maria, „wenn jetzt nur Jesus hier wäre! Der könnte unsern Bruder sicher gesund machen."
Aber Jesus war nicht da, er war weit fort in einem ganz anderen Teil des Landes. Wenn er nur gewußt hätte, daß Lazarus krank war, dann wäre er wohl sofort gekommen!
Da schickten Maria und Marta einen Mann zu Jesus, der sollte ausrichten: „Herr, Lazarus, den du liebhast, ist schwer krank."
Der Mann lief den ganzen Tag und kam endlich zu Jesus und sagte: „Herr, Lazarus, den du liebhast, ist schwer krank."
Jesus erschrak nicht und wurde auch nicht traurig.
Er sagte ruhig: „Diese Krankheit ist nicht zum Tode."
Das war eine herrliche Nachricht, und der Mann ging schnell zurück, um sie Marta und Maria zu bringen.
Doch als er in ihr Haus nach Betanien kam, saßen die Schwestern da und weinten. Warum war nur eine solch große Menge trauernder Menschen im Haus?
Der Mann sagte: „Jesus hat gesagt: ‚Diese Krankheit ist nicht zum Tode!'"
Was für eine seltsame Nachricht war das nur! - Nicht zum Tode? - Lazarus war doch schon tot, und noch am selben Tag sollte er begraben werden, irgendwo in einer dunklen Höhle in den Bergen. Und ein großer Stein würde dann vor das Loch gerollt werden.
Dann hatten Maria und Marta keinen Bruder mehr.
Sie waren vor Kummer ganz verzweifelt und saßen beieinander und weinten.
„Wäre Jesus nur hier gewesen", schluchzte Marta.
„Ja", weinte Maria, „dann wäre es nicht geschehen. Dann wäre Lazarus nicht gestorben."

Wußte Jesus denn nicht, daß Lazarus gestorben war?
Doch, er wußte es sehr wohl, er wußte

alles, aber er blieb noch zwei Tage in dem fernen Teil des Landes.
Dann sprach er zu den Jüngern: „Kommt, laßt uns nach Betanien gehen."

Jesus sprach: „Lazarus, unser Freund, schläft, und ich werde hingehen, um ihn aufzuwecken."
Die Jünger verstanden das nicht. Sie sagten: „Herr, wenn er schläft, dann wird er wieder gesund werden. Schlafen ist gut für einen Kranken."
Sie dachten: Dann ist es doch gar nicht nötig, daß wir eine solch gefährliche Reise machen.
Doch Jesus sprach: „Lazarus ist gestorben, und ich bin froh, daß ich nicht dort gewesen bin, denn nun sollt ihr an mich glauben."
Sie machten sich zusammen auf den Weg, und am folgenden Tag kamen sie nach Betanien.

Wer kam da angelaufen, als Jesus sich dem Haus seiner Freunde näherte?
Das war Marta. Die Leute hatten ihr erzählt, daß Jesus käme.
Sie weinte und sagte: „Herr, wenn du hier gewesen wärst, wäre Lazarus nicht gestorben."
Jesus sprach: „Dein Bruder wird wieder aufstehen aus dem Grabe. Glaub nur an mich, Marta. Und jetzt geh und ruf Maria." Marta lief ins Haus zurück.
Dort waren viele Menschen versammelt, alles Freunde von Maria und Marta. Die waren gekommen, um die Schwestern zu trösten.
Marta ging zu Maria und flüsterte: „Der Meister ist da und ruft dich."
Da ging Maria nach draußen, und all die Menschen, die im Haus waren, gingen mit ihr. Denn sie sagten sich: „Maria geht sicher zum Grab. Kommt, wir lassen sie nicht allein."
Aber Maria ging zu Jesus.
Sie weinte, als sie ihn sah. Sie fiel zu seinen Füßen nieder und rief genauso wie Marta: „Herr, wenn du nur hier gewesen wärst, dann wäre Lazarus nicht gestorben."
Das klang sehr traurig.
Die Menschen begannen alle zu weinen. Sie hatten solches Mitleid mit Maria und Marta, doch Jesus hatte noch viel mehr Mitleid mit ihnen.
Er weinte auch, aber dann fragte er: „Wo ist das Grab von Lazarus?"
Sie antworteten: „Komm nur, Herr! Wir werden es dir zeigen!"
So gingen sie zusammen zum Grab.
Jesus sprach: „Nehmt den Stein weg."
Maria erschrak darüber und fragte: „Herr, was willst du? Es ist schon der vierte Tag..."
Aber Jesus antwortete: „Glaube an mich, Maria, dann wirst du sehen, wie mächtig Gott ist."
Ein paar Männer rollten den schweren Stein zur Seite.
Jetzt konnte man gut in die dunkle Höhle hineinsehen, doch Jesus sah zum Himmel empor und sprach mit seinem Vater, der im Himmel wohnt.
Er sprach: „Vater, ich danke dir, daß du mich erhört hast."
Dann schaute er ins Grab und rief: „Lazarus, komm heraus!"
Es war ganz still, aber plötzlich hörten die Menschen Schritte in dem dunklen Grab. Und dann kam Lazarus heraus!

Mit Tüchern um Hände und Füße und mit einem Tuch vor dem Gesicht, genauso, wie er begraben worden war, kam er nach draußen.
Die Menschen sprangen vor Schreck zurück, denn sie konnten es nicht glauben, daß es wirklich Lazarus war, der da lebend vor ihnen stand. Und keiner streckte eine Hand nach ihm aus. Aber Jesus sprach: „Bindet die Tücher los und laßt ihn gehen!"
Maria und Marta waren überaus froh. Sie nahmen ihren Bruder zwischen sich und gingen mit ihm nach Hause.
Vier Tage war Lazarus tot gewesen, vier Tage lang hatte er geschlafen, so fest, daß kein Mensch ihn aufwecken konnte.
Nun war er wieder lebendig geworden.
All die Menschen, die dieses große Wunder gesehen hatten, wußten jetzt, wer Jesus war: der Sohn Gottes, der sogar die Toten wieder lebendig machen konnte.

LASSET DIE KINDLEIN ZU MIR KOMMEN

Mütter gingen auf der Straße, sie hatten Kinder bei sich.
Die Kleinen trugen sie auf dem Arm, die Großen hielten sie an der Hand.
Alle sahen sie so froh aus, als gingen sie zu einem Fest!
Sie wollten zu Jesus.
Die Mütter dachten: Unsere Kinder müssen Jesus kennen, sie sollen ihn sehen und dürfen ihn nie mehr vergessen.
Dann wollten sie auch noch um etwas bitten, sie wollten sagen: „Lieber Herr, du kannst doch alle Menschen froh und zufrieden machen und alle Kinder auch. Willst du nicht unsern Kindern die Hand auflegen und für sie beten? Dann werden sie sicher ganz froh und zufrieden werden."
Sieh, dort war ja Jesus! Er hatte mit ein paar Männern gesprochen, die gerade fortgingen. Jesus blieb allein mit seinen Jüngern zurück.
Jetzt war es Zeit! Froh liefen die Mütter auf ihn zu.
Doch die Jünger sahen sie mit ihren Kindern herankommen und hielten sie zurück.
Sie sagten: „Was wollt ihr denn? Wollt ihr die Kinder zu Jesus bringen? Die sind ja noch viel zu klein. Die können ja gar nicht verstehen, was Jesus sagt. Geht nur wieder nach Hause."
Aber Jesus sah es und fand es gar nicht recht von seinen Jüngern.

Er rief die Mütter und ihre Kinder zu sich und sagte: „Kommt nur ruhig her zu mir." Und zu den Jüngern sprach er: „Lasset die Kindlein zu mir kommen und haltet sie nicht zurück!"
Das war herrlich! . . . Die Kinder liefen fröhlich zu Jesus. Sie hatten ihn vielleicht noch nie gesehen, aber sie hatten trotzdem keine Angst. Sie stellten sich zu ihm, und er zog sie an sich. Er legte seine Arme um die Kinder und sprach freundlich mit ihnen.
Sie verstanden vielleicht noch nicht alles, aber sie begriffen doch, wie lieb Jesus sie hatte.
Dann legte Jesus die Hände auf ihre Köpfe und segnete sie. Damit versprach

er ihnen, daß sie immer froh und zufrieden sein sollten und daß sie später zu ihm in den Himmel kommen dürften.

DER BLINDE BARTIMÄUS

Am Wegrand saß ein Mann.
Er hatte einen Mantel um und rührte sich nicht. Es sah so aus, als ob er schliefe.
Aber wenn Schritte näherkamen, hob er den Kopf ein wenig und lauschte. Wenn dann die Schritte ganz nahe waren, hielt er seine Hand auf und begann zu rufen: „Bitte, gebt mir doch eine Kleinigkeit, gebt mir doch ein paar Groschen, damit ich mir Brot kaufen kann."
Aber er sah die Menschen nicht an. Er konnte sie gar nicht sehen, denn er war blind.
Er hörte die Schritte der Menschen, aber er sah sie nicht. Er hörte die Bäume rauschen, aber er sah ihre grünen Blätter nicht. Er roch zuweilen den herrlichen Duft der Blumen, aber sah ihre schönen Farben nicht. Es war immer schwarz vor seinen Augen. Er lebte im Dunkeln und mußte immer ganz vorsichtig herumtasten, wo er lief.
Arbeiten konnte er auch nicht. Betteln war das einzige, was er noch konnte.
Darum saß er jeden Tag am Weg und hielt seine Hand auf und rief: „Ach, gebt mir doch etwas!" So bettelte er sich mühsam ein paar Groschen zusammen.
Bartimäus hieß der unglückliche Mann. Er war schon sehr lange blind, und niemand konnte seine kranken Augen gesund machen. Nur Jesus würde es können. Aber Bartimäus war noch nie bei Jesus gewesen, sonst hätte er ihn schon darum gebeten. Er konnte Jesus auch nicht suchen. Er mußte still sitzenbleiben und am Wegrand warten.
Da saß er dann und lauschte auf die Schritte.
Es waren viele in den letzten Tagen. Täglich gingen zahllose Menschen vorüber. Sie wollten alle nach Jerusalem, denn dort sollte bald das *Paschafest* gefeiert werden. Dorthin strömten all die Menschen.
Aber heute ging es besonders geschäftig zu. Eine große Menschenschar zog vorbei. Der Boden bebte davon. Und sie riefen so laut und drängelten so! Manchmal stießen sie fast gegen Bartimäus.
„Was ist los? Was ist los?" fragte Bartimäus. „Warum gehen da so viele Menschen vorbei?"
Einige antworteten: „Weißt du das denn nicht? Jesus kommt doch hier durch."
„Jesus?" Oh, wie klopfte da das Herz des Bartimäus! Jesus war vielleicht schon ganz in der Nähe, er konnte es vielleicht hören, wenn Bartimäus ihn ganz laut rief.
Plötzlich begann Bartimäus zu rufen: „Jesus, Jesus, hab doch Mitleid mit mir!"
Die Menschen, die in seiner Nähe standen, erregten sich darüber.
„Sei doch still!" sagten sie. „Du mit deinem Geschrei! Denkst du, Jesus hätte Zeit für dich? Er geht nach Jerusalem, um König zu werden."
Aber Bartimäus störte sich nicht an dem Gerede der Menschen. Sie sollten selber einmal blind sein und den ganzen Tag im Dunklen sitzen! Er rief noch viel lauter: „Jesus, hab doch Mitleid mit mir!"

Jesus blieb stehen und sprach: „Bringt Bartimäus zu mir. Er sitzt dort am Wegrand und ruft mich."
Da riefen die Menschen: „Bartimäus, du sollst zu Jesus kommen."

Bartimäus krabbelte, so schnell es ging, hoch, warf seinen Mantel fort, und da kam er an! Die Hände vorgestreckt, humpelte er durch die Menschen hindurch zu Jesus. Da hörte er auf einmal eine gute, freundliche Stimme, die ihn fragte: „Was willst du, Bartimäus? Was soll ich für dich tun?"
Das war die Stimme Jesu.
Bartimäus antwortete: „Herr, ich möchte so gern wieder sehen können!"

Jesus sprach: „Werde sehend! Du hast geglaubt, daß ich dich gesund machen kann, und darum tue ich es auch."
Und plötzlich konnte Bartimäus wieder sehen. Er sah die grünen Bäume und den schönen blauen Himmel, er sah die Menschen. Und er sah Jesus, der ihn wieder gesund gemacht hatte.
Er fiel vor ihm nieder, um ihm zu danken. Und als Jesus weiterging, ging Bartimäus mit. Er lief hinter ihm her und tanzte und jubelte vor Freude.
Jetzt war er kein Häufchen Elend mehr, von niemandem beachtet, jetzt war er ein fröhlicher und starker Mann, der nicht mehr zu betteln brauchte.
Das hatte Jesus getan!

HOSANNA

Es war an einem Sabbat.
Jesus ging auf einem Weg nahe bei der großen Stadt Jerusalem. Seine Jünger waren bei ihm und noch viele andere Menschen.
Sie sahen alle ehrfurchtsvoll auf Jesus und fragten einander: „Wird er jetzt nach Jerusalem gehen, um dort König zu werden?" Sie wollten so gern, daß Jesus ihr König würde, denn im Land waren Feinde, die Römer, und die quälten die Menschen zuweilen sehr. Wenn aber Jesus König wäre, könnte er gegen sie kämpfen und sie alle vertreiben. Er war ja so mächtig. Er konnte alles!

Plötzlich blieb Jesus stehen. Er rief zwei seiner Jünger herbei und sprach: „Seht ihr die Häuser dort? Das ist ein Dorf. Dorthin müßt ihr gehen. Am Eingang des Dorfes steht ein Esel, der mit einem Strick an einen Pfosten gebunden ist. Den müßt ihr losmachen und mir bringen. Und wenn euch jemand fragt: ‚Was wollt ihr mit dem Esel?', dann müßt ihr nur sagen: ‚Der Herr braucht ihn!'"
Die beiden Jünger dachten: Was will Jesus nur mit einem Esel?
Aber plötzlich begriffen sie es. Er wollte auf einem Esel in die Stadt Jerusalem reiten. Dann wollte er sicher doch König werden!
So liefen sie fröhlich ins Dorf, und es war alles so, wie Jesus es gesagt hatte.
Bei einem der ersten Häuser sahen sie einen Esel, der an einem Pfosten festgebunden war. Sie banden das Tier los und nahmen es mit. Einige Männer, die dort standen, fragten: „Was wollt ihr mit dem Esel?"
Die Jünger antworteten: „Der Herr braucht ihn." Da waren die Männer zufrieden.
Wie froh waren die Menschen, als sie die Jünger mit dem Esel ankommen sahen. Denn jetzt wurde allen klar, was Jesus wollte.
Sie zogen ihre Mäntel aus und legten sie auf den Rücken des Esels. Dann halfen sie Jesus hinauf, und er ritt los.
Die Jünger gingen nebenher. Und die Menschen liefen auch mit. Plötzlich begannen sie zu rufen: „Da reitet unser König! Hosanna, unser König!"
Es kamen immer mehr Menschen hinzu. Aus Jerusalem kamen sie auch schon gelaufen. Dort hatten sie gehört, daß Jesus käme.
Und alle Menschen riefen und sangen: „Unser König kommt! Gesegnet sei er, der da kommt im Namen des Herrn. Hosanna, unser König!"
Sie pflückten lange Palmblätter von den Bäumen und winkten damit. Die Blätter waren wie große Fahnen.
Sie zogen ihre Mäntel aus und breiteten sie auf dem Weg aus. Darüber sollte der Esel laufen. So brauchte ihr König nicht über den staubigen Boden zu reiten.
Sie jauchzten und sangen. Und sie dachten: Nun wird Jesus unser König werden, unser Kampfkönig. Dann wird er in einem schönen Palast wohnen, genauso wie früher der König David. Und uns alle wird er reich und glücklich machen.
Je näher sie an die Stadt kamen, um so lauter sangen sie: „Hosanna, Hosanna!"

Am Wegrand aber standen reiche und vornehme Männer. Das waren die *Priester* und *Pharisäer*. Die sangen nicht mit. Sie waren eifersüchtig, weil die Menschen Jesus so liebten und ihm so gern zuhörten. Sie dachten: Die Menschen müssen auf uns hören, wir wissen, was sie tun sollen.
Jetzt sahen sie Jesus heranreiten und hörten, was die Menschen riefen.
Da sagten sie zu ihm: „Meister, sag doch deinen Jüngern, daß sie das nicht rufen dürfen!"
Aber Jesus ließ sie ruhig rufen. Es stimmte ja: Er war ein König, aber ein anderer König, als die Menschen dachten: Kein gewöhnlicher König, kein Kampfkönig, ein Friedenskönig war er!

Die Menschen verstanden das nicht. Sie dachten, daß er sofort König werden würde. Darum waren sie so froh. Sie lachten und sangen und jubelten.

So zog Jesus in Jerusalem ein und ritt durch die Straßen zum Tempel. Eines Tages würde er doch König sein.

MARIA TUT ETWAS SCHÖNES

Jesus war wieder in Betanien. Dort wohnten seine Freunde, Marta, Maria und Lazarus, der tot gewesen war und den Jesus wieder lebendig gemacht hatte.
Es war Abend geworden. Jesus saß bei Tisch, und seine Freunde und Jünger waren bei ihm.
Sie wollten zusammen essen.
Marta lief wie immer umher, um zu helfen und zu sorgen. Lazarus saß nahe bei Jesus.
Alle im Hause waren froh, daß Jesus bei ihnen war.
Nur Maria war noch nicht da.
Als sie schon alle am Tisch saßen, kam sie herein.
Sie hatte eine Flasche in der Hand, eine sehr schöne, kostbare Flasche. Aber Maria sah sehr traurig aus.
Sie wußte, daß es das letzte Mal war, daß Jesus hier saß. Morgen würde er fortgehen nach Jerusalem und nicht mehr zurückkommen. Er hatte es ja selbst gesagt.
Darum wollte Maria jetzt noch so gern etwas für Jesus tun. Sie wollte ihm zeigen, wie lieb sie ihn hatte.
Aus diesem Grunde hatte sie die Flasche gekauft. Die war sehr teuer gewesen, aber das kümmerte Maria nicht. Für Jesus war ihr nichts zu teuer. In der Flasche war herrliches Riechöl. Davon gossen sich die Leute manchmal ein paar Tropfen aufs Haar. Das duftete so lieblich.
Doch ein paar Tropfen hielt Maria nicht für ausreichend. Sie stellte sich hinter Jesus, öffnete die Flasche und ließ fast den ganzen Inhalt über seinem Kopf auslaufen. Sie salbte seinen Kopf mit dem herrlichen Öl. Dann kniete sie zu seinen Füßen nieder und salbte auch die Füße.
Das ganze Haus duftete nach dem Öl.
Jesus ließ sie ruhig gewähren. Er wußte sehr wohl, warum Maria das tat. Er wußte, wie lieb sie ihn hatte.
Aber die anderen im Hause verstanden es nicht, und Judas, einer der Jünger, verstand es überhaupt nicht.
Er wurde richtig böse und begann zu

murren: „Was tut die Frau bloß? Sie zerbricht mir nichts dir nichts die teure Flasche! Und gießt all das teure Öl einfach so weg!"
Judas war zwar ein Jünger des Herrn, aber er hatte Jesus nicht lieb, er dachte nur an Geld. Er wollte so gern reich werden.
Er redete weiter: „Warum hat Maria die Flasche nicht hergegeben, als sie noch voll war? Dann hätten wir sie verkaufen können und hätten eine Menge Geld gehabt. Und das Geld hätten wir dann den Armen geben können."
Da begannen auch die anderen Jünger zu murren.
Aber Jesus sprach: „Hört schon auf! Warum zankt ihr mit Maria? Sie hat ein gutes Werk getan. Arme gibt es immer. Denen könnt ihr auch später noch helfen. Aber ich bin nicht immer da. Wißt ihr, warum Maria dies getan hat? Weil ich bald sterben muß und begraben werde. Was Maria getan hat, wird nie vergessen werden."
Da waren die Jünger still, und sie schämten sich.
Nur Judas schämte sich nicht. Er stand auf und lief fort in den dunklen Abend hinein.
Er wollte auch etwas tun, aber er wollte etwas Schreckliches tun.

JUDAS

Judas lief allein in die Dunkelheit hinaus. Er war verbittert über Jesus.
Bisher hatte er gedacht, Jesus würde König werden. Und jetzt hatte Jesus gesagt, er werde sterben.
Warum wollte Jesus eigentlich kein König werden? Es wäre doch so leicht möglich gewesen. Fast alle Menschen waren damit einverstanden.
Wie herrlich wäre das gewesen, wenn Jesus König geworden wäre!
Judas hatte so fest damit gerechnet! Gerade darum war er ja so gern ein Jünger Jesu gewesen.
Denn wenn Jesus König geworden wäre, dann wäre Judas einer seiner vornehmsten Diener geworden. Dann wäre er reich geworden. Und darum wollte er nicht länger ein Jünger sein. Wo er ja doch nichts bekommen würde!
Judas dachte: Ich will Jesus etwas Übles antun. Ich werde nach Jerusalem gehen. Dort wohnen die Feinde, die ihn fangen wollen. Ich werde ihnen helfen, Jesus zu fangen. Vielleicht bekomme ich etwas dafür von seinen Feinden. So ging er hin und verriet Jesus, seinen Herrn.

Judas kam zu den Feinden Jesu. Das waren die Priester und Pharisäer.
Er sagte: „Was bekomme ich von euch, wenn ich euch helfe, Jesus ohne viel Aufsehen zu fangen?"
Da versprachen sie Judas Geld. Dreißig Silberlinge versprachen sie ihm.
Das Geld klimperte so schön. Es glänzte so. Judas liebte das Geld über alles. Er wollte sich die dreißig Silberlinge unbedingt verdienen.
„Ich werde euch rufen, wenn ihr ihn in aller Ruhe fangen könnt", sagte er. „Ich werde bei Jesus bleiben und so tun, als wäre ich noch sein Freund."
Danach schlich sich Judas in der Finsternis davon.

Er kam zu Jesus zurück und tat ganz freundlich, aber er meinte es nicht so. Er hatte Jesus verraten, aber er ahnte nicht, daß Jesus alles wußte.

DIE FUSSWASCHUNG

Man feierte das Paschafest in Jerusalem. In jedem Haus waren die Tische gedeckt mit Wein und Brot und Fleisch. In jeder Familie wurde das Fest gefeiert.

Jesus dachte: Ich will noch einmal mit meinen Jüngern das Paschafest feiern. Er rief Petrus und Johannes zu sich und sprach: „Geht und macht alles bereit für das Fest."

„Aber in welchem Haus", fragten die Jünger.

Jesus antwortete: „Geht nur in die Stadt. Dort werdet ihr einen Mann sehen mit einem Wasserkrug. Geht hinter diesem Mann her. In das Haus, in das er geht, sollt ihr auch hineingehen. Und zum

Herrn des Hauses sollt ihr sagen: ‚Wo ist der Raum, in dem Jesus mit seinen Jüngern das Paschafest feiern kann?' Dann wird er euch einen kleinen Saal zeigen, wo die Tische und Stühle schon bereitstehen."

Da gingen die beiden Jünger in die Stadt, und es geschah alles so, wie Jesus es gesagt hatte.

Sie sahen einen Mann mit einem Krug und gingen hinter ihm her in ein Haus, und der Herr des Hauses zeigte ihnen den Saal.

Petrus und Johannes richteten alles her. Sie stellten Brot und Wein auf den Tisch, dazu Fleisch von einem Lamm. Und an die Tür stellten sie eine Kanne mit Wasser und eine große Schüssel. Darin konnte man sich die Füße waschen. Die wurden so schmutzig vom Staub der Straße, denn die Menschen hatten damals noch keine Schuhe oder Strümpfe. Sie trugen nur lederne Sandalen. Die Füße waren nackt, darum mußten sie gewaschen werden, bevor die Menschen zu Tisch gingen.

Petrus und Johannes legten auch ein Tuch zum Trocknen der Füße bereit. Dann war alles fertig, und sie setzten sich und warteten, bis Jesus kommen würde.

Gegen Abend kam Jesus mit den anderen Jüngern in den Saal.

Sie sahen auf die Schüssel, die an der Tür stand, um die Füße darin zu waschen. Doch wer sollte ihnen die Füße waschen? In den reichen Häusern war immer ein Diener da, der allen Leuten die Füße wusch, die zum Essen kamen. Aber in diesem Haus war kein Diener. Wer sollte ihnen die Füße waschen?

Muß ich es tun? dachte Petrus. Nein, ich nicht! Dann bin ich ja ein Diener. Ich will aber kein Diener sein. Ich bin nicht der Geringste, vielleicht bin ich sogar der Vornehmste.

Auch die anderen Jünger wollten es nicht tun. Sie fühlten sich alle viel zu vornehm. Keiner von ihnen wollte der Geringste sein.

So setzten sie sich mit schmutzigen Füßen zu Tisch. Und einer sagte zum andern: „Tu du es doch, ich tu es nicht, ich bin nicht der Geringste."

Jesus hatte sich auch zu Tisch gesetzt und sprach: „Ich habe mich sehr danach gesehnt, mit euch dieses Paschafest zu feiern, denn es wird das letzte Mal sein."

Aber die Jünger hörten ihm nicht mal richtig zu. Sie flüsterten immer noch. Sie stritten noch darüber, wer von ihnen der Vornehmste sei.

Da stand Jesus auf. Er sagte nichts, sondern nahm das Tuch und goß das Wasser in die Schüssel. Dann kniete er sich vor einem der Jünger nieder und begann, dessen Füße zu waschen.

Die Jünger erschraken sehr darüber. Tat Jesus die Arbeit, die sie nicht tun wollten? Wollte er der Diener, wollte er der Geringste sein?

Sie schämten sich sehr, und Petrus schämte sich am meisten von allen.

Als Jesus zu ihm kam und vor ihm niederkniete, zog er rasch die Füße zurück.

„Herr", rief er, „willst *du* mir die Füße waschen? Du darfst mir die Füße nicht waschen. Niemals darfst du das tun!"

Aber Jesus sah ihn an und sprach: „Wenn *ich* dir nicht die Füße wasche, kannst du nicht mein Jünger sein. Dann gehörst du nicht zu mir."
Oh, da wollte Petrus sich gern die Füße waschen lassen. Er wollte doch zu Jesus gehören, ganz und gar. Er hatte Jesus ja so lieb!
So sagte er: „Aber wasch dann nicht nur meine Füße, Herr, sondern wasch auch meine Hände und mein Gesicht."
Aber das war nicht nötig. Jesus wusch nur die Füße. Die Füße des Petrus und die Füße all der andern Jünger, auch die des Judas.
Dann stellte er die Schüssel fort und setzte sich wieder zu Tisch.

Er sprach: „Versteht ihr auch, warum ich dies getan habe? Ich habe euch ein Beispiel gegeben und euch etwas lehren wollen. Ihr dürft nicht darüber streiten, wer der Vornehmste ist, im Gegenteil, ihr müßt einander helfen und euch füreinander einsetzen. Seid ruhig die Geringsten, dann werdet ihr meine rechten Jünger sein."
Da schämten sich die Jünger noch mehr und bereuten sehr, daß sie so stolz gewesen waren.

DAS LETZTE ABENDMAHL

Nach der Fußwaschung saß Jesus wieder mit seinen Jüngern zu Tisch und sprach: „Jetzt wird es nicht mehr lange dauern, dann werden mich meine Feinde gefangennehmen, und dann muß ich sterben, aber einer von euch, der hier am Tisch sitzt, wird meinen Feinden helfen und mich verraten."
Die Jünger erschraken sehr. Sie konnten es einfach nicht glauben. Einer von ihnen sollte Jesus verraten? Wer könnte wohl so schlecht sein?
Sie fragten alle: „Wer ist es, Herr?" „Bin ich es am Ende?" „Sag doch, daß ich es nicht bin!"
Johannes saß direkt neben Jesus. Auch er fragte: „Herr, wer ist es?"
Da antwortete Jesus leise: „Dem ich dieses Stück Brot geben werde, der ist es."
Dann gab er Judas das Brot, doch der fragte auch noch frech: „Bin ich es etwa?"
Jesus sah ihn an und sprach: „Ja, du bist es."
Das hörten die anderen nicht, und Jesus fuhr fort: „Was du tun willst, das tu bald."
Da stand Judas auf und ging hinaus, fort in den dunklen Abend. Die Jünger dachten: Wohin geht er nur? Will er noch etwas kaufen für das Fest?
Aber Judas wollte den Feinden Jesu helfen. Er wollte seinen Herrn verraten. Doch jetzt war der Verräter fort, und Jesus war mit seinen wirklichen Jüngern allein. Sie aßen von dem Brot und tranken von dem Wein, sie feierten das Fest zusammen.
Bei der Feier dieses Abendmahls hat Jesus etwas ganz Wunderbares getan. Da nahm er Brot und dankte seinem Vater dafür. Dann gab er das Brot seinen Jüngern zum Essen. Dabei sagte er: „Das ist mein Leib, der für euch hingegeben wird." Danach nahm er den Kelch mit dem Wein und sagte: „Das ist mein Blut, das für euch vergossen wird." Die Jünger aßen von dem wunderbaren Brot. Alle

tranken aus dem Kelch. Dann sagte ihnen Jesus, sie sollten dieses Abendmahl feiern, bis er einmal wiederkommt. Und das haben seine Jünger auch nie vergessen. Noch immer feiern wir das heilige Abendmahl. Wir danken dem Vater im Himmel, daß Jesus für uns alle gestorben ist und uns von der Sünde frei gemacht hat. Der Heiland kommt in unsere Herzen und macht uns zu Gotteskindern. Er hat uns so lieb, daß wir immer wieder mit ihm das Abendmahl feiern dürfen.

Jesus sagte an diesem Abend noch viel mehr zu seinen Jüngern.

Er sagte auch, daß in dieser Nacht seine Feinde kommen würden, um ihn zu fangen.

„Dann werdet ihr mich alle allein lassen", sprach er.

Da schüttelten sie die Köpfe und riefen: „Nein, das werden wir nicht tun. Wir lassen dich niemals allein."

Und Petrus rief: „Wenn sie dich auch alle allein lassen, ich werde für dich kämpfen. Ich will für dich sterben."

Jesus erwiderte: „Du willst für mich sterben? Ach, Petrus, noch in dieser Nacht wirst du mich dreimal nicht kennen wollen. Du wirst lügen und sagen, daß du nicht mein Jünger bist. Früh am Morgen kräht ein Hahn, und bevor der Hahn kräht, wirst du das dreimal getan haben."

Petrus glaubte nicht, was der Herr da sagte. Und die andern Jünger glaubten es

auch nicht. Sie konnten es einfach nicht glauben. Doch Jesus wußte alles, was in dieser schrecklichen Nacht geschehen sollte.
Er redete noch weiter mit seinen Jüngern und sagte, sie sollten nicht traurig sein. Zuerst würde alles so dunkel aussehen für sie, aber später würde alles wieder gut werden.
Jesus würde zwar sterben, aber er würde auch wieder lebendig werden, und dann würde er zum Himmel auffahren.
Darauf beteten sie zusammen, und dann betete Jesus mit lauter Stimme für seine Jünger und für alle Menschen, die an ihn glaubten.
Er sprach: „Vater, ich will, daß sie alle zu mir in den Himmel kommen."
Als Jesus geendet hatte, sprach er: „Steht auf, wir müssen gehen."
Dann gingen sie in die dunkle Nacht hinaus.

IM DUNKLEN GARTEN

In der Nähe von Jerusalem lag ein großer Garten. Der hieß *Getsemani.* Dorthin ging Jesus nach dem Abendmahl mit seinen Jüngern.
Er war voller Kummer, denn jetzt würde es nicht mehr lange dauern, bis die Soldaten kämen, um ihn gefangenzunehmen.
Dann würden sie ihn plagen und ihn quälen und töten.

Jetzt sollte die Strafe kommen, die Jesus nicht verdient hatte und die er doch tragen wollte.
Aber die Strafe war so schwer!
Jesus dachte: Ich will allein sein. Ich will Gott bitten, mir zu helfen, die Qual des Todes zu ertragen.
Als er am Garten angekommen war, sprach er zu den Jüngern: „Bleibt hier!"
Doch drei Jünger nahm er ein Stück in den Garten mit: Petrus, Jakobus und Johannes.
Er sprach zu den dreien: „Ich bin aufs tiefste betrübt. Ihr müßt hierbleiben, aber ihr dürft nicht schlafen. Ihr müßt wachen und mit mir beten."
Dann ging er allein weiter, noch tiefer in den dunklen Garten hinein. Dort fiel er auf die Knie und sprach: „Mein Vater, mir ist so bange, weil die schwere Strafe jetzt kommen soll. Aber ich werde alles tun, was du willst. Hilf mir, Vater, und mach mich stark!"
Danach stand er auf und ging zu den drei Jüngern zurück. Er wollte ihnen von seinem Kummer erzählen.
Doch als er zu ihnen kam, lagen sie alle drei im Gras und schliefen. Da weckte sie Jesus und sprach: „Petrus, schläfst du? Kannst du denn nicht eine Stunde mit mir wachen?"
Petrus erschrak und schämte sich sehr. Und sie dachten alle drei: Jetzt werden wir aber gewiß wach bleiben!
Doch als Jesus fort war, sanken ihre Köpfe wieder ins Gras, und die Augen fielen ihnen wieder zu.
Sie waren so müde, und der Schlaf kam über sie. So ließen sie Jesus allein mit seinem Kummer.
Wieder war er im Dunklen niedergekniet. Er war völlig niedergeschlagen und bedrückt. Große Schweißtropfen standen ihm auf der Stirn, so verzagt war er. Trotzdem sprach er: „Vater, ich werde alles tragen, aber hilf mir!"
Dann ging er wieder zurück zu seinen Jüngern, und siehe da, sie schliefen schon wieder. Aber jetzt ließ er sie schlafen und ging nochmals fort, um zu beten.
Da wurden die Schweißtropfen auf seiner Stirn zu großen Blutstropfen, so bang und bekümmert war er. Er schüttete Gott sein Herz aus und sprach abermals: „Vater, hilf mir, damit ich alles tue, was du willst."
Da kam ein Engel vom Himmel, der tröstete und stärkte ihn. Jetzt war er nicht mehr traurig und auch nicht mehr ängstlich.
Doch was geschah dort im dunklen Garten? Es schwankten Lichter hin und her, und Stimmen von vielen Männern wurden laut. Die Jünger schliefen noch, aber jetzt wachten sie erschreckt auf. Sie erhoben sich und stellten sich zu Jesus. Was wollten all die Männer hier im Garten? Sieh doch, Judas war auch dabei. Er lief voran und zeigte den andern Männern den Weg. Das waren die Soldaten, die Jesus fangen wollten.
Judas hatte zu ihnen gesagt: „Kennt ihr Jesus auch? Nein? Dann werde ich ihn euch zeigen. Ich werde so tun, als sei ich noch sein Freund. Ich werde ihm einen Kuß geben. Paßt gut auf! Wem ich einen Kuß gebe, der ist es."
Und da kam Judas an. Er ging geradewegs auf Jesus zu.
„Guten Abend, Meister!" rief er und gab Jesus einen Wangenkuß.

Jesus fragte betrübt: „Judas, verrätst du mich mit einem Kuß?"
Doch Judas wagte nichts zu erwidern. Er stellte sich schnell hinter die Soldaten.
Jesus aber ging auf die Soldaten zu und fragte: „Wen sucht ihr?"
„Jesus!" riefen sie.
Jesus sprach: „Ich bin es."
Da geschah etwas Seltsames: Alle Soldaten gingen vor Schreck zurück und fielen zu Boden.
Sie schauten voll Angst auf Jesus. Konnte er sie alle einfach zu Boden werfen? Dann konnten sie ihn ja nur fangen, wenn er es wollte!
Jesus fragte wieder: „Wen sucht ihr?"
Die Soldaten antworteten voller Furcht: „Jesus!"
Der sprach: „Ich bin es. Wenn ihr mich jetzt festnehmt, dann tut wenigstens meinen Jüngern nichts Böses. Laßt sie ruhig weggehen."
Dann streckte er seine Hände aus, und die Soldaten nahmen ihn fest.
Doch Petrus sprang plötzlich nach vorn. Er wollte für Jesus kämpfen.
„Laßt ihn los!" rief Petrus. „Laßt meinen Herrn und Meister los!"
Er trug ein großes Messer, ein richtiges Schwert, bei sich. Das schwang er und schlug damit auf die Soldaten ein. Und er traf sie auch. Er schlug einem Soldaten ein Ohr ab.
Aber Jesus sprach: „Hör auf, Petrus! Du darfst mir nicht helfen. Die Engel im Himmel würden mir schon helfen. Wenn ich meinen Vater darum bäte, würden Tausende kommen. Aber das will ich nicht. Laß mich nur gehen. Dies muß alles so geschehen."

Dann ging er auf den Soldaten zu, rührte sein Ohr an und machte es wieder heil. Jetzt ergriffen ihn die Soldaten und banden seine Hände mit Stricken, als wäre er ein gefährlicher Mörder. Dann schleppten sie ihn mit ins Dunkel hinein. Die Jünger aber flohen nach allen Seiten auseinander.
Sie ließen Jesus allein.

JESUS UND SEINE FEINDE

In Jerusalem stand ein schönes, großes Haus. Darin wohnte der *Hohepriester*. Er war der Herr über alle andern Priester.
In einem Saal dieses Hauses saßen der Hohepriester und noch andere vornehme Männer. Alle waren sie Feinde Jesu. Sie saßen dort und warteten, daß er zu ihnen gebracht würde.

Sie waren sehr froh, daß sie Jesus gefangen hatten, und dachten: Jetzt haben wir ihn und lassen ihn nie wieder frei! Er muß sterben! Dann sind wir ihn los, dann kann er nicht mehr zu den Menschen reden. Dann sind *wir* wieder die Vornehmsten.
Da wurde Jesus hereingebracht. Seine Hände waren gebunden.
Starke Soldaten hielten ihn fest, und all die vornehmen Priester sahen ihn vorwurfsvoll an.
Doch Jesus hatte keine Angst. Er stand ganz ruhig vor ihnen.
Der Hohepriester stellte ihm viele Fragen, aber Jesus antwortete nicht.
Dann kamen Männer herein, die ihn mit falschen Beschuldigungen belasteten. Es waren lauter Lügen, denn Jesus hatte nie etwas Unrechtes getan. Er hatte den Menschen von Gott erzählt und die Kranken wieder gesund gemacht. Er hatte nur Gutes getan.
Das wußten der Hohepriester und die andern Männer auch, aber trotzdem wollten sie Jesus bestrafen.
Der Hohepriester fragte: „Hörst du nicht, was die Menschen hier gegen dich vorbringen? Hast du all das getan? Sag doch etwas!"
Doch Jesus sprach immer noch nicht.
Da fragte ihn der Hohepriester: „Bist du der Sohn Gottes?"
Jesus antwortete: „Ja, ich bin der Sohn Gottes. Es wird nicht lange mehr dauern, dann werde ich zum Himmel gehen. Aber einst werde ich zurückkehren auf die Erde. Und dann werdet ihr mich alle sehen, wenn ich kommen werde auf den Wolken des Himmels."
Da sprangen sie alle auf, und der Hohepriester rief: „Oh, wie kann er so etwas sagen! Er ist nicht der Sohn Gottes, er ist ja nur der Sohn Josefs, des Zimmermanns. Er hat Gott verspottet! Was soll mit ihm geschehen? Was für eine Strafe soll er haben?"
Da schrien all die Männer: „Er muß sterben! Ja, er muß sterben!"
Jetzt sprangen sie auf Jesus zu und schlugen ihn. Sie spuckten ihn an und quälten ihn.
Jesus aber ließ alles zu. Er klagte nicht und schimpfte nicht, sondern ließ alles mit sich geschehen.

Er wollte ja *für uns* all das Schwere erdulden.

PETRUS

Als die Soldaten Jesus gefangengenommen hatten, waren die Jünger geflohen.
Sie hatten große Angst, die Soldaten könnten auch sie gefangennehmen. Darum waren sie auch nach allen Seiten in die Dunkelheit davongelaufen.

Nur Petrus und Johannes gingen heimlich hinter den Soldaten her.
Sie wollten wissen, wohin sie Jesus brachten.
Da sahen sie, daß er in das große Haus geführt wurde, in das Haus des Hohenpriesters.
Da traute Petrus sich nicht weiter, aber Johannes ging bis an die Tür des Hauses. Er kannte die Magd des Hohenpriesters, die immer den Besuchern öffnete.
Johannes klopfte an die Tür und fragte: „Darf ich hineinkommen? Und mein Freund auch?"
Die Magd sagte: „Ja."
So kam auch Petrus in das große Haus des Hohenpriesters, aber er hatte Angst.
Er dachte: Es ist gefährlich, daß ich hier bin. Dies ist das Haus der Feinde. Wenn sie erfahren, daß ich ein Jünger Jesu bin, dann werden sie mich auch ergreifen und quälen.
Warum schaute ihn die Magd so an? Petrus ging schnell an ihr vorbei und kam auf den Hof.
Dort brannte ein Feuer in der Dunkelheit. Soldaten saßen daran und wärmten sich.
Petrus stellte sich zu ihnen ans Feuer. Er wärmte sich auch und sah nach Jesus. Den konnte er von hier aus gut sehen. Jesus stand mit gefesselten Händen in einem Saal, und die vornehmen Priester saßen vor ihm.
Doch da kam die Magd und stellte sich auch ans Feuer. Sie sah Petrus an und fragte: „Gehörst du nicht auch zu den Jüngern Jesu?"
Petrus erschrak und dachte: Das muß ich jetzt entschieden abstreiten, sonst halten mich die Soldaten fest.
Deshalb antwortete er: „Ein Jünger Jesu? Aber nein, ich kenne den Mann nicht."
Das war das erste Mal, daß er seinen Herrn verleugnete.

Jetzt bekam Petrus noch größere Angst. Er dachte: Ich darf nicht länger in diesem gefährlichen Haus bleiben, und ging zur Tür. Aber dort stand gerade die Magd und unterhielt sich mit einigen Leuten. Als Petrus herankam, sagte sie zu den andern: „Dieser Mann gehört auch zu Jesus."
Petrus erschrak abermals und sagte: „Aber nein, das ist nicht wahr. Ich kenne Jesus nicht."
Das war das zweite Mal, daß er seinen Herrn verleugnete.

Jetzt traute sich Petrus nicht mehr fortzugehen. Er dachte: Jetzt werden sie mich wahrscheinlich auch erkennen und auch festnehmen. Das Haus ist bewacht. Er hatte fürchterliche Angst und ging wieder ans Feuer und setzte sich zu den Soldaten. Er schaute nach Jesus und sah, wie er geschlagen und verspottet wurde. Wenn sie mich packen, werden sie mich sicher auch schlagen, dachte Petrus.

Plötzlich fragte ihn einer der Soldaten: „Sag, bist du nicht auch einer von Jesu Jüngern?"
„Aber nein", antwortete Petrus schnell. Jetzt schauten sie ihn alle an, und ein anderer Soldat sagte: „Doch, ich habe dich in dem dunklen Garten gesehen."
Petrus rief: „Es ist nicht wahr, ich kenne den Mann wirklich nicht, ich bin kein Jünger von ihm!"
Das war das dritte Mal, daß er seinen Herrn verleugnete.
Da krähte ein Hahn. – Petrus hörte es. Was hatte Jesus doch gesagt? „Bevor der Hahn kräht, wirst du mich dreimal verleugnen."
Jetzt mußte Petrus an diese Worte denken.
„Das werde ich nie tun!" hatte er erwidert. Und er hatte es doch getan!
Petrus schämte sich sehr. Er sah erschrocken zu Jesus hin. Der stand weit fort von ihm im Saal bei den Feinden. Aber er wußte genau, daß Petrus draußen war. Er wußte auch, was geschehen war. Jesus drehte sich um und sah Petrus an. Da konnte Petrus es nicht mehr aushalten. Er fühlte die traurigen Augen Jesu tief in seinem Herzen. Er sprang auf, lief in die Dunkelheit hinaus und weinte bitterlich.

KREUZIGE IHN

Die Nacht war vorüber, und Jesus war immer noch im Haus des Hohenpriesters, in den Händen seiner Feinde. Sie hatten gesagt, daß er sterben müsse. Sie wollten ihn unbedingt töten.

Aber das konnten sie nicht so ohne weiteres tun.
Sie hatten ja nicht das Sagen im Land. Fremde Soldaten, die Römer, waren die Herren.
Der Vornehmste unter ihnen hieß *Pilatus.* Der war der Herr über das ganze Land und über alle Menschen.
Darum gingen der Hohepriester und all die andern Männer mit Jesus zu Pilatus. Sie wollten den Römer fragen, ob sie Jesus töten dürften. Viele Menschen gingen mit, und immer mehr kamen hinzu.
Pilatus wohnte in einem großen Palast. Als all die Menschen mit Jesus ankamen, ging er nach draußen und fragte: „Warum bringt ihr diesen Mann zu mir?"
„Weil er sterben muß!" riefen die Priester. „Weil er so viel Unrechtes getan hat."
Pilatus fragte: „Was hat er denn Schlimmes getan?"
Da zählten sie alles auf, lauter Lügen, aber Jesus sagte nichts dazu.
Pilatus sah Jesus an. Der stand ganz still und geduldig da. Er war nicht einmal aufgebracht gegenüber all diesen Lügen. Er sah nur unendlich traurig aus.
Pilatus dachte: Der Mann hat bestimmt nichts Schlechtes getan.
Er sprach auch kurz mit Jesus. Und da wußte er es ganz sicher: Jesus hatte wirklich nichts Schlimmes getan. Doch er sagte nicht: „Ihr müßt den Mann freilassen!"
Das wagte er nicht. Er hatte Angst vor den vornehmen Priestern und all den vielen Menschen.
Pilatus dachte: Ich will es ganz schlau anfangen. Ich werde dafür sorgen,

daß Jesus freikommt und daß mir die Menschen trotzdem nicht zürnen. Deshalb schickte er ein paar Soldaten ins Gefängnis.
Dort hatte man Männer eingesperrt, die schwere Verbrechen begangen hatten.
Die Soldaten holten einen Mörder heraus, der hieß *Barabbas*, und den stellte Pilatus neben Jesus.
Er sagte zu den Menschen: „Heute ist ein Festtag. Darum dürft ihr wählen, welchen von diesen beiden ich freilassen soll, Barabbas oder Jesus?"
Er dachte: Natürlich werden sie sagen: Laß Jesus frei. Den gefährlichen Mörder werden sie bestimmt nicht freilassen.
Aber er wußte nicht, daß die Menschen Jesus um jeden Preis beseitigen wollten.
Daher riefen sie alle: „Weg mit Jesus! Laß Barabbas los!"
Pilatus bekam einen Schrecken und fragte: „Was soll ich denn mit Jesus tun?"
„Er muß sterben!" riefen die Priester. „Er muß gekreuzigt werden!"
Da riefen auch alle übrigen: „Ja, sterben muß er! Kreuzige ihn! Kreuzige ihn!"

Da ließ der ängstliche Pilatus den Mörder Barabbas frei.
Jesus aber blieb gefangen.
Pilatus hatte jedoch noch einen Plan, um zu verhindern, daß Jesus gekreuzigt würde. Er nahm ihn mit hinein und rief seine Soldaten. Die zogen Jesus die Kleider vom Leib, banden ihn an einen Pfahl und geißelten ihn.
Sie schlugen ihn auf den bloßen Rücken.
Dann warfen sie ihm einen alten Soldatenmantel über und verspotteten ihn.
„Das ist sein Königsmantel!" riefen sie.
Sie nahmen Dornen und flochten einen Kranz daraus. Den drückten sie Jesus fest auf den Kopf.
„Das ist seine Königskrone", lachten sie.
Dann gaben sie Jesus auch einen Stecken in die Hand, lachten ihn aus und riefen: „Guten Tag, König! Oh, was bist du für ein schöner König!"
Jesus ließ alles mit sich geschehen.
Schließlich nahm Pilatus Jesus wieder nach draußen und stellte ihn vor die Menschen.
Jesus sah erbarmungswürdig und sehr elend aus. Das Blut rann über sein Antlitz.
Pilatus dachte: Jetzt werden die Menschen Mitleid mit ihm haben. Sie werden sagen: Laß ihn doch frei!
Er zeigte auf Jesus und sagte: „Seht, welch ein Mensch!"
Aber die Priester hatten kein Mitleid, und die andern Menschen auch nicht. Sie schrien: „Fort mit ihm! Kreuzige ihn! Kreuzige ihn!"
Sie schrien sehr laut und aufgebracht, so daß Pilatus Angst vor den Menschen bekam.
Er sagte: „Dann nehmt ihn mit! Tut mit ihm, was ihr wollt!"
Da packten die Soldaten Jesus und brachten ihn fort, damit er gekreuzigt werde.

GOLGOTA

Die Soldaten nahmen ein schweres Holz und legten es auf Jesu Schulter, zwei Balken, die aufeinandergenagelt waren.

Das war das Kreuz. Er mußte es selbst tragen.
So zogen sie durch die Straßen von Jerusalem. Soldaten voraus, Soldaten hinterher, und Jesus in der Mitte mit dem schweren Kreuz aus Holz. Und viele Menschen gingen auch mit. Sie johlten und schrien und drängelten, um vorwärtszukommen.
Jesus aber war nach den vielen Verhören und Qualen völlig übermüdet. Er konnte das schwere Kreuz fast nicht mehr tragen. Und plötzlich brach er zusammen, und das Kreuz lag über ihm.
„Vorwärts!" riefen die Soldaten. „Heb das Kreuz auf!"
Aber Jesus konnte es nicht.
Da riefen sie einen, der gerade von seinem Feld daherkam, der hieß *Simon.* „Komm her!" befahlen sie. „Trag das Kreuz für den Mann!"
Das wollte Simon gern tun.
Die Soldaten zogen Jesus mit, und Simon lief mit dem Kreuz hinter ihm her.
So kamen sie vor die Stadt. Dort lag ein Hügel, eine kahle Anhöhe aus Sand. Die hieß *Golgota.* Dort legten die Soldaten Jesus auf das Kreuz.

Sie schlugen Nägel durch seine Hände und Füße und stellten dann das Kreuz aufrecht in den Boden.
Jesus betete zu Gott, daß er die Peiniger nicht dafür strafen möge, weil sie so grausam zu ihm waren.
Er sprach: „Vater, vergib ihnen, denn sie wissen nicht, was sie tun!"

Dann wurden noch zwei weitere Kreuze in den Boden gerammt, an jeder Seite eins, und an jedem der Kreuze hing auch ein Mann.
Es waren zwei Mörder, die zum Tode verurteilt worden waren. So hing Jesus zwischen zwei Mördern.
Die Menschen standen da und sahen sich alles mit an.
Auch die Feinde Jesu, die Priester und Pharisäer, standen da. Sie verfolgten ihn immer noch mit ihrem Spott.
„Ha!" riefen sie. „Da hängt er nun! Er hat gesagt, er sei der Sohn Gottes. Warum hilft Gott ihm jetzt nicht?
Er hat gesagt, er könne alles. Warum kommt er denn nicht vom Kreuz herunter? Er kann es ja gar nicht!"

Auch die Soldaten trieben ihren Spott mit Jesus.
Und einer der Mörder, der neben Jesus am Kreuz hing, konnte auch nicht stillbleiben. Er sagte: „Ja, wenn du der Sohn Gottes bist, dann kannst du doch alles. Steig doch herab vom Kreuz und hilf uns auch herunter!"
Aber der andere Mörder spottete nicht. Er sagte: „Sei doch still! Du hast es verdient, daß du da hängst, und ich auch. Wir haben viel Schlechtes getan, aber Jesus hat nichts Unrechtes getan."
Dann wandte er seinen Kopf zur Seite und bat: „Herr, denk an mich, wenn du in dein Königreich kommst."
Da sprach Jesus zu ihm: „Heute noch wirst du mit mir im Paradies sein."

Auch Freunde Jesu standen beim Kreuz: Maria, die Mutter Jesu, und Johannes, einer der Jünger Jesu, dazu einige Frauen.

Maria war voll Trauer. Sie sah, wie ihr Sohn leiden mußte, und sie konnte ihm nicht helfen. Jetzt würde er bald sterben, wer würde dann für sie sorgen?
Aber Jesus sah seine Mutter unter seinem Kreuz stehen. Er hatte solches Mitleid mit ihr und dachte: Nun muß Johannes ihr Sohn sein. Jetzt muß er für sie sorgen. Darum sprach er zu Maria: „Da ist dein Sohn!"
Und zu Johannes sprach er: „Da ist deine Mutter."
Das verstand Johannes gut. Er nahm Maria mit nach Hause und sorgte fortan für sie.

Jesus hing lange am Kreuz. Es war schon Mittag. Die Sonne stand hoch am Himmel und brannte auf Jesus hernieder. Doch auf einmal ging die Sonne fort. Es war noch lange nicht Abend, und doch wurde es dunkel. Es war noch Tag, und doch sah es aus, als wäre es Nacht. So dunkel war es überall!
Die Menschen bekamen einen Schrekken. Keiner wagte mehr zu spotten. Es wurde ganz still auf Golgota.
Und in dieser Stille hing Jesus und litt solche Not.
Es schien, als wolle sein Vater im Himmel nichts mehr von ihm wissen.
Alle seine Freunde waren fort, sie hatten ihn verlassen.
Hatte Gott ihn auch verlassen?
Drei Stunden blieb es dunkel. Dann konnte Jesus es nicht mehr aushalten. Er rief: „Mein Gott, mein Gott, warum hast du mich verlassen?"
Da wurde es wieder hell.
Und jetzt wußte Jesus, daß sein Vater im Himmel ihn nicht verlassen hatte. Daß Gott ihn liebhatte und ganz nahe bei ihm war.

Jetzt war die Todesqual fast vorüber. Jesus hatte alles ertragen, aber er litt immer noch und jammerte: „Mich dürstet."
Da kam ein Mann mit einem langen Stab. Am Ende des Stabes saß ein Schwamm. Den machte er naß und drückte ihn dann gegen die Lippen Jesu.
Als Jesus getrunken hatte, blickte er um sich und rief: „Es ist vollbracht!"
Das klang so froh! Jetzt konnte Jesus ruhig sterben.
Nach den Worten „Vater, in deine Hände befehle ich meinen Geist" senkte er den Kopf und schloß die Augen.
Jesus war tot.

JESUS WIRD BEGRABEN

Jesus war gestorben, aber sein Leichnam hing noch am Kreuz. Dort hing er, bis es Abend wurde.
Dann kamen ein paar Männer und Frauen. Das waren Freunde Jesu.
Sie machten seinen Leichnam ganz vorsichtig los. Sie hatten schöne leinene Tücher bei sich. Die wickelten sie um den Leichnam. Sie hatten auch Kräuter, die herrlich dufteten. Die legten sie zwischen die Tücher.
So trugen sie den Leichnam Jesu voll Ehrfurcht fort in einen schönen Garten ganz in der Nähe.
In dem Garten war ein Grab, eine dunkle Höhle in einem Felsen. Dahinein legten sie den Leichnam Jesu.

Dann rollten sie gemeinsam einen großen runden Stein vor die dunkle Höhle.

Jesus war jetzt begraben.
Die Männer und Frauen weinten und dachten: Jetzt ist Jesus tot! Jetzt kann er nie mehr mit uns sprechen! Jetzt kann er uns nie mehr froh und glücklich machen! Wir dachten, daß alles so herrlich werden sollte, und jetzt ist alles so traurig geworden!
Doch sie vergaßen ganz, daß Jesus gesagt hatte: „Ich werde zwar sterben, aber ich werde auch wieder lebendig werden. Nach drei Tagen werde ich wieder auferstehen aus dem Grabe."
Wenn sie nur daran gedacht hätten, dann wären sie nicht so traurig gewesen!
Aber die Priester und Pharisäer dachten schon daran. Sie schickten Soldaten ans Grab und sagten ihnen: „Ihr müßt am Grabe bleiben und müßt gut aufpassen, daß nichts damit geschieht. Das Grab darf nicht geöffnet werden, und Jesus muß darin bleiben!"
So hielten die Soldaten am Grabe Jesu Wache.

JESUS IST AUFERSTANDEN

Es war noch früh am Morgen. Eben erst wurde es ein wenig hell.
Die Soldaten hielten am Grabe Jesu Wache. Sie mußten aufpassen, daß nichts am Grabe passierte. Es sollte geschlossen bleiben, und niemand sollte sich ihm nähern.
Sie standen hier bereits den dritten Tag, und es war noch nichts geschehen. Es war auch noch niemand gekommen.
Aber an dem stillen Morgen kam doch jemand. Und *den* konnten die Soldaten nicht verjagen!
Es war ein Engel. Sein Kleid war weiß wie Schnee, und als seine Füße den Boden berührten, begann die Erde zu beben.
Die Soldaten erschraken fast zu Tode. Sie sahen nur noch, wie ein Engel zum Grab ging und den schweren Stein fortrollte.
Da flohen sie voll Angst, so schnell sie konnten, und der Engel war allein am Grab.
Und an diesem stillen, frühen Morgen wurde Jesus wieder lebendig und stieg aus dem dunklen Grab. Er war vom Tode auferstanden.

Da kamen Frauen an das Grab, dieselben Frauen, die den Herrn begraben hatten. Sie waren sehr betrübt, denn sie wußten ja nichts anderes, als daß Jesus tot sei!
Sie hatten Kräuter gekauft, noch mehr Kräuter, die so herrlich dufteten. Die wollten sie auf den Leichnam Jesu legen.
Als sie aber in den schönen Garten kamen, dachten sie an den Stein, der vor das Grab gerollt war. Sie sagten: „Wer wird uns helfen, den schweren Stein wegzurollen?"
Plötzlich blieben sie stehen, und ihre Augen wurden groß vor Schreck, denn der Stein war schon weggerollt.
Wie kam das?
Wer hatte das getan?
War schon jemand im Grabe Jesu gewesen?
Sollten etwa die Feinde gekommen sein, um den Leichnam Jesu wegzunehmen?

Eine der Frauen, *Maria von Magdala*, lief sofort zurück. Sie dachte: Ich werde es schnell den Jüngern erzählen.
Doch die andern Frauen gingen weiter bis zum Grab.
Und da erschraken sie wieder! Denn es war jemand im Grabe. Ein Engel war es in einem schönen weißen Kleid. Und noch einer! Zwei Engel standen bei den Frauen im Grab, und die Frauen bekamen große Angst.
Aber die Engel sprachen: „Habt keine Angst! Ihr sucht Jesus, der gekreuzigt ist. Er ist nicht hier, er ist auferstanden! Kommt und seht! Hier ist die Stelle, wo er gelegen hat."
Sie sahen es: Die Stelle war leer. Aber sie begriffen es noch nicht so recht. Sie konnten es fast nicht glauben.
Da sprachen die Engel: „Wißt ihr denn nicht mehr, was Jesus früher selbst zu euch gesagt hat? Er hat gesagt: ‚Ich werde sterben, aber nach drei Tagen werde ich aus dem Grab auferstehen!'"
Ja, jetzt fiel es ihnen wieder ein, und sie waren sehr froh.
„Geht nun schnell und erzählt es seinen Jüngern", sagten die Engel, „und auch dem Petrus!"

Ja, das wollten sie tun. Sie liefen schnell den Weg zurück und zitterten vor Freude.
Doch siehe, wer kam dort auf sie zu?
Wer begrüßte sie so freundlich?
Das war Jesus! Er lebte wieder!
Er stand vor ihnen. Sie hatten ihren lieben Meister wieder.
Die Frauen fielen vor ihm auf die Knie, sie hielten seine Füße fest und schluchzten vor Freude.

Jesus sprach: „Sagt meinen Jüngern, daß auch sie mich sehen werden.”
Dann waren die Frauen wieder allein.
Jesus war plötzlich weg, aber die Frauen wußten jetzt sicher, daß er lebte. Sie hatten ihn gesehen und seine Stimme wieder gehört. Da liefen sie schnell in die Stadt zu den Jüngern.
Sie lachten und jauchzten: „Der Herr ist auferstanden!”
Aber die Jünger schüttelten traurig den Kopf.
„Ihr habt geträumt”, sagten sie.
Sie konnten es nicht glauben.

MARIA VON MAGDALA

Maria von Magdala stand am Grabe und weinte.
Sie wußte noch nicht, daß Jesus auferstanden war.
Die andern Frauen wußten es schon, aber Maria von Magdala wußte es noch nicht. Sie war ja zu den Jüngern zurückgegangen, als die anderen Frauen Jesus gesehen hatten. Sie glaubte, der Leichnam Jesu sei fortgenommen und anderswo hingebracht worden.
Und jetzt war sie wieder zum Grab gekommen, um ihn zu suchen. Aber wo konnte sie ihn finden?
Ach, sie wußte sich vor Kummer keinen Rat. Sie stand am Grabe und weinte. Sie bückte sich und sah durch die dunkle Öffnung nach innen. Da sah sie zwei Männer sitzen in weißen Kleidern. Die saßen an der Stelle, wo der Leichnam Jesu gelegen hatte. Es waren zwei Engel, doch das wußte Maria nicht.
Die Engel fragten: „Frau, warum weinst du denn so?”
Maria schluchzte: „Weil sie meinen Herrn weggenommen haben und ich nicht weiß, wo sie ihn hingelegt haben.”
Da drehte sie sich um und sah noch jemand in weißen Kleidern stehen. Es war Jesus, aber das merkte Maria nicht. Sie konnte ihn durch ihre Tränen hindurch nicht erkennen.
Jesus fragte: „Warum weinst du? Wen suchst du?”
Und Maria merkte noch immer nicht, daß Jesus zu ihr sprach.
Sie dachte, es sei der Gärtner. Deshalb schluchzte sie: „Ach, Herr, hast du ihn fortgetragen? Sag mir doch, wo du ihn hingebracht hast?”
Da sprach Jesus nur ein Wort: „Maria!”
Und plötzlich erkannte Maria von Magdala, daß es Jesus war. Sie lief auf ihn zu und rief: „Meister, lieber Meister!”
Sie wollte ihn mit beiden Händen festhalten, daß er immer bei ihr bliebe.
Aber Jesus sagte freundlich: „Halte mich nicht fest, denn ich kann hier nicht bleiben. Ich werde wieder zu meinem Vater in den Himmel gehen. Geh aber zu meinen Jüngern und sage es ihnen.”
Und auf einmal war Jesus wieder fort.

Maria von Magdala war aber jetzt nicht mehr traurig. Sie hatte ja ihren lieben Meister wieder.
So lief sie schnell zu den Jüngern und rief: „Ich habe den Herrn Jesus gesehen.”
Und sie erzählte alles, was sie gesehen und was Jesus gesagt hatte, aber die Jünger konnten es noch immer nicht glauben.

DER ABEND IN EMMAUS

Es gingen zwei Männer die Straße entlang. Sie kamen aus Jerusalem und wollten in das kleine Dorf *Emmaus*, wo sie zu Hause waren.
Sie sprachen über Jesus und sagten: „Ach, wie traurig ist es doch, daß er tot ist! Und wir glaubten, er würde König werden. Wir dachten, er sei der Heiland, der Sohn Gottes, der uns alle froh macht. Aber er war nicht der Sohn Gottes, sonst wäre er doch nicht gestorben.
Und was da die Frauen in Jerusalem erzählt haben, glaubst du daran? Sie sagen, er sei wieder aus dem Grabe auferstanden. Aber das kann doch gar nicht sein, dann wäre er ja doch der Sohn Gottes! Warum mußte er dann aber erst sterben?"
Sie verstanden das nicht und schüttelten bekümmert den Kopf. Da ging plötzlich ein Mann neben ihnen her. Es war Jesus, aber das merkten sie nicht.
Er fragte: „Worüber redet ihr denn so eifrig und warum seht ihr so bedrückt aus?"
Sie antworteten: „Weißt du denn nicht, was in Jerusalem geschehen ist?"
„Was denn?" fragte der Fremde.
„Weißt du nicht, was sich mit Jesus zugetragen hat?" war die Gegenfrage. „Du hast doch sicher schon von Jesus gehört? Er war so gut und konnte alles. Er hat Kranke wieder gesund und Blinde wieder sehend gemacht. Und noch viel mehr Wunder hat er getan. Aber die Priester haben ihn gefangen und gekreuzigt. Und jetzt ist er tot, schon seit drei Tagen, aber es sind da Frauen in Jerusalem, die sagten, er lebe, er sei aus dem Grab auferstanden. Aber das glauben wir nicht. Das kann doch gar nicht sein. Warum hat er dann erst sterben müssen?"
Sie erwarteten, daß auch der Fremde sagen würde: „Nein, das ist unmöglich."
Aber der Mann sagte etwas ganz anderes.
Er sprach: „Wie töricht seid ihr doch! Warum glaubt ihr das nicht? Es stimmt, Jesus ist wirklich auferstanden. Und ihr fragt noch, warum er gestorben ist? Das mußte doch sein, damit die Menschen wieder froh werden."
Er erzählte ihnen noch viel mehr. Die beiden Männer hörten begeistert zu, und ihr Kummer verschwand ganz.
Denn jetzt verstanden sie alles, jetzt wußten sie sicher, daß Jesus doch auferstanden war.
Gern hätten sie dem Mann noch länger zugehört, aber das ging nicht mehr, denn sie waren an ihrem Haus angekommen. Der Mann wollte weitergehen, aber das wollten sie nicht zulassen.
„Bleib bei uns", sprachen sie, „denn es ist Abend. Gleich wird es dunkel, und dann kannst du doch nicht mehr weitergehen!"
Zu ihrer Freude ging der Mann mit ihnen hinein. Er setzte sich mit ihnen zu Tisch, um zu essen.
Die beiden Männer sahen ihn an.
Wer war das nur, der sie so froh gemacht hatte? Seine Augen waren so freundlich, seine Stimme war so sanft und gut!
Siehe, jetzt nahm er das Brot. Er betete und brach das Brot mittendurch und gab jedem ein Stück.
Und auf einmal erkannten ihn die Männer. Es war Jesus.

Sie streckten die Hände nach ihm aus. „Jesus, lieber Meister!" wollten sie rufen, aber da war Jesus plötzlich nicht mehr da. Wohin war er nur so schnell verschwunden? Sie wußten es nicht. Es war alles so wunderlich.

„Oh, oh", sagten sie, „den ganzen Weg sind wir mit ihm gegangen und wußten nicht, daß er es war. Darum wurden wir auf einmal so froh!"

Nein, jetzt war nicht daran zu denken weiterzuessen. Sie gingen sofort nach

Jerusalem zurück, um den Jüngern alles zu erzählen. Wie froh würden sie sein, wenn sie es hörten!

Die Jünger waren in einem Haus versammelt. Die Tür war gut verschlossen, denn sie hatten Angst vor den Priestern. Als aber die beiden Männer anklopften, ging die Tür auf. *Sie* durften natürlich hinein. Doch bevor sie überhaupt etwas sagen konnten, riefen die Jünger: „Der Herr ist wirklich auferstanden. Petrus hat ihn gesehen!"

„Ja", riefen die beiden Männer, „wir haben ihn auch gesehen." Und dann erzählten sie alles, was geschehen war.

Und während sie noch eifrig am Reden waren, wer stand da auf einmal unter ihnen? Wer grüßte sie so freundlich? War das Jesus? Wie war er nur hereingekommen? Die Tür war doch abgeschlossen, und die Fenster waren auch zu.

Sie erschraken sehr darüber, aber Jesus sprach: „Habt keine Angst, ich bin es. Kommt nur, berührt mich nur!

Seht mich genau an, dann werdet ihr feststellen, daß ich es wirklich bin."

Dann zeigte er ihnen seine Hände und seine Füße. Darin waren noch die Löcher von den Nägeln. Er bat auch um etwas Essen und aß ein Stück Brot und ein wenig Fisch.

Da glaubten sie, daß es ihr lieber Meister war. Er saß wieder bei ihnen am Tisch, genauso wie früher, und sie durften wieder auf seine freundliche Stimme

hören. Welch ein herrlicher Abend ist das dann geworden!
Als Jesus später fortging, war niemand mehr traurig. Jetzt stand es unumstößlich für sie fest, daß sie ihren Herrn und Meister wiederhatten.

AM SEE

Am Ufer des Sees lag ein Schiff, und am Wasser entlang gingen sieben Männer. Es waren sieben Jünger Jesu, Petrus war auch dabei.
Jesus hatte gesagt, sie sollten hierherkommen und er werde hier wieder zu ihnen kommen. Jetzt warteten sie auf ihren Herrn.

Am Ufer lag auch das Schiff des Petrus, mit dem er so oft gefahren war. Es lag dort, als ob es auf Petrus wartete.
„Ich gehe fischen", sagte Petrus.
„Wir gehen mit", sagten die andern.
Da stiegen sie alle sieben in das Schiff und fuhren auf den großen See hinaus. Es ging schon auf den Abend zu.

Sie warfen das Netz ins Wasser und fischten die ganze Nacht, aber sie fingen nichts. Als es Morgen wurde, kamen sie wieder in die Nähe des Ufers.
Da hörten sie eine Stimme rufen. Am Ufer des Sees stand ein Mann in einem weißen Kleid. Die Jünger konnten ihn kaum erkennen, so dunkel war es noch. Es war ja noch früh am Tag. Aber sie hörten genau, was die Stimme sagte.
„Habt ihr etwas zu essen?" rief der Mann.
„Nein", riefen sie zurück.
„Werft das Netz auf der andern Seite des Schiffes aus", rief der Mann, „dann werdet ihr Fische fangen."
Sie versuchten es und holten das Netz aus dem Wasser und warfen es auf der anderen Seite des Schiffes wieder hinein. Dann ruderten sie ein Stück weiter und zogen es wieder hoch . . .
Ja, sie wollten es hochziehen, aber sie konnten es nicht, so voller Fische war das Netz!
Wie freuten sich da die Jünger! Der Mann hatte doch recht gehabt. Aber wer war es nur?
Johannes kam als erster darauf. Er sagte zu Petrus: „Es ist der Herr!"
Natürlich, es war Jesus! Da hielt es Petrus nicht mehr aus im Schiff. Er sprang einfach ins Wasser und schwamm ans Ufer.
Petrus mußte bei seinem Herrn sein.
Die anderen Jünger blieben im Schiff und fuhren damit ans Ufer. Da sahen sie Jesus an einem Feuer sitzen. Über dem Feuer wurde bereits Fisch gebraten, und Brot war auch da.
Jesus wartete auf seine Jünger und hatte alles für sie zubereitet.
Er sprach: „Bringt ein paar von den Fischen, die ihr gefangen habt."
Petrus holte einige. Er zog das Netz ans Ufer hoch und zählte die Fische. Hundertdreiundfünfzig große Fische waren es, und doch war das Netz nicht zerrissen! Es war wie ein Wunder.

Es wurde ein schöner Morgen am Ufer des Sees.
Sie saßen im Kreis um das Feuer, Jesus und seine Jünger. Er nahm das Brot und

teilte es aus. Er gab ihnen auch von dem Fisch zu essen, und die Jünger sahen still und andächtig auf ihren Meister. Sie fanden es herrlich, daß er wieder bei ihnen war.
Doch Petrus war ein wenig verlegen und dachte: Ich bin so schlecht gewesen. Dreimal habe ich meinen Herrn verleugnet. Ob ich wohl noch das schöne Werk tun darf, das Jesus uns gelehrt hat, und ob ich später in die Welt gehen darf, um die Menschen froh zu machen? Ob ich wohl noch ein Jünger Jesu sein darf?

Als sie gegessen hatten, fragte Jesus plötzlich: „Petrus, hast du mich mehr lieb als die andern Jünger?"
Petrus erschrak. Ja, er hatte es früher einmal gesagt, daß er Jesus von allen Jüngern am meisten liebe.
„Und wenn sie auch alle fliehen sollten, ich werde dich nie allein lassen. Ich will für dich kämpfen. Ich will für dich sterben!"
Das hatte Petrus gesagt, aber das wagte er jetzt nicht zu wiederholen. Er schämte sich so!
Aber er liebte seinen Herrn doch sehr. Und das wußte Jesus genau.
Petrus antwortete leise: „Ja, Herr, du weißt, daß ich dich liebhabe."
Da sprach Jesus: „Dann darfst du mein Jünger sein. Weide meine Lämmer!"
Eine Weile war es still.

Dann fragte Jesus wieder: „Petrus, hast du mich lieb?"
Petrus wurde traurig. Glaubte ihm Jesus nicht mehr?
Petrus sagte betrübt: „Herr, du weißt doch, daß ich dich liebhabe."
Jesus sprach: „Dann darfst du auch mein Jünger sein. Weide meine Schafe!"
Und wieder war es eine Weile still.

Dann fragte Jesus zum dritten Mal: „Petrus, hast du mich wirklich lieb?"
Dreimal hatte Petrus gelogen und gesagt, daß er Jesus nicht kenne. Jetzt mußte er auch dreimal sagen, daß er den Herrn sehr liebhabe.
Petrus sagte schluchzend: „Herr, du weißt alles. Dann weißt du auch, daß ich dich liebhabe."
Jesus erwiderte: „Dann darfst du auch wirklich mein Jünger sein und in die Welt gehen, um mein Werk zu tun. Weide meine Schafe! Früher tatest du, was du wolltest, Petrus, aber jetzt mußt du tun, was ich will."
Und da war alles wieder gut.
Da wußten auch die andern Jünger, daß Petrus wieder zu ihnen gehörte und daß Jesus ihm alles vergeben hatte.

DIE HIMMELFAHRT JESU

Als Jesus aus dem Grab auferstanden war, blieb er noch eine Weile bei seinen Jüngern auf der Erde.
Aber nicht mehr lange, denn sein Werk auf der Erde war getan. Er hatte alles vollbracht.
Dann ist er wieder zu seinem Vater in den Himmel aufgestiegen.
Einmal noch ist Jesus mit all seinen Jüngern zusammengekommen. Judas war nicht mehr dabei. Er war für seinen Verrat bestraft worden, er war tot.
Aber die andern waren alle versammelt und hörten dem Herrn gut zu, denn sie wußten, daß er zum letztenmal bei ihnen war.
Jesus sagte, die Jünger sollten bald das große Werk beginnen, das er sie gelehrt hatte. Sie müßten in die weite Welt gehen, um den Menschen überall von Jesus zu erzählen, ein schönes, aber auch ein mühseliges und gefährliches Werk.
Doch die Jünger brauchten keine Angst zu haben. Jesus würde ihnen helfen und für sie sorgen.
Jesus sprach: „Ich werde euch nicht allein lassen. Ich werde jemand schicken, der immer bei euch sein wird. Das ist der *heilige Geist.* Der wird euch stark machen und weise. Der wird euch sagen, was ihr tun müßt.
Deshalb könnt ihr noch nicht sofort in die weite Welt gehen. Ihr müßt zunächst in Jerusalem bleiben, bis der heilige Geist über euch gekommen ist."
Als Jesus alles gesagt hatte, was seine Jünger wissen mußten, ging er mit ihnen aus der Stadt hinaus.
Nahe bei Jerusalem war ein Berg. Der hieß der *Ölberg.* Dorthin gingen sie.
Als sie auf dem Berg angekommen waren, nahm Jesus Abschied von seinen Jüngern. Noch einmal sah er sie an, hob seine Hände und segnete sie, dann stieg er auf zum Himmel.
Die Jünger sahen ihm nach, aber dann kam eine Wolke angetrieben, und sie sahen Jesus nicht mehr.

Einsam blieben sie zurück und schauten ihm lange nach. Da standen plötzlich zwei Engel bei ihnen und sprachen: „Ihr Männer, warum steht ihr hier und schaut gen Himmel? Jesus ist nicht für immer fortgegangen. So wie ihr ihn habt zum Himmel fahren sehen, so wird er auch wieder zurückkommen."

Ja, das wußten sie. Das hatte Jesus ihnen auch gesagt. Jetzt waren die Jünger nicht mehr traurig. Sie gingen froh und voller Zuversicht nach Hause.

DAS PFINGSTWUNDER

Jesus war zum Himmel aufgestiegen. Er hatte sein Werk auf der Erde getan.
Die Jünger saßen in Jerusalem und warteten, daß der heilige Geist käme, der ihnen helfen sollte bei ihrem schönen Werk, der sie weise und stark machen sollte. Sie beteten täglich darum.

Zehn Tage lang warteten die Jünger, dann geschah es.
Es war wieder ein Fest in Jerusalem, das *Pfingstfest.* Es waren sehr viele Menschen in der Stadt. Von allen Seiten waren sie gekommen, sogar aus dem Ausland, um in Jerusalem das Fest zu feiern und im Tempel ein Opfer zu bringen.
Es war viel Betrieb auf den Straßen.
Doch plötzlich blieben die Menschen verwundert stehen, sie lauschten und schauten, denn sie hörten ein seltsames Geräusch, als brauste ein gewaltiger Wind, doch dabei wehte es überhaupt nicht. Das seltsame Brausen kam aus einem Haus in der Nähe des Tempels.

„Was ist das?" riefen die Menschen und liefen schnell darauf zu. Neugierig gingen sie in das Haus.
Da sahen sie etwas Seltsames.
In dem Haus waren die Jünger. Über ihren Köpfen war das seltsame Geräusch des Windes, und auf ihren Köpfen waren Flammen. Sie sahen aus wie Feuerflammen, aber es war kein Feuer, denn die Jünger verbrannten nicht. Im Gegenteil, sie waren sehr froh, sie jubelten vor Freude, denn jetzt war der heilige Geist in ihr Herz gekommen, den Jesus ihnen versprochen hatte.
Das hatte man nicht sehen und nicht hören können, das war ganz heimlich geschehen.
Die Menschen riefen: „Was ist das nur? Was bedeutet das?"
Es waren auch einige Menschen darunter, die lachten und spotteten. Sie sagten: „Oh, wir verstehen es gut. Die Männer haben zuviel Wein getrunken. Sie sind betrunken, und darum benehmen sie sich so sonderbar."
Da wurde es plötzlich still in dem Haus, und einer der Jünger stellte sich vor die Menschen und begann zu sprechen.
Es war Petrus, der früher immer so ängstlich war, der nicht einmal zu sagen wagte, daß er Jesus kenne, und ihn dreimal verleugnete.
Jetzt hatte er keine Angst mehr.
Er sagte: „Nein, ihr Leute, wir sind nicht betrunken. Wir haben keinen Wein getrunken. Wißt ihr, was hier geschehen ist? Jesus hat uns den heiligen Geist geschickt. Ihr kennt ihn doch noch, den Herrn Jesus?
Ihr wißt doch noch, daß er die Kranken wieder gesund machte und daß er noch viel mehr Wunder tat! Aber dann habt ihr ihn angeklagt, und er wurde gefangengenommen. Und ihr habt gerufen: ‚Kreuzige ihn! Kreuzige ihn!' Da starb Jesus am Kreuz.

Doch er blieb nicht im Grabe, denn er war der Sohn Gottes. Gott hat ihn auferweckt, wir haben ihn alle gesehen. Und jetzt ist er im Himmel und hat uns den heiligen Geist geschickt. Er ist der König des Himmels und der Erde. Der gleiche Jesus, den ihr gekreuzigt habt!"

Da erschraken die Menschen sehr, sie riefen: „Was müssen wir denn tun?" Petrus sprach: „Ihr müßt darum bitten, daß Gott euch vergeben möge. Ihr müßt Jesus liebhaben und müßt euch taufen lassen, daß Gott euch die Sünden vergibt. Dann werdet ihr wieder froh und zufrieden sein."

Das wurde ein herrliches Pfingstfest dort in Jerusalem! Denn es kamen sehr viele Menschen zu den Jüngern, um sich taufen zu lassen, an die dreitausend! Alles Menschen, die Jesus liebhatten und auch gern seine Jünger sein wollten. Als sie nach dem Fest wieder nach Hause gingen, erzählten sie überall, was mit ihnen geschehen war.

DER LAHME AN DER TEMPELTÜR

In Jerusalem war ein Mann, der den ganzen Tag am Boden saß, an der Tür des Tempels. Wenn Menschen vorbeikamen, hielt er seine Hand auf und rief: „Gebt mir doch etwas! Habt Mitleid mit mir Armen!"

Der bedauernswerte Mann hatte sein ganzes Leben lang noch keinen Schritt laufen können. Er war lahm, seine Beine waren schlaff, er konnte darauf nicht stehen.

Das war schon von seiner Geburt an so gewesen. Als er klein war, hatte ihm seine Mutter das Laufen nicht beibringen können. Er sank zusammen, wenn sie ihn aufrichtete.

Als er größer wurde, liefen die andern Jungen fröhlich auf der Straße herum und spielten, aber er konnte nicht mitmachen. Er saß dann traurig an der Seite.

Jetzt war er ein großer Mann, schon über vierzig. Die andern Männer konnten arbeiten und Geld verdienen, er aber nicht. Er mußte betteln.

Darum saß er an der Tür des Tempels. Dorthin wurde er des Morgens getragen, und wenn Menschen vorbeikamen, hielt er seine Hand auf.

Manchmal bekam er etwas.

Aber oft bekam er auch gar nichts, der arme, unglückliche Mensch.

Doch eines Tages wurde der Mann plötzlich gesund.

Das geschah an einem Nachmittag, ungefähr gegen drei Uhr. Da gingen immer viele Menschen in den Tempel, denn um drei Uhr wurde dort ein Opfer gebracht. Der Mann saß an der schönen, goldenen Tür des Tempels, und da kamen Petrus und Johannes vorbei. Die wollten auch in den Tempel.

Der Lahme hielt seine Hand auf und rief: „Gebt mir etwas Geld, damit ich mir Brot kaufen kann!"

Es wurde aber kein Geld in seine Hand gelegt, sondern Petrus sagte: „Sieh uns einmal an!"

Der Mann sah auf und dachte: Was will der denn von mir?

Petrus sagte: „Geld habe ich nicht für dich, aber ich habe etwas anderes, und das will ich dir geben."

Er faßte den Mann bei der Hand und sagte: „Steh auf! Jesus will dich wieder gesund machen."

Und dann zog er den Lahmen hoch. Da mußte der Mann sich einfach hinstellen auf seine lahmen Beine.

Aber die Beine waren nicht mehr krank. Die Füße und Knöchel des Mannes hatten sich verfestigt. Er konnte auf einmal stehen und genausogut laufen wie jeder andere. Jesus hatte ihn gesund gemacht.

Wie froh war der Mann! Er weinte und lachte und jubelte: „Ich kann laufen! Ich bin nicht mehr lahm! Jesus hat mich gesund gemacht!"

Er sprang umher und tanzte.

Er tanzte hinter Petrus und Johannes her in den Tempel hinein.

Dort waren viele Menschen, die sehr verwundert dreinsahen und sagten: „Wer ist das? Ist das nicht der Lahme, der an der Tür des Tempels saß und bettelte? Ist er jetzt gesund? Haben Petrus und Johannes ihn gesund gemacht?"

Sie stellten sich alle um Petrus und Johannes und sahen sie ganz ehrfurchtsvoll an.
Doch Petrus sprach zu den Menschen: „Ihr sollt uns nicht so ehrfurchtsvoll ansehen, denn *wir* haben den Mann nicht gesund gemacht. Das hat Jesus getan. Jesus ist nicht tot. Er ist wieder auferstanden aus dem Grab, und jetzt ist er im Himmel. Er will euch alle froh machen."
Petrus sagte noch vieles mehr, und die Menschen hörten ihm gern zu.
Es waren aber auch Priester im Tempel. Denen gefiel es gar nicht, daß Petrus dort stand und redete. Sie riefen die Soldaten herbei, und die ergriffen Petrus und Johannes und warfen beide ins Gefängnis.
Die ganze Nacht saßen Petrus und Johannes im Gefängnis, aber sie fanden das nicht weiter schlimm.
Sie dachten: Jesus hat so viel für uns gelitten, jetzt können wir auch mal ein wenig für ihn leiden und für ihn im Gefängnis sitzen. Und sie waren kein bißchen traurig.
Am folgenden Morgen aber kamen die Soldaten wieder, um sie zu holen und vor die Priester zu bringen!

Die Priester dachten: Wir werden den beiden Männern einmal ordentlich Angst einjagen. Dann werden sie es schon sein lassen, den Menschen von Jesus zu erzählen. Wir wollen nicht, daß noch weiterhin von Jesus gesprochen wird. Die Menschen dürfen einfach nicht auf die Jünger hören, sie sollen auf uns hören.

Dann sagten sie zu Petrus und Johannes: „Ihr dürft nicht mehr von euerm Jesus erzählen! Laßt euch nie wieder dabei ertappen! Sonst werdet ihr noch was erleben!"
Doch Petrus und Johannes hatten nicht die geringste Angst.
Sie sagten: „Jesus hat selber gesagt, daß wir es tun müssen, und darum tun wir es auch. Wir müssen Jesus mehr gehorchen als euch."
Dann gingen sie fröhlich ihres Weges. Die Priester aber wagten nicht, den beiden etwas anzutun.

PETRUS IM GEFÄNGNIS

Es war mitten in der Nacht, und es war dunkel. In einer solchen Nacht lag ein Mann im Gefängnis. Er lag in einem engen Raum, in einer dunklen Zelle am Boden. Zwei Soldaten lagen neben ihm, an jeder Seite einer. Die mußten ihn bewachen, damit er nicht fortlaufen konnte.
Aber das war ihm auch gar nicht möglich, denn er trug an beiden Armen Ketten, mit denen er an die Arme der Soldaten festgebunden war. Wenn er weglaufen wollte, würden die Soldaten sofort aufwachen.
Die Tür der Zelle war gut verschlossen, und die Außentür des Gefängnisses ebenfalls. Und an den Türen standen weitere Soldaten, die aufpaßten, daß niemand weglief. Denn es saßen noch andere Männer im Gefängnis, Diebe und Mörder und sonstige Übeltäter.
Nein, der Mann konnte wirklich nicht weglaufen, und das durfte auch nicht sein, denn am nächsten Morgen sollte er vor den König gebracht werden. Dann mußte er sterben. Diese Nacht war die letzte Nacht seines Lebens.
Aber der Mann hatte kein bißchen Angst vor dem Tod, denn er wußte, daß Gott für ihn sorgen würde, auch wenn er sterben mußte. Darum lag er ruhig da und schlief zwischen den Soldaten. Dieser Mann war kein Dieb und auch kein Mörder! Er hatte Jesus lieb.
Er hatte auch nichts Böses getan, er hatte nur den Menschen von Jesus erzählt.
Weißt du, wer der Mann war?
Es war Petrus!
Den hatten die Priester doch wieder ins Gefängnis gesteckt, und niemand würde ihm helfen können, auch seine Freunde nicht.
Doch die Freunde dachten immer an ihn. Sie hatten sich nicht schlafen gelegt, sondern saßen die ganze Nacht beieinander. Wenn sie Petrus auch nicht helfen konnten, so konnten sie doch für ihn beten.
Das taten sie auch die ganze Nacht. Sie beteten: „Herr, hilf doch dem Petrus! Wir können nichts für ihn tun, aber du kannst alles."

Petrus schlief. Und die beiden Soldaten, die neben ihm lagen, schliefen auch.
Da stand plötzlich ein Engel in der Zelle. Er stieß Petrus an, weckte ihn und sprach: „Steh schnell auf!"
Petrus folgte sofort, und die Ketten fielen einfach von seinen Händen. Die Soldaten wurden aber nicht wach.
Der Engel sprach: „Zieh deine Schuhe an

und deinen Mantel und komm mit." Das tat Petrus auch. Dann ging er hinter dem Engel aus dem Gefängnis heraus. Die schweren Türen öffneten sich von selber. Die Soldaten standen wohl da, aber sie hielten Petrus nicht zurück. Sie sahen ihn überhaupt nicht!

Petrus dachte: Ich träume sicher noch.

Dann kamen sie auf die Straße. Petrus konnte es immer noch nicht glauben, daß er wirklich aus dem Gefängnis heraus war.

Der Engel ging mit Petrus durch die Straßen, dann war er plötzlich verschwunden. Petrus war allein. Er blieb stehen, sah sich um und dachte: Ja, jetzt weiß ich sicher, daß der Herr seinen Engel gesandt hat, um mir aus dem Gefängnis zu helfen. Ich bin wieder frei. Ich bin wirklich wieder frei!

Aber wohin sollte Petrus jetzt gehen? Zu seinen Freunden natürlich! Er kannte das Haus genau, in dem sie waren. Er konnte es im Dunkeln leicht finden und klopfte an die Tür. Das hallte laut in der stillen Nacht.

Die Jünger und die andern Freunde bekamen einen großen Schrecken. Sie saßen noch immer und beteten für Petrus, und dann machte es auf einmal bum, bum, bum an der Tür! Wer mochte wohl dort draußen sein, mitten in der Nacht? Ob es Soldaten waren, die auch sie gefangennehmen wollten?

In dem Haus war auch eine Magd, die hieß *Rhode.*

Sie ging zur Tür und rief: „Wer ist dort?"

„Mach ruhig auf, ich bin es", sagte eine Stimme.

Oh, das war die Stimme des Petrus, das

hörte das Mädchen sofort! Vor Freude vergaß Rhode, die Tür zu öffnen. Sie lief ins Haus und rief: „Petrus steht vor der Tür! Petrus ist wieder da!"
„Ach, Rhode, das ist doch nicht möglich", sagten die andern. „Du irrst dich." „Nein, er ist es bestimmt!" sagte das Mädchen. „Hört nur, er klopft schon wieder."
Da liefen sie alle zur Tür und machten sie auf. Und siehe, es war wirklich Petrus, der froh hereinkam.
„Petrus", riefen sie, „bist du es wirklich? – Bist du wirklich wieder frei? – Wie bist du aus dem Gefängnis gekommen? – Hat der König dich freigelassen? – Bist du heimlich weggelaufen?"
So redeten sie alle durcheinander.
Petrus wartete, bis sie sich beruhigt hatten, dann erzählte er ihnen die ganze Geschichte. Da hörten sie, wie wunderbar Gott ihr Gebet erhört hatte, und sie dankten ihm dafür.
Aber Petrus konnte nicht bei seinen Freunden bleiben. Denn wenn die Soldaten aufwachten, würden sie ihn sicher in der ganzen Stadt suchen. Darum ging er noch in derselben Nacht fort, ganz weit fort, wo ihn der König mit seinen Soldaten nicht finden konnte. Und überall, wohin er kam, erzählte er von Jesus.

PAULUS

In Jerusalem lebte ein Mann, der hieß *Paulus.*
Einmal machte er eine weite Reise in eine andere große Stadt, nach *Damaskus.*
Er nahm Diener mit.
Er nahm auch Stricke mit.
Damit wollte er Männer und Frauen in Damaskus binden und nach Jerusalem schleppen, um sie dort ins Gefängnis zu werfen!
Das hatten die Männer und Frauen nach der Meinung des Paulus verdient, denn sie hatten den Jüngern dieses Jesus zugehört und ihn liebgewonnen.
Doch das durfte nicht sein. Das hatten die Priester verboten. Wer es trotzdem wagte, diesem Jesus anzuhängen, mußte bestraft werden.
Dieser Jesus hatte nämlich gesagt, er sei der Sohn Gottes. Aber das war nicht so! . . .
Er war ein Betrüger. Darum hatten die Priester ihn getötet.
Seine Jünger waren ihrer Meinung nach auch Betrüger. Denn die erzählten, Jesus sei vom Tode auferstanden und jetzt im Himmel. Die mußten ebenso getötet werden.
Und alle Menschen, die es wagten, auf die Jünger zu hören, ebenfalls.
Wartet nur, euch werde ich schon erwischen! dachte Paulus. Ich werde euch ins Gefängnis stecken und euch verprügeln, bis ihr von euerm Jesus nichts mehr wissen wollt. Das wird Gott wohl gefallen, er wird mich für einen besonders guten Diener halten. Das meinte Paulus wirklich so: Er hielt sich für einen besonders guten Diener Gottes. Darum gab er sich die größte Mühe, all diese armen Menschen zu fangen.
Jetzt war er unterwegs nach Damaskus, denn er hatte gehört, daß dort viele Menschen wohnten, die Jesus liebhatten. Denen wollte er es zeigen!

Paulus war bereits kurz vor Damaskus. Er sah die große Stadt schon in der Ferne liegen.
Aber dann geschah plötzlich ein großes Wunder!
Es schien ein Licht vom Himmel, oben über Paulus und über seinen Helfern. Ein Licht, so weiß, so hell, daß Paulus die Hände vor die Augen schlug und vor Schreck zu Boden fiel.
Da hörte er eine Stimme, die sprach zu ihm: „Paulus, Paulus, warum verfolgst du mich? Warum wütest du gegen meine Jünger?"
Paulus fragte mit bebender Stimme: „Wer bist du, Herr?"
Und die Stimme antwortete: „Ich bin Jesus, den du verfolgst!"
Jesus? War das die Stimme Jesu? War er also doch der Sohn Gottes?
Paulus fragte voller Angst: „Herr, was soll ich tun?"
Jesus sprach: „Steh auf und geh in die Stadt, dort werde ich dir sagen, was du tun sollst."
Dann ging das Licht wieder fort. Paulus stand auf. Er wagte es, seine Augen wieder zu öffnen, aber es blieb dunkel um ihn her. Er konnte nichts mehr sehen. Er war blind geworden.

Seine Diener nahmen ihn bei der Hand und brachten ihn in das Haus eines seiner Freunde. Da saß er jetzt und grübelte.
Er dachte: Was habe ich nur getan? Ich meinte, ein Diener Gottes zu sein, und war in Wirklichkeit ein Feind Gottes.
Man brachte ihm zu essen und zu trinken, aber er mochte nichts zu sich nehmen. Er konnte weder essen noch

trinken, drei Tage lang nicht. Er war viel zu bekümmert und mußte nur immer daran denken, was er getan hatte. Und an Jesus mußte er denken.

Da begann er zu beten: „Herr, vergib mir! Ich wußte nicht, was ich tat."

Als Paulus drei Tage dort gesessen hatte, siehe, da kam ein alter Mann zu ihm herein, der hieß *Hananias* und hatte Jesus liebgewonnen.
Der alte Mann legte Paulus die Hände auf den Kopf und sagte: „Paulus, lieber Bruder, Jesus hat mich gesandt. Du sollst

wieder sehend werden, und du sollst ein Jünger Jesu werden."
Da war es auf einmal, als fielen dunkle Binden von den Augen des Paulus.
Er konnte wieder sehen. Er stand auf und sagte: „Jetzt möchte ich getauft werden, denn jetzt will ich auch ein Jünger Jesu sein."
Und so geschah es.
Von da an wußte Paulus mit Sicherheit, daß Gott ihm vergeben hatte. Er blieb noch ein paar Tage in Damaskus bei Hananias und den anderen Jüngern.
Dann begann er den Menschen zu erzählen, daß Jesus wirklich der Sohn Gottes ist und daß nur er allein die Menschen froh machen kann.
Die Leute in Damaskus sagten: „Ist das nicht der Paulus, der hierhergekommen ist, um die Jünger zu fangen? Jetzt ist er selber ein Jünger!"
Sie waren aufs höchste verwundert.
Es gab aber auch Priester in Damaskus, die sagten: „Wir werden Paulus fangen." Sie lauerten ihm auf, um ihn zu ergreifen.

Da ging Paulus heimlich fort. Zuerst nach Jerusalem und dann in die weite Welt. Und überall, wohin er kam, erzählte er den Menschen von Jesus.

IN DIE WEITE WELT

Die Jünger hatten den Auftrag erhalten, zu allen Menschen zu gehen und ihnen von Jesus zu erzählen. Sie sollten überall die gute Nachricht verbreiten, daß er auf die Erde gekommen war, um die Menschen froh zu machen.
Das hatte Jesus so gesagt.
Und die Jünger befolgten es gehorsam. Petrus und Johannes und Philippus und all die andern zogen in die weite Welt.
Sie unternahmen lange Reisen, um überall den Menschen von Jesus zu berichten.
Das war ein schönes, aber auch ein mühseliges Werk. Und manchmal war es sehr gefährlich, denn die Menschen wollten nicht immer auf die Jünger hören. Oft verhielten sie sich ablehnend und wollten ihnen etwas antun. Aber die Jünger hatten keine Angst, denn der Herr sorgte für sie. So mühselig das schöne Werk zuweilen auch war, sie taten es doch gern.
Die größten und längsten Reisen hat Paulus gemacht, weit über Land und weit übers Meer.
Einmal war er in einer Stadt, die hieß *Philippi.* Sein Freund *Silas* war bei ihm. Gemeinsam erzählten sie den Menschen von Jesus.
Aber dort wohnten Männer, die dagegen waren, daß die beiden von Jesus erzählten. Sie ergriffen Paulus und Silas, schlugen sie mit Peitschen auf den Rücken und warfen sie ins Gefängnis, wo die Diebe und Mörder und die andern Übeltäter saßen. Und sie sagten zu dem Mann, der die Gefangenen zu bewachen hatte: „Paß gut auf diese Männer auf! Sie behaupten, sie seien Diener Gottes, aber sie sind es nicht. Paß auf, daß sie nicht weglaufen, sonst wirst du selbst bestraft."
Der Gefängnisaufseher wollte sich schon Mühe geben. Er steckte Paulus und Silas in die dunkelste Zelle und schraubte ihre Füße in einen schweren Holzblock.
Er dachte: So, jetzt können sie bestimmt nicht loskommen.

Da saßen Paulus und Silas nun. Der Rücken tat ihnen noch weh von den Schlägen. Der schwere Holzblock drückte ihre Füße, und es war völlig dunkel um sie her.
Aber sie dachten: Gott sieht uns auch hier in diesem finsteren Loch. Er wird schon für uns sorgen.
Und sie dachten auch: Jesus hat so viele Schmerzen für uns erlitten. Jetzt dürfen wir auch einmal Schmerzen für ihn erdulden.
Da waren sie nicht mehr traurig, im Gegenteil, sie wurden froh, daß sie für Jesus Schmerzen erdulden durften. Und sie sangen einen Psalm, mitten in der Nacht. Die anderen Gefangenen hörten zu.
Da kam plötzlich ein großes Erdbeben. Der Boden begann, zu zittern und zu beben. Die Wände des Gefängnisses schwankten und barsten und fielen um. Die schweren Holzblöcke an den Füßen des Paulus und Silas fielen auseinander. Da waren die beiden frei. Sie hätten ohne weiteres weglaufen können.
Der Gefängnisaufseher schlief, aber durch all den Lärm wurde er wach. Er sah, daß das Gefängnis offenstand, und

dachte: Oh, jetzt sind bestimmt alle Gefangenen fort, jetzt werde ich bestraft werden! Vor lauter Angst wußte er sich keinen Rat mehr.
Doch Paulus rief: „Hab keine Angst, wir sind noch hier."
Der Aufseher konnte es fast nicht glauben.
Mit einer Lampe ging er ins Gefängnis, und wirklich, da standen Paulus und Silas in voller Freiheit und waren nicht weggelaufen! Dann waren sie aber auch keine Übeltäter! Dann waren sie Diener Gottes.
Der Aufseher fiel vor Paulus und Silas auf die Knie und bat: „Liebe Männer, was muß ich tun, um froh und zufrieden zu werden?"
Paulus antwortete: „Du mußt Jesus liebhaben, dann wirst du froh und zufrieden werden."
Dann brachten Paulus und Silas dem

Aufseher und den andern Menschen, die im Gefängnis waren, die frohe Botschaft. Sie tauften sie auch. Da wurden sie alle Jünger Jesu.
Darauf nahm der Aufseher Paulus und Silas mit in sein Haus. Er wusch ihnen den Rücken, damit die Schmerzen aufhörten, und gab ihnen zu essen und zu trinken. Und er überlegte, was er noch alles tun könnte, um ihnen zu danken.
Am folgenden Morgen wurden Paulus und Silas wieder freigelassen. Sie zogen weiter in die ferne Welt. Und überall, wohin sie kamen, erzählten sie den Menschen von Jesus.
Sein ganzes weiteres Leben lang ist Paulus ein treuer Jünger Jesu geblieben.

DIE GESCHICHTE VON DEN ZEHN MÄDCHEN

Einst wird ein großes Fest sein, ein Fest für die ganze Welt, so herrlich, wie es noch nie gefeiert worden ist.
Wann das sein wird, weiß nur Gott allein. Aber daß es kommen wird, ist sicher. Dieses Fest wird gefeiert werden, wenn Jesus wiederkommt. Er hat es selbst versprochen. Doch das ist schon sehr lange her.

Nun gibt es aber Menschen, die nicht mehr daran glauben, daß Jesus noch kommen wird.
Die bereiten sich natürlich auch nicht auf das große Fest vor, aber die Menschen, die Jesus liebhaben, wissen sicher, daß er kommt, auch wenn es vielleicht noch lange dauert. Die warten auf ihn und bitten um seine Wiederkunft: „Lieber Herr Jesus, komm doch bald!"
Für diese Menschen wird es ein unvorstellbar schöner Tag sein, wenn Jesus kommt. Aber für die anderen wird es ein ganz trauriger Tag sein. Das hat Jesus auch gesagt.
Als er noch auf Erden war, hat er dies in einer schönen Geschichte anschaulich gemacht, in der Geschichte von den zehn Mädchen.

Es waren einst zehn Mädchen, die standen am Wegrand und warteten. Es war schon spät am Abend.
Sie hatten ihre schönsten Kleider an, und sie trugen alle zehn eine Öllampe.
Ihr Freund und ihre Freundin wollten heiraten. Deswegen sollte ein Fest stattfinden.
Und jetzt standen die Mädchen hier, um auf die Braut und den Bräutigam zu warten. Die sollten hier vorbeikommen, und dann würden sie in einem großen Zug zu dem Haus gehen, in dem die beiden wohnen wollten.
Dort war alles für das Fest vorbereitet.
Es sollte ein feiner, großer Hochzeitszug werden. Denn jeder, der eine brennende Lampe hatte, durfte daran teilnehmen.
Die Mädchen sehnten das Fest sehr herbei. Sie schauten manchmal in die Ferne, ob der Hochzeitszug schon näherkäme.
Aber der Weg lag still und dunkel, und es kam noch niemand. Es dauerte so lange! Da wurden die Mädchen allmählich müde und mürrisch vom Warten. Sie setzten sich an den Wegrand und stellten ihre Lampen neben sich nieder.

So saßen sie eine ganze Weile, aber der Bräutigam kam immer noch nicht. Da gähnten sie und legten den Kopf auf die Arme und schliefen ein.
Da lagen sie nun. Die zehn Lampen standen bei ihnen, zehn kleine Lichter. Aber sie wurden immer kleiner, denn das Öl war beinahe verbraucht.
Auf einmal erscholl Musik in der Ferne. Lichter wurden hin- und hergeschwenkt, und fröhliche Stimmen riefen: „Jetzt kommt er an, der Bräutigam! Kommt schnell, lauft ihm entgegen!"
Da wachten die schlafenden Mädchen erschreckt auf. Sie sprangen hastig empor und griffen nach ihren Lampen. Aber die waren fast leergebrannt, denn das Öl war alle. Und ohne brennende Lampe durfte niemand mit auf das Fest. Was sollten sie jetzt tun?
Fünf von den zehn Mädchen wußten es. Sie hatten sich gut vorbereitet auf das Fest. Sie hatten alle noch ein zweites Fläschchen Öl mitgebracht und gossen das Öl schnell auf ihre Lampen. Und die Lampen brannten wieder.
Aber die anderen fünf Mädchen hatten sich nicht vorbereitet. Die saßen verlegen mit ihrer Lampe herum.
„Gebt uns doch ein bißchen Öl", bettelten sie, „denn unsere Lampen gehen aus."

Aber das konnten die klugen Mädchen nicht tun, denn dann hatten sie selbst nicht genug.
„Lauft doch schnell in den Laden", sagten sie, „und kommt rasch wieder!"
Fünf Mädchen liefen fort in die Finsternis, und fünf Mädchen tanzten mit im Hochzeitszug.
Die Türen des Hauses standen weit auf. Der ganze Zug ging hinein, auch die fünf tanzenden Mädchen waren dabei.
Die Zimmer waren prächtig geschmückt. Die Musik spielte, und auf den Tischen standen allerlei gute Dinge. Die fünf Mädchen und all die anderen setzten sich an die Tische. Dann wurden die Türen geschlossen. Das große Fest begann.
Kurz darauf wurde an die Tür geklopft, draußen ertönten Stimmen: „Macht auf, macht doch auf, wir wollen auch mitfeiern!"
Da standen die fünf törichten Mädchen, die erst noch Öl hatten holen müssen. Jetzt hatten sie Öl, aber es war zu spät.
Der Bräutigam sagte: „Ich kenne euch nicht, ihr gehört nicht zu unseren Freunden, denn die sind alle mit uns hineingegangen."
Die fünf klugen Mädchen durften das Fest mitfeiern.
Aber die fünf törichten Mädchen mußten draußenbleiben.

Diese Geschichte hat Jesus erzählt, und als sie zu Ende war, sprach er: „Gebt acht und bereitet euch gut vor, denn mit euch ist es genauso wie mit den Mädchen. Ihr wißt auch nicht, wann ich kommen werde. Ihr müßt stets bereit sein für das Fest."

ARBEITER DES HERRN

Wenn Jesus auf die Erde zurückkommt, wird ein großes Fest sein.
Für dieses Fest müssen wir alle etwas tun, die Kleinen ebenso wie die Großen. Wir sind eigentlich alle Arbeiter Jesu, große Arbeiter und kleine Arbeiter. Und er ist unser Herr, der kommen wird, um zu prüfen, ob wir unsere Arbeit gut getan haben.
Einst wird er jeden von uns fragen: „Was hast du für mich getan?"
Auch dazu hat Jesus eine Geschichte erzählt.

Es war einmal ein Herr, der wohnte in einem großen Haus und hatte sehr viel Geld: gut acht Säcke voll. Er hatte auch Arbeiter, die für ihn tätig waren.
Der Herr war ein Kaufmann. Er kaufte verschiedene Dinge für sein Geld und verkaufte sie dann wieder teurer. So verdiente er Geld und wurde immer reicher.
Einmal mußte der Herr auf Reisen gehen. Er mußte weit weg, in ein anderes Land. Es würde lange dauern, bis er wieder zurückkommen konnte.
Wer aber mußte jetzt die Arbeit für ihn tun? Wer mußte kaufen und verkaufen und Geld für ihn verdienen?
Das mußten seine Arbeiter tun. Der Herr rief sie zu sich.
Zuerst rief er seinen flinksten Arbeiter. Dem gab er fünf Säcke voll Geld. Fünf Talente, so hieß das. Er sagte: „Tu dein Bestes mit dem Geld, kaufe und verkaufe und verdiene, soviel du kannst."
Dann rief er den zweiten Arbeiter. Dem gab er zwei Säcke voll und sagte auch: „Tu dein Bestes mit dem Geld."
Schließlich rief er den dritten Arbeiter. Dem gab er auch ein Talent. Das war noch immer viel. Ein ganzer Sack voll Geld. Etwa zwanzigtausend Mark! Und der Arbeiter bekam dasselbe zu hören: „Tu dein Bestes damit, streng dich tüchtig an und sei ein guter Arbeiter deines Herrn." Dann war kein Geld mehr da, und es waren auch keine andern Arbeiter mehr da.
Es war keiner, der nichts bekommen hatte. Niemand konnte sagen: „Ich kann doch nichts tun für meinen Herrn."
Dann ging der Herr auf Reisen, und die Arbeiter blieben allein zurück. Sie konnten tun, was sie wollten. Ihr Herr war ja nicht da.
Aber er würde zurückkommen, und dann würde er fragen: „Was habt ihr für mich getan?"
Der erste Arbeiter, der die fünf Talente bekommen hatte, ging tüchtig ans Werk. Er kaufte und verkaufte und verdiente gut. Zuletzt hatte er doppelt soviel Geld wie am Anfang, zehn Säcke voll! Der zweite Arbeiter gab sich auch Mühe. Er konnte zwar nicht so viel kaufen und verkaufen wie der erste Arbeiter, denn er hatte nicht soviel Geld, aber er tat auch sein Bestes. Und zuletzt hatte auch er doppelt soviel Geld wie am Anfang. Mit zwei Talenten hatte er begonnen. Jetzt hatte er vier Talente!

Und die beiden Arbeiter hielten jeden Tag Ausschau, ob ihr Herr noch nicht zurückkäme. Sie hofften, daß er bald kommen würde. Sie sehnten ihn herbei.

Aber der dritte Arbeiter war ein schlechter Arbeiter. Der gab sich keine Mühe, sondern faulenzte lieber.
Er sagte: „Was kann ich schon für meinen Herrn tun? Ja, wenn ich fünf Talente bekommen hätte oder zwei, wie die andern! Aber das eine Talent, was kann ich damit schon anfangen?"
Er wußte genau, daß das nicht stimmte. Er hätte ganz gut etwas tun können, aber er war lieber faul.
Er sagte: „Warum soll ich an die Arbeit gehen? Ich könnte das Geld verlieren. Nein, da fange ich lieber gar nicht erst an." Dann grub er ein Loch in den Boden und versteckte darin das Geld seines Herrn. So, dort lag es gut. Dort konnte es niemand finden. Dann setzte er sich hin und faulenzte.
Und er hoffte, sein Herr würde lange fortbleiben. Er sehnte sich gar nicht danach, daß sein Herr bald zurückkäme. Der Herr blieb lange fort. Aber schließlich kam er doch wieder. Und als erstes rief er seine Arbeiter herbei. Denn er wollte hören, ob sie gut für ihn gearbeitet hatten.
Der erste Arbeiter kam froh herbeigelaufen, stellte zehn Säcke voll Geld vor ihm nieder und sagte: „Herr, fünf Talente hast du mir gegeben. Siehe, weitere fünf Talente habe ich hinzuverdient."

Da war der Herr zufrieden und sagte: „Ei, du guter und treuer Arbeiter, du hast dich um weniges gut gekümmert. Ich werde dir viel geben. Geh hinein und feiere das Fest mit mir."

Der zweite Arbeiter kam auch und stellte vier Säcke voll Geld vor ihm nieder. Fröhlich sagte er: „Herr, zwei Talente hast du mir gegeben. Siehe, ich habe zwei Talente hinzuverdient."

Da war der Herr mit ihm genauso zufrieden wie mit dem ersten Arbeiter. Er sagte ebenfalls: „Ei, du guter und treuer Arbeiter, du hast dich um weniges gut gekümmert. Ich werde dir viel dafür geben. Geh hinein und feiere das Fest mit mir."

Dann kam der dritte Arbeiter. Er mußte kommen, ob er wollte oder nicht.

Er wußte genau, daß er ein schlechter Arbeiter gewesen war. Aber das bereute er kein bißchen. Nein, er versuchte, seinem Herrn die Schuld an seiner Faulheit zu geben. Er stellte den einen Sack voll Geld vor ihm nieder und sagte frech: „Siehe, Herr, hier ist dein Geld. Ich habe es im Boden versteckt, denn ich wußte genau, daß du sehr streng bist, und da hatte ich Angst, daß ich etwas davon verlieren würde. Aber hier hast du alles wieder. Jetzt kannst du mir bestimmt nichts nachsagen."

Aber der Herr hatte doch etwas zu sagen, denn er war sehr unzufrieden mit diesem Arbeiter.

Er sagte: „Du böser und fauler Arbeiter! Du wußtest, daß ich streng bin, und trotzdem hast du dein Werk so schlecht getan. Jetzt werde ich dich bestrafen für deine Faulheit."

Dann sagte er zu den anderen Arbeitern: „Nehmt ihm das Geld ab, denn er ist es nicht wert. Gebt es dem Arbeiter, der schon zehn Talente hat. Der hat es verdient, daß er noch mehr bekommt. Aber dieser hat nichts verdient. Packt ihn und werft ihn ins Gefängnis!"

WENN JESUS WIEDERKOMMT

Nun will ich euch noch eine Geschichte erzählen, und dann ist das Buch zu Ende. Jesus ist jetzt im Himmel. Er ist unser Herr, und wir sind seine Arbeiter, große und kleine Arbeiter. Wir müssen alle für ihn tätig sein, auch wenn wir nur wenig tun können.

Einst wird Jesus wiederkommen auf die Erde. Dann wird er einen jeden von uns fragen: „Was hast du für mich getan?"

Jesus ist der Heiland, der alle Menschen liebhat und sie froh und zufrieden machen will.

Auch wir müssen versuchen, die Mitmenschen zu lieben und sie froh und zufrieden zu machen, und zwar alle Menschen, die uns brauchen, nicht nur Vater und Mutter, unsere Geschwister oder Freunde.

Wie wir das tun sollen, hat Jesus uns auch erzählt.

Wenn du groß bist, kommt vielleicht einmal ein Mensch in Not an deine Tür. Dann mußt du zeigen, daß du ihn liebst, daß er dein Nächster ist. Du mußt ihm helfen.

Dann bist du ein guter Arbeiter Jesu. Dann ist er genauso zufrieden mit dir, als hättest du ihm selber etwas gegeben.

Wenn du später groß bist und ein Haus hast, und es kommt ein Mensch an deine Tür, der nirgends einen Platz zum Schlafen findet, was tust du dann?
Und wenn dann einmal ein Mensch kommt, der dringend Kleider und Schuhe braucht?
Oder vielleicht hast du einen Freund oder du hast eine Freundin, die krank sind und nicht draußen spielen dürfen?
Es ist ja nicht immer angenehm, bei einem Kranken zu sitzen. Viel schöner ist es, mit gesunden Kindern zu spielen.
Aber du könntest das Kind froh machen und Jesus auch.

Vielleicht hast du später einmal einen Freund oder einen Bekannten, der im Gefängnis sitzt. Dann mußt du ihn besuchen, selbst wenn er etwas ganz Schlimmes getan haben sollte.

Jesus hat auch die schlechten Menschen aufgesucht. Er ist ja auf Erden gekommen, um die Verlorenen und Verirrten zu retten und froh zu machen.
Was er getan hat, müssen auch wir zu tun versuchen. Dann sind wir gute Arbeiter Jesu.

Und wenn dann Jesus wiederkommt, welch ein schöner Tag wird das sein! Welch ein großes und herrliches Fest!
Auf den Wolken des Himmels wird er kommen mit all den heiligen Engeln. Dann wird er sitzen auf seinem Thron, der König des Himmels und der Erden, und alle Menschen werden zu ihm kommen. Genauso wie die drei Arbeiter vor ihrem Herrn standen, so werden dann auch die Menschen vor Jesus stehen.
Dann wird er die guten Arbeiter zu seiner Rechten stellen und die schlechten Arbeiter zu seiner Linken.
Und zu denen, die zu seiner Rechten stehen, wird er sagen: „Kommt, liebe Freunde, geht mit in den Himmel, wo immer Festtag sein soll. Denn ich bin hungrig gewesen, und ihr habt mir zu essen gegeben. Ich bin durstig gewesen, und ihr habt mir zu trinken gegeben. Ich bin ein Fremder gewesen, und ihr habt mir einen Platz eingeräumt, wo ich schlafen konnte.
Ich hatte keine Kleider mehr, und ihr habt mir Kleider gegeben. Ich bin krank gewesen, und ihr habt mich besucht. Ich bin im Gefängnis gewesen, und ihr seid zu mir gekommen."

Dann werden die Arbeiter voll Freude sein, aber auch sehr verwundert.
Sie werden fragen: „Herr, wann ist das denn alles geschehen?"

Und Jesus wird sagen: „Als ihr den armen Bettler froh machtet und den Fremden und den kranken Freund und all die andern, da habt ihr mich auch froh gemacht. Was ihr meinem geringsten Bruder getan habt, das habt ihr für mich getan."

Dann wird Jesus zu den Menschen, die zu seiner Linken stehen, sagen: „Geht weg von mir! Denn ihr habt mich Hunger und Durst leiden lassen, ihr habt mir kein Eckchen gegeben, wo ich schlafen konnte, und auch keine Kleider, und ihr

habt mich auch nicht besucht, als ich krank war und als ich im Gefängnis saß."
Dann werden ihn die schlechten Arbeiter fragen: „Herr, wann war denn das?"
Und Jesus wird sagen: „Ihr habt den armen Bettler weggeschickt und den kranken Freund nie besucht. Ihr habt nichts für andere Menschen getan. Und darum habt ihr auch nichts für mich getan."

Wir wissen nicht, wie lange es noch dauert, bis Jesus wiederkommt.
Das weiß Gott allein.
Die Menschen, die Jesus liebhaben, sehnen sich nach ihm und beten: „Lieber Herr Jesus, komm doch bald!"
Und wenn er kommt, was für ein Fest wird das sein!
Dann bleibt Jesus immer bei uns.
Dann werden kein Schmerz und kein Kummer mehr sein, kein Streit und kein Krieg.
Dann wird alles gut und herrlich sein.
Ein Fest, das kein Ende mehr nimmt!
Ja, komm bald, Herr Jesus!
AMEN

CIP-Titelaufnahme der Deutschen Bibliothek

Vries, Anne de:
Die Bibel unserer Kinder:
die Worte der Heiligen Schrift/
von Anne de Vries für d. Kinder erzählt.
[Übers. von Gerhard Schneider.
Durchges. von Gerhard Timmer]. –
2. Aufl.–Stuttgart: Verl. Kath. Bibelwerk;
Linz: Veritas-Verl., 1989
Einheitssacht.: Kleuter vertelboek voor
de bijbelse geschiedenis ‹dt.›
ISBN 3-460-32591-7 (Verl. Kath. Bibelwerk) Gb.
ISBN 3-85329-628-9 (Veritas-Verl.) Gb.

ISBN 3-460-32591-7 (Verlag Katholisches Bibelwerk, Stuttgart)
ISBN 3-85329-628-9 (Veritas-Verlag, Linz)
Titel der Originalausgabe:
„Kleuter Vertelboek voor de Bijbelse Geschiedenis“
Verlag J. H. Kok N. V., Kampen/Holland.
Übersetzt von Gerhard Schneider.
Durchgesehen von Gerhard Timmer, Meersburg.
Mit kirchlicher Druckerlaubnis.
Lizenzausgabe mit Genehmigung des
Friedrich Bahn Verlages, Konstanz.
Buchgestaltung: Hermine F. Schäfer.
Gesamtherstellung: Mohndruck Graphische Betriebe GmbH, Gütersloh.